CAESARION

TOMMY WIERINGA

Alles over Tristan (roman, 2002)
Joe Speedboot (roman, 2005)
Ik was nooit in Isfahaan (reisverhalen, 2006)
De dynamica van begeerte (essays, 2007)

DE BEZIGE BIJ

Tommy Wieringa

Caesarion

ROMAN

2009

DE BEZIGE BIJ

AMSTERDAM

Copyright © 2009 Tommy Wieringa
Eerste druk (gebonden) mei 2009
Tweede druk mei 2009
Omslagontwerp Esther van Gameren
Omslagillustratie Elspeth Diederix, *Jeroen with horse*
Foto auteur Viviane Sassen
Vormgeving binnenwerk Peter Verwey, Heemstede
Druk Hooiberg, Deventer
ISBN 978 90 234 2997 5
NUR 301

Voor C, geluksgetal

'Wie is zijn vader,' vroeg ik, 'wie zijn moeder?'
– Plato, *Symposium*

EROSIE

Op de luchthaven van Norwich huurde ik een Ford Focus, de enige automaat die ze hadden.

– Heeft u al eens eerder bij ons gehuurd, meneer Unger?

Ze had de waterige schoonheid van veel vrouwen in dit deel van de wereld, hetzelfde dunne blonde haar. Ik kwam niet in het systeem voor, ze kopieerde mijn paspoort en rijbewijs en schoof ze over de balie naar me terug.

– En de sleutel natuurlijk, anders komen we niet ver.

Ze deed me denken aan het meisje dat ik eens zag bij Bunyans Walk, nadat ik van het pad was afgeweken omdat ik iets hoorde – op de verende bosgrond zag ik haar, ze bereed een bewegingloze oude man. Hij had zijn broek half uit en keek met glazige angst naar haar op, naar haar grote witte borsten die op en neer sprongen, haar vuurrode gezicht. De varens hadden hun tongen uitgerold.

Ik nam de sleutel van haar aan. Glanzend ivoor haar nagels.

Ik had Nederland verlaten vanwege het bericht dat 's morgens voor me was bezorgd.

– Een telegram, zei de receptioniste van het Pulitzer Hotel. Voor u.

Warren overleden.
Maandag 2 maart begrafenis.
Catherine

Toen ik even later mijn koffer inpakte, stelde ik me voor hoe Catherine god en al zijn heiligen erbij had gesleept om de postbeambte te dwingen nog een telegram te versturen. In haar wereld geschiedde de aanzegging van de dood van een geliefde niet per telefoon. Ook Warren zou daar vriendelijk maar zeer beslist tegen zijn geweest. Wanneer ik hen vroeger, toen we nog buren waren, opbelde als ik te lui was om het kleine stukje naar hun huis te lopen, werd er pas heel laat met een soort verbazing opgenomen, alsof ze dachten: *Wat doet dat rare rinkelende ding hier in de gang?*

De bronzen urn met de as van mijn moeder, die ik nu een paar maanden met me meedroeg, stopte ik in een plastic tas. In de koffer wikkelde ik er twee sweaters omheen.

De Ford rook nieuw. DRIVE LEFT waarschuwde een sticker op het dashboard. Ik verliet Norwich en reed naar Suffolk. De geborgenheid van holle wegen, de hoge heggen aan weerszijden. Ik miste de afslag, Alburgh was slecht aangegeven. Er was weinig straatverlichting in dit deel van de wereld. Even voor de bebouwde kom van Alburgh sloeg ik af. Terug op Flint Road, een steenslagweg vol kuilen. In het ijzige licht van de koplampen zag ik trage, zieke konijnen. Fonteinen van modderwater spoten onder de banden vandaan. Deze weg verbond de resterende huizen van Kings Ness met elkaar. *Kings Ness!* Glorieuze heuvel waar we hadden standgehouden tot het bittere eind!

Een doffe klap in de wielkast achter. Genade voor een myxomatosekonijn.

Bij nummer 17 zette ik de auto stil. De buitendeur klemde, ik trok mijn schoenen uit en zette ze in de donkere vestibule. Ik klopte zacht en opende de deur. Een vloed van licht, vrouwen aan de eettafel. Catherine zat aan het hoofd, de anderen waren haar Ierse dochters uit haar eerste huwelijk. Vier stuks.

– Jongen, zei ze. Daar ben je eindelijk.

Ze kwam overeind als een spijker die rechtgebogen wordt, en klemde me in haar armen als een verloren zoon. Met mijn neus in haar geurige kruin stond ik daar, aangestaard door haar hompen van dochters.

– Catherine...

– Het is goed jongen, het is goed.

Ik gleed op kousenvoeten over het zeil langs de dochters, handen schuddend, ze condolerend met het verlies van hun stiefvader. Ik kreeg een glas whisky.

– Glenfiddich, zei een van hen, het enige wat ik dutyfree kon krijgen.

Ze keken naar me terwijl ik dronk. Ik had altijd afstand tot ze gehouden, vroeger, wanneer ze over waren uit Ierland. Ze zouden me kwaad doen als er niemand keek, me knijpen of net zo lang aan de kieteldood onderwerpen tot ik begon te huilen. Ik was weliswaar maar een buurjongen, maar dat Catherine geen onderscheid leek te maken tussen mij en haar eigen kinderen, maakte ze jaloers en onberekenbaar. Ze leefden met hun klauwen uit.

Soms boog er een voorover en snoot haar verdriet in een tissue. Door het raam zag ik de lichtjes van Alburgh. Catherine glimlachte naar me.

– Warren heeft nog naar je gevraagd. Hij vroeg zich af of je zou komen. Je was moeilijk te bereiken, jongen. Beloof me dat je nooit meer onvindbaar zult zijn.

Het raakte me dat hij op zijn sterfbed aan me had gedacht. Zoiets moest je waard zijn. Ik wist niet of ik dat was.

– Je moeder, zei Catherine. Wat vreselijk voor je. Ik kreeg je kaart.

– Jullie moesten het weten, vond ik.

– Hoe lang is het nu geleden?

– Mei. Bijna een jaar alweer.

– Zo jong, zei ze. Veel te jong.

De dochters keken. Ik vroeg me af of ze zich al hadden voortgeplant, de hoeveelheid stompe voorwerpen in de wereld hadden vergroot. Twee zaten naar elkaar gebogen en mompelden in het gutturale Gaelic. Een ander schonk de glazen bij.

– Dit is een heidens land, zei Catherine. Ze wilden Warren in het uitvaartcentrum houden. We mochten hem alleen zien op afspraak. Dan legden ze hem klaar. Maar wij houden onze geliefden bij ons, in huis, tot de laatste dag. En daarna maken we muziek en drinken we.

Een vlaag weerzin trok over haar gezicht.

– Zo koud, de Engelsen, zo koud.

– Heidenen, zei een dochter.

Uit een tafellade haalde Catherine een spuit en een flesje, en prepareerde een shot insuline. Een dochter stond op, Catherine trok haar trui een eindje omhoog en wees waar de spuit gezet moest worden.

– Warren heeft al die tijd mijn bloedsuikerspiegel bijgehouden in een schrift. Elke verandering was meteen te zien. Ik moet alles zelf leren nu. Als een kind.

– Je leert het wel, zei een van de dochters. Wij helpen je.

– Wil je Warren zien? vroeg Catherine mij.

Ik schudde mijn hoofd.

– Liever morgenochtend, zei ik. Als ik erop ben voorbereid.

Het droge schrapen van de whiskydop langs de schroefrand. De single malt verzengde mijn slokdarm, uit mijn gevoelloze mond tuimelden nu vragen over het klif, zijn bewoners, de schade door winterstormen. De erosie die nooit ophield.

Op de kop van de pier van Alburgh, waar eens de Bell Steamers vol vakantiegangers uit Londen afmeerden, stonden twee vissers over de balustrade gebogen. Ze hadden een paar hengels tegelijk uitstaan. Beneden spoelden de loodgrijze golven rond de pijlers, de zee was koud als een lijk.

Vanaf deze plaats was de titanenarbeid van Warren Feldman goed te zien, en ook dat het resultaat van die inspanningen alweer voor een groot deel door de zee was uitgewist. Over een lengte van ongeveer een kilometer had hij een wal van turf, aarde en klei laten opwerpen – de wal was vier meter hoog en stak donker af tegen het gele zand van het veel hogere klif van Kings Ness, waartegen hij rustte. Een primitief verdedigingswerk tegen de erosie. Sinds mensenheugenis werd hier het land aangevreten door de zee, tijdens stormen, wanneer de Noordzee haar samengebalde energie losliet op de kliffen van Oost-Engeland. Ver weg, op het noordelijke uiteinde van Kings Ness, stond het huis van John en Emma Ambrose. Hun huis had nog maar een klein duwtje nodig, en zou dan ook door de afgrond zijn ingehaald.

Mijn moeder en ik kenden het *vallende* gevoel dat bij het wonen aan die afgrond hoort. De inwoners van de middeleeuwse stad Castrum kenden het ook, het water had ze steeds verder naar het westen verdreven. Nu stroomt de zee waar eens die stad lag, Castrum bestaat niet meer, haar naam klinkt als Atlantis. Ze heeft het afgelegd tegen de

Noordzee, die de stad storm na storm, hap voor hap heeft opgegeten. De westelijke grens van de verdwenen stad is opgeschoven tot Kings Ness. Je zou kunnen zeggen dat wij, de mensen van Kings Ness, de laatste inwoners van Castrum zijn, de laatsten der Atlantianen. Ook ons huis is, in die nacht lang geleden, onderdeel geworden van de ruïneuze plattegrond van Castrum die zich ongeveer drie mijl oostwaarts uitstrekt over de zeebodem, en alleen door duikers en zeedieren wordt bezocht.

Bij de entree van de pier was de teashop geopend, de gokhal en de souvenirwinkels waren gesloten, en zouden dat, volgens een briefje op de deur, tot zaterdag 21 maart blijven.

Op de parkeerplaats van de pier stonden de strandhuisjes in de winterstalling. Een in zichzelf gekeerd spookdorp. In mei, als de stormen voorbij waren, werden ze in een lang, kleurig lint langs het strand van Alburgh neergezet.

Ik daalde langs een trap in de betonnen zeewering af naar het strand, waar de vloed ver was opgerukt. Over de smalle strook tussen het klif en de zee liep ik naar het noordelijke eind van Kings Ness. Het klif was bros en zanderig, anders dan de krijtrotsen van Sussex. Hier bestond zelfs winderosie – op zomerdagen, bij stevige oostenwind, zakten er bijwijlen tonnen zand en kiezels op het strand. Oeverzwaluwen die vlak onder de rand nestelden, tastten het klif nog verder aan.

De zeewering was al een tijd niet onderhouden, er waren grote happen uit genomen. Het wolkendek boven zee opende zich, een wak in de grijze hemelkoepel, flonkeringen op de golven ver uit de kust alsof daar zilveren dolfijnen opdoken. Opeens wist ik weer hoe ik vroeger had geloofd in spookschepen van licht die aan de horizon voeren, de oude zeegod, begroeid met schelpen, die opdook voor de kust. Overweldigd door de herinnering stond ik daar, en zag hoe het gat in de wolken zich weer sloot, hoe alles verviel tot het grijs van een voorjaar dat niet kwam.

Hier had ons huis gestaan, tien meter boven zeeniveau. Ik zag het aan de afgebroken buizen die daar boven uit het klif staken, de leidingen die ons huis van gas, water en licht hadden voorzien. Roestige pijpen; afweergeschut, vurend op een lege zee.

Ik maakte voort. Onder mijn voeten knerpte het bed van kiezelsteen. Wie de moeite nam uren achtereen met gebogen hoofd langs het strand te lopen, kon er barnsteen tussen vinden uit Noord-Europese bossen van miljoenen jaren geleden.

De afrastering van de familie Ambrose bungelde nog aan twee paaltjes. Een voet ertegen en de hele boel viel naar beneden. Ergens boven op het klif was een hond die schor, aanhoudend blafte.

Ik was aan het eind van de zeewering gekomen, waar de heuvel van Kings Ness afliep en verderop verzonk in een labyrintisch landschap van kreken en golvend riet, waarin alleen rietsnijders en geïmporteerde Chinese blafherten de weg wisten. Ik klom de heuvel op, terug in de richting van Alburgh. Lang geleden had iemand een paaltje in de grond geslagen met een bordje eraan. INSTABIELE KLIFRAND. INSTORTINGSGEVAAR. Op het klif ervoer ik de ruimte van hemel en water, hier brokkelde de wereld af en verdween zij spoorloos in de golven. Daar boven stond nog altijd de stacaravan van Terry Mud, een paar meter van de rand verwijderd. Je kon erin wonen, als je tenminste de varkensroze velours gordijnen kon verdragen, de enorme, gebloemde fauteuils, de schrootjeswanden en de stervende epifyten in het raam. Je kon de caravan in zijn geheel plastineren als de haai van Damien Hirst, en als tijdcapsule aan toekomstige generaties aanbieden: door de ramen konden zij kijken naar de jaren zeventig van de twintigste eeuw. In één oogopslag zouden ze de stijl en de mentaliteit van die jaren zien, en blij en opgelucht zijn dat ze voorgoed voorbij waren.

Ik liep voor het huis van de Ambroses langs. Een vrouw in een turquoise ochtendjas hing over het hek en riep haar hond.

– *Ruffles! Ru-ffles!*

Achter haar, in de deuropening, stond een spiernaakt meisje. Haar gezicht vertoonde de kenmerken van het syndroom van Down. Wit en huiverend stond ze daar, haar waterige ogen volgden mij met lege nieuwsgierigheid. Ze had een geprononceerde schaamheuvel. Ik herkende de vrouw in de ochtendjas niet, Emma Ambrose kon ze niet zijn. Ze groette stuurs, betrapt.

Ik sloeg af naar het huis van Warren en Catherine, en volgde de weg vol kuilen waarover ik gisteravond gekomen was. Er lagen talloze overreden konijnen. Het wegdek was een sleetse deken van uitgewalst konijnenvel. Ver weg klonk een geweerschot. Een fazantenhaan schoot kakelend het struikgewas in.

In het veld waren de zieke konijnen te herkennen aan hun doffe bewegingloosheid. Ze kregen opgezwollen ogen en bulten, werden blind en stierven een langzame, pijnlijke dood. Een hermelijn bewoog golvend langs de kant van de weg en dook de beschutting van de bruine varens en braamstruiken in toen hij me opmerkte.

De velden lagen er troosteloos bij, kraaien scharrelden tussen de verweekte maïsstoppels. Tussen de heuvels in het westen stak hier en daar een oude, stompe kerktoren boven de eikenbossen uit. De kraaien en de kerktorens, en ook de konijnenpest bij mijn voeten – aan de middeleeuwen was hier nooit een einde gekomen.

Catherine hing de was op achter het huis, ik zag haar door het keukenraam. Zwarte kledingstukken wapperden op de wind van zee. Door de bijkeuken liep ik naar buiten. Ze haalde een wasknijper tussen haar lippen vandaan en prikte er een sok mee aan de lijn. Ze streek piekjes haar uit haar gezicht.

– Een paar weken geleden heb ik zijn nette hemd nog gewassen en gestreken voor de begrafenis van mevrouw Hendricks.

De kou trok op door mijn sokken. Met Warren had Catherine haar grote liefde verloren. Ik kende het verhaal van hun ontmoeting, Warren had het me verteld, het was erg romantisch. Je hart kromp bij de gedachte eraan. We gingen naar binnen, Catherine zei dat ze een injectie moest. Ze schoof de lade open en haalde het etui met het arsenaal tegen een ontregelde suikerspiegel tevoorschijn.

– Ik begrijp zijn systeem maar half, zei ze terwijl ze het schrift met het insulineschema opensloeg. Wat zijn die groene en rode vakjes? Zelfs mijn ziekte is in zijn handen. Zelfs die. Kom, help me.

Ze reikte me de spuit aan en trok haar trui omhoog. Ik zag de witte, oude huid, een huivering ging door me heen.

– Waar wil je 'm hebben?

Ze wees een gebied aan ter hoogte van haar milt, een eiland van speldenprikjes. De naald stond recht op de huid, Catherine maakte een sussend geluid. De naald prikte door de weerstand van de opperhuid en gleed de subcutane vetlaag binnen. De rilling trok door naar mijn scrotum, het was een onverdraaglijke intimiteit. Ik drukte de vloeistofkamer leeg en trok de naald terug.

– Kom nu, zei ze.

Warrens werkkamer, van waaruit hij zijn strijd voerde tegen de politiek en de bureaucratie. Voor we binnengingen vroeg Catherine of ik misschien iets wilde spelen, maandag tijdens de dienst.

– Staat er een piano?

Ze knikte.

– Natuurlijk, zei ik. Op de crematie van Marthe heb ik de dodenmars van Beethoven gespeeld. Bekend, heel mooi.

– Fijn. Doe dat maar.

Donker en koud de kamer, achter de gordijnen waren de ramen open. Aan weerszijden van de baar brandden twee grote kaarsen, de lonten hadden zich diep in het kaarsvet gevreten. Catherine boog zich voorover naar de man in de kist en streelde zijn wang. In het schemerduister leek het of daar mijn eigen vader lag. Het duurde even voordat de dode en de man in mijn herinnering in elkaar schoven tot één beeld, dat van Warren Feldman. Catherine fluisterde tegen hem. Alle kleur was uit zijn baard verdwenen, hij was nog woester dan vroeger. Waarom had hij zijn bril nog op? Het was een beschamende vertoning. Ik wilde een klein Vikingschip, met hem, de koning, op een baar van in petroleum gedrenkt hout, het gevest van zijn zwaard tussen zijn vingers gevouwen, het schip afduwen bij aflandige wind en het dan in brand schieten met een pijl – maar het waren er de tijden niet naar.

Zijn grote handen, de in elkaar gevouwen vingers op zijn buik. Mooie, rechte nagels. De handen ontroerden me – ik dacht aan de dingen die hij daarmee had gemaakt. Het huis van zijn ex-vrouw Joanna, het nieuwe dak op de bijkeuken van ons huis, zijn zeewering. Ze hadden messen geslepen, bijlen gewet en brieven aan het districtsbestuur geschreven waar de splinters van zijn gestolde woede uit vielen bij het openvouwen. Ze hadden twee vrouwen bemind, eerst Joanna bijna twintig jaar en daarna Catherine de rest van zijn leven. De geur van stearine voerde me terug naar die andere katafalk, die van mijn moeder in de rouwkamer van het crematorium. Mijn hoofd werd warm, ik moest hier weg. Ik dacht dat ze huilde, Catherine. Mijn obligate hand op haar schouder leek een ongepaste onderbreking van de laatste momenten die ze in zijn nabijheid doorbracht. Ik wilde *niets* betekenen in dat laatste contact.

Op Flint Road kwamen ze me tegemoet, de dochters. Russische boerinnen. Ze hadden boodschappen gedaan bij de Somerfield in Alburgh. Ik stak mijn hand op. Ze reageerden niet, hun armen hingen vol tassen. Ik had te vroeg gegroet, er moesten nog te veel meters wegkijkend worden overbrugd. Het duurde heel lang voor we elkaar bereikten. Ik zei

– Hallo, hoe gaat het?

Zij zeiden

– O, goed hoor,

en vroegen of ik bij Catherine was geweest. Ik beaamde dat. We liepen door. Vijftig meter verderop keek ik om en zag ze naast elkaar over het pad schuiven. Soms ontstond een bres in de formatie wanneer ze een kuil ontweken.

Ik liep naar beneden en passeerde Joanna's huis in de bocht, het huis dat Warren had gebouwd. Net als de avond ervoor leek er niemand thuis. Warrens land strekte zich uit tot aan de voet van de heuvel, tot de parkeerplaats bij de pier. Ik vroeg me af of Joanna op de begrafenis zou zijn, of de oorlog tussen haar en Catherine misschien voor de duur van de plechtigheden gestaakt zou worden, in een broos bestand.

Ik had mijn intrek genomen in The Whaler. Catherine had me een bed aangeboden, maar ik had vriendelijk bedankt. Te veel vrouwen, te veel rouw.

Achter de toog in de Schooner-bar zag ik een bekend

gezicht: Mike Leland. Ik speelde rugby met hem, hij was toentertijd aanvoerder van het tweede. Hij lachte breed.

– De pianoman, wel wel!

Hij stak zijn grote hand over de bar en pompte mijn arm heen en weer. Mike Leland werkte al als kelner in The Whaler voordat ik Alburgh verliet. Ik speelde er piano, 's middags in de salon en 's avonds in de bar – ik herinnerde me zijn gezichtsuitdrukking toen hij hoorde hoeveel ik verdiende.

– Ik werk, zei hij ontsteld, en jij... speelt.

Hij was opgeklommen tot bedrijfsleider maar zag er nog altijd even misplaatst uit met dat lichaam van een nummer acht in het bedrijfsuniform. Hij speelde nog rugby, natuurlijk, nu als de draagmuur van het eerste. Mike zette een half-pint voor me neer en vroeg wat me naar Alburgh bracht.

– Die oude Knut, zei hij toen. Nu zal het wel vlug gedaan zijn met die lui daar boven. Hoe lang blijf je?

Ik zei dat ik dat niet wist, geen vaste plannen had, maar dat het me beviel de heuvel en het dorp terug te zien. Hij fronste zijn wenkbrauwen.

– Niet getrouwd, Ludwig?

Ik schudde mijn hoofd.

– Kinderen, vast werk?

Op mijn aanhoudend hoofdschudden floot hij zacht tussen zijn tanden. Werktuigelijk spoelde hij glazen.

– Niet getrouwd, geen vast werk. Wat is er van je geworden, pianoman?

– Gewoon, nog altijd de piano. Het is een nuttig kunstje.

Mike schudde zijn hoofd en lachte half tegen zijn zin.

– Nog altijd geen dag gewerkt. Ik doe toch echt iets fout.

Mijn kamer keek uit op het kleine marktplein. In het midden daarvan stond een zeemijn uit de Tweede Wereldoorlog op een sokkel, ambulancerood geverfd, met een sleuf erin voor giften ten behoeve van omgekomen zeelieden. Ik herinnerde me de zinsnede uit Jeremia die erop was aangebracht – *There is sorrow on the sea.*
Mijn telefoon gaf twee gemiste oproepen aan.

– Hé Liberace, waar ben je? De bar zit vol. We zitten op je te wachten.

– Ik vraag je netjes of je wilt laten weten waar je zit. Bij de receptie zeiden ze dat je had uitgecheckt. Christ, Unger, neem die telefoon op. Gedraag je niet als een soort ster verdomme.

Er zaten nog maar een paar balkjes energie in de batterij. Ik woelde in mijn koffer op zoek naar de oplader en tilde voorzichtig de in plastic gewikkelde urn op, tot ik het beeld van een wandcontactdoos voor me zag, en me realiseerde dat mijn oplader zich nog in het Pulitzer Hotel bevond, dat ik de vorige dag verlaten had.
Ik schopte mijn schoenen uit en rolde mezelf in de sprei, en viel zonder enige gedachte vooraf in slaap.

Het was vroeg in de avond toen ik wakker werd. In de Readers' Room, langs de boulevard, bekeek ik oude foto's van zeevaarders uit Alburgh – kapiteins op de grote vaart, matrozen op oorlogsfregatten, haringvissers die hun netten uitwierpen bij de Doggersbank. In het licht van de melkglazen lampen keek ik naar schepen die waren vastgelopen of door gluiperige onderzeeërs doormidden waren geschoten. In de vitrines lagen hardstenen pijpjes en stoffen epauletten.

Een vrome christin had per legaat bestaansmiddelen voor de Readers' Room achtergelaten, opdat zeelieden hun tijd niet zouden verdoen in het café maar onder de leeslamp. Ik had er nog nooit een zeeman gezien. Het viel zelfs te betwijfelen of er nog zeelui waren in Alburgh. Een visser of matroos zou er even museaal aandoen als een rietvlechter op een jaarmarkt. En toch bestond de Readers' Room nog altijd en kwam er elke dag iemand om hem te openen en 's avonds tegen elven weer op slot te doen. Die malle ruimte, een klein museum en een leeszaal ineen, was op een geheimzinnige manier voor de zeis van de tijd gespaard gebleven.

In The Lighthouse Inn vroeg ik de kelner het kommetje friet mee terug te nemen. Soms verdraag ik geen friet. Het heeft te maken met de extase van eenzaamheid. Vroeger, als ik me zo voelde, stopte ik soms stenen in mijn zak omdat ik anders zou wegwaaien. Deze lichtheid overviel me soms nog wanneer ik lang alleen was, en weinig mensen sprak. Ik schraapte de zilvergrijze huid van de kabeljauw schoon en maakte me geen zorgen over mijn *freischwebende* staat. Ik wist dat het niet lang zou duren voor er een einde zou komen aan die gewichtloosheid.

Later die avond vroeg Mike Leland me nogmaals hoe lang ik van plan was te blijven, en op de herhaalde onbestemdheid van mijn antwoord wierp hij zijn netten uit.
   – Heb je geen zin om hier een beetje te spelen, wanneer je tijd hebt? Dat ding staat er tenslotte voor.
   Dat ding: een Brinsmead-piano waarop ik ook vroeger al speelde, en die nu zo vals was als een compliment aan je schoonmoeder.
   – Hij is niet gestemd, zei ik.

– Morgen kan ik iemand laten komen, dat is zo te regelen.

Hij was zijn netten aan het inhalen.

– Vorige zomer hadden we hier ene John Whittaker, zei hij. Die had nog op de Queen Mary gespeeld. Ik heb gehoord dat hij dood is. Gevonden op zijn kamer, in The Seagull in Lowestoft.

– Zo sterven barpianisten, mompelde ik.

– Het is een service die we onze gasten graag aanbieden, zei Leland alsof hij juist van een cursus kwam. En het hoeft natuurlijk niet voor niets hè, Prince Charming.

Hij doelde op mijn vroegere uurloon van vijfentwintig pond, vastgesteld door Julie Henry, de bedrijfsleider toentertijd. Het viel niet te ontkennen dat ze een zwak voor me had. De belediging van vijfentwintig pond per uur was in Lelands herinnering gebrand. Misschien dacht hij nog altijd dat er een corrupt verband bestond tussen de hoogte van mijn loon en glimlachjes van Julie Henry wanneer ze langs de piano liep in haar bedrijfsuniform, dat ze volgens mij tot het uiterste liet innemen. Soms gleed haar hand langzaam over het lakwerk van de kast.

We kwamen vijfendertig pond per uur overeen, Leland en ik, en een warme maaltijd vooraf. In twaalf jaar tijd was ik een tientje meer waard geworden. De eerste week was mijn verblijf in het hotel gratis, daarna moest ik elders onderdak zoeken, want een kamer was er te duur.

Zo had ik, die voor een begrafenis kwam, binnen vierentwintig uur werk, eten en onderdak.

Toen ik de volgende morgen beneden kwam, was er een pianostemmer aan het werk.

– Een oud beestje, meneer, zei de man. Al die kinderhanden.

Ik kwam dichterbij en tuurde in de kast.

– Ze kijken er eerst een tijdje naar, zei ik. Dan kiezen ze heel voorzichtig een toets. Wanneer er niemand komt om ze op hun kop te geven, slaan ze de volgende aan. Er is een magische gedachte in hun hoofd die zegt dat ze opeens piano kunnen spelen, zomaar, een wonder. Ik herinner me dagen dat ik voor de piano stond en dacht dat ik Beethoven in m'n achterzak had, ik hoefde alleen de toetsen maar aan te slaan.

– Volgens mij vinden ze het gewoon leuk om er zo hard mogelijk op te rammen, zei de pianostemmer.

– Krijgt u 'm nog goed? vroeg ik.

– Dat zal wel lukken. Bent u de nieuwe pianist?

Ik knikte.

– Ik maak 'm zo goed mogelijk in orde voor u, maar het vilt is nogal versleten. Dat kan ik niet verhelpen nu.

– Voor *My way* maakt dat vast niet zoveel uit, zei ik.

In de tuinen waren palmen opgebonden voor de winter. Ik schudde de droom van die nacht van me af, over een vrouw van lang geleden. Vroeg in de middag ging ik een winkel in en kocht een fles whiskey. De strandhuisjes op de parkeerplaats bij de pier ademden dof wachten. Ze waren net als ik gemaakt voor een ander seizoen dan dit. Ik liep naar boven. Warren had borden geplaatst. *Private. Authorised vehicles only. Please keep gateway clear.* Over deze weg hadden jarenlang de vrachtwagens gereden, geladen met zand, klei en puin voor Warrens beruchte *zachte zeewering.* Door de straatjes van Alburgh denderden ze naar de boulevard, langs de pier en dan Kings Ness op. Het pad was verstevigd met puin en betonplaten, in wolken van stof jakkerden ze heuvel op, heuvel af. Elke dag had Warren met een klembord in zijn hand vrachtwagens geteld, de aard van de lading gecodeerd en dingen gemompeld als *prachtige klei.* Als het regende zat hij in zijn Landrover achter zwiepende ruitenwissers, het klembord op schoot. Er was iets vergenoegds aan hem, aan hoe hij zei *'t is allemaal maar spel,* of fijntjes glimlachte bij tegenslagen en ze een *nieuwe uitdaging voor het oppositionele verstand* noemde.

Warren had lang voor een firma in waterzuiveringsinstallaties gewerkt. Door een auto-ongeluk was hij gedwongen een jaar te revalideren, en toen hij weer tot werken in staat was, was er geen plaats meer voor hem. Hij liep tegen de zestig toen, hij kreeg financiële compensatie en wijdde zich nu aan het beheer van het klif en de huizen die hij nog in bezit had.

Een paar ochtenden per week zette een gepensioneerde kraanmachinist uit Kessingland zijn brommer bij het huis van Joanna. Daarna liep hij naar de dragline, die op Warrens heerbaan stond geparkeerd. We konden het starten van de motor bij ons thuis horen, en vaak heb ik gezien hoe zwarte rook uit de pijp boven de cabine werd geperst, de heftige rilling die door de machine trok. Altijd dacht ik dat er onderdelen zouden afvallen. Zo bleef hij een tijdje staan, stationair dreunend. Het leek of de motor kracht verzamelde om zich van zijn plaats los te maken, waarna hij traag en koud als een reptiel in beweging kwam. Hij verplaatste de ladingen die de vrachtwagens dumpten, en bracht ze naar het verre uiteinde van de zeewering. Zo schoof die telkens een beetje verder op. Maar voor ons was het te laat geweest.

Warren zou pas maandag begraven worden, drie dagen na nu. Uit de studeerkamer kwam de geur die me herinnerde aan mijn moeders dood.

Niet alle dochters waren er. Er zat er een bij Catherine aan tafel, een ander manifesteerde zich door geluiden van stotend vaatwerk in de aangrenzende keuken. Catherine glimlachte op de onuitstaanbare manier van vrouwen die zich sterk houden. Ik schoof aan en zette een fles Tulla-more Dew op tafel die ik 's middags had gekocht.

– Ierse whiskey, zei ik. Ik hoop dat het de goede is.

– Dat is lief van je. Mary, haal jij glazen.

De dochter kwam overeind en begon aan haar trage gang naar de keuken. Ik vroeg me af hoe Catherine, frêle en licht van geraamte, ze zo kon hebben voortgebracht.

– Alleen Maureen en Mary konden blijven. Kathleen en Jane moesten terug. Maureen blijft nog een week. Daarna ben ik alleen. Ik ben voor Warren naar Engeland geko-men. Ik houd niet van Engeland. Maar ik heb geen dag spijt gehad dat ik hem ben gevolgd. Nu heb ik hier niets meer. Alleen zijn graf. Zij – ze knikte naar de keuken – vinden dat ik moet terugkomen. Maar dit vraag ik me af, jongen, moet je blijven waar je liefde begraven ligt, is dat je thuis? Of is dat waar je kinderen zijn?

Mary kwam uit de keuken met glazen en zette ze voor-zichtig neer, alsof het eieren waren die konden wegrollen over het tafelblad. Ik wrikte met mijn schouders, verlegen met de vraag.

– Ik weet het niet, Catherine. Sinds dit hier, sinds het huis verdwenen is, weet ik het niet zo, met plaatsen. Ik ben geloof ik niet de juiste persoon om het aan te vragen. Ik zou geneigd zijn...

– Maak je zin af.

– Ik dacht aan de mensen die als het gras en de bloemen zijn, dan waait de wind en niemand die nog weet waar ze hebben gestaan.

– Is dat geen psalm? vroeg Mary.

Ik knikte en draaide de dop van de fles. Catherine zei

– Herhaal dat eens.

– Meer ken ik niet, alleen die regels.

– Laat ze nog eens horen dan.

Ik glimlachte en schudde mijn hoofd. De psalm was uitgesproken bij de crematie van mijn moeder, ik voelde toen de betekenis van elk afzonderlijk woord, het gras, de bloemen, de wind. Alles zo kort, zo fragiel. De ogen van Mary flitsten boven het glas heen en weer tussen haar moeder en mij. Zij ging het kristal van stilte niet breken.

– Marthe, zei Catherine tegen mij, ze is gecremeerd?

– As. Het liefst wilde ze langs de Ganges worden verbrand.

Een brandend spoor in mijn slokdarm.

– Maar het kon ook in Winschoten.

– Moeder, zei Mary, zonder Warren bestaat dit huis over een paar jaar niet meer. Over tien jaar is alles weg. Ga je daarop zitten wachten?

Catherine reageerde niet. Ze staarde voor zich uit, haar knokige, gelooide handen rond het glas, alsof ze zich warmde aan het vuur daarbinnen. De secondewijzer van de plastic klok dreunde als een heimachine. Wij zaten daar en ademden.

Toen ik die avond *Summertime* zong in de bar, werd ik er eerder weemoedig van dan dat het me opwekte. *Your daddy's rich, and your mamma's good lookin', so hush little baby, don't you cry...* Zomer en jeugd vielen in het wiegeliedje samen, zoals ze dat deden in de herinnering van veel mensen. Maar het was niet het goede moment voor *Summertime*, de stemming in de bar had de opluchting van een vrijdagavond. Leland bediende de bierpompen alsof hij een tender voortjoeg over het spoor, je zag dat hij voor het horecawezen geboren was.

Ik zette *Candle in the Wind* in, waar Engelsen *al-tijd* van smelten sinds Elton John het van Marilyn Monroe hertaalde naar Lady Di. *Goodbye England's rose, may you ever grow in our hearts* – tegen die tijd heeft de gemiddelde Engelsman zijn vaste substantie allang ingeruild voor iets vloeibaarders.

Ik keek door mijn oogharen en zag een vrouw aan een tafeltje. Onder haar getailleerde jasje droeg ze een zwarte coltrui. Haar hoofd leek los te zweven van haar lichaam. Ik nam haar bleke, gevoelige gezicht in me op, het portret van een Catalaanse vorstin. Ze liet de vloeistof in haar glas schommelen als een grondzee. Ronde ogen, korenbloemblauw, als van een pop, met geprononceerde oogleden die open- en dichtgaan als je met haar schudt. Ze is, door eigen kieskeurigheid, het meisje dat overblijft als alle andere meisjes mee naar huis zijn genomen. Ze zegt

– Het geeft niet. Het went.

Als ze klaarkomt, huilt ze. Niet hoorbaar, maar wanneer je vingers in het donker haar gezicht aftasten voel je tranen op haar slapen.

Het vrolijke gesnater dat van achter de piano tot me doordrong, tilde me langzaam uit mijn bedruktheid. Leland grijnsde naar me toen ik *Take Five* speelde. Hij zou mijn aanwezigheid kapitaliseren als zijn verdienste. Het deuntje van dankbaarheid speelde ik even gemakkelijk als de Radetzkymars.

De avond vergleed, tweemaal nam ik een korte pauze. Tegen elven besloot ik mijn eerste dienst met *As Time Goes By*, al zo lang meegeneuried door velen. *A kiss is still a kiss, a sigh is just a sigh...*

Ik stond op en liep naar de bar. De vrouw zette haar glas neer en knikte naar me. Achter de bar stond Leland naar me te gebaren. Het liefst had hij geschreeuwd zoals in de rugbykantine op zaterdagmorgen na de wedstrijd. Hij zette een glas bier voor me neer.

– Lekker gespeeld, Ludwig. Precies goed voor zo'n avond.

– Het ging wel, dacht ik.

– Ze zijn er dol op. Wat jij doet is puur filmisch, man. Met zo iemand als jij in de zaak denken ze dat ze op de Titanic zitten, of in een bar in Casablanca.

Het bier zong zich een weg door mijn lichaam. Misschien zou ik hier een tijdje blijven, het voorjaar afwachten, thuis en niet thuis zijn, een wolkje stof dat gaat liggen.

Ik kwam haar de volgende dag tegen op de boulevard, de vrouw uit de bar. Ze heette Linny Wallace. Ze vond dat ik mooi gespeeld had gisteravond.

– Vooral Gershwin speel je heel gevoelig.

Ik zei dat ik van Gershwin hield, zijn lichtheid, die me Amerikaans leek.

– Ik had je nog niet eerder gezien, zei ze.

– Ik ben pas woensdag aangekomen.

Ze was makelaar in Reading. Ver weg op het strand waren mensen met honden. Ik vertelde dat ik voor een begrafenis was gekomen, maar in afwachting daarvan over dit baantje gestruikeld was. Dat het in zekere zin een thuiskomst was, omdat mijn moeder en ik ginds op de heuvel hadden gewoond. Twaalf jaar geleden hadden we deze plek verlaten. Misschien zou ik een paar maanden blijven, het was prachtig in het voorjaar.

– En daarna, wat ga je dan doen? vroeg ze.

– Daarna weet ik het niet. Ik ben een krekel, ik speel liedjes in de zon.

– Maar wel bij de mier bedelen om hout als je het koud krijgt, zei Linny Wallace.

We liepen over de boulevard, in zuidelijke richting, in de verte was de kernreactor van Sizewell helder afgetekend – je zag zijn koepel glanzen in de zon.

– Ik schatte je al in als iemand die iets te zoeken had op de boulevard van Cannes, zei ze.

Als ze lachte, zag je dat ze ouder was dan ik. In Avondale

Street stonden we een tijdje te kijken naar een oude man die zijn hond uitliet. Het beest zat op zijn achterste en trok zich met zijn voorpoten over het plaveisel, zo schuurde het zijn jeukende anus.

– Zoiets heb ik nog nooit gezien, zei Linny Wallace. Alsof hij sleetje rijdt...

Ik zweeg over ontstoken anaalklieren, die door een paar bekwame handen eenvoudig konden worden leeggedrukt.

Er zette zich een zekere vrolijkheid tussen ons vast, we lachten om de vele manifestaties van oud, dovend leven die in het dorp te zien waren. Gods wachtkamer, werd het wel genoemd, want Alburgh had het hoogste sterftecijfer van Engeland. Paradoxaal genoeg had dit te maken met de gunstige voorwaarden die men hier vond voor een ongestoorde levensavond. De middenstanders van het plaatsje leefden in de kalme zekerheid van ononderbroken inkomsten uit talloze pensioenen; restaurants en theehuizen boden lunches en maaltijden aan met seniorenkorting tot twintig procent.

Ik vertelde haar dat ik de vorige dag voor de deur van een slijterij had staan kijken naar een bejaarde man die bij zijn scootmobiel stond te hannesen met zijn handschoenen. Toen ik minuten later de winkel weer verliet, stond hij er nog. Hij bestond in een andere tijdruimte, waar je honderd jaar over het aantrekken van een handschoen kon doen zonder dat je daar ongeduldig van werd.

Van vroeger, toen ik hier rondliep als jongen, herinnerde ik me de man die op onverwachte plaatsen stilstond. Dan leek hij diep na te denken over wie hij ook alweer was en wat voor een leven hij ook alweer leidde, waarbij hij zijn bevende handen voor zich uit hield en geheimzinnige tekens in de lucht schreef, of, met enige fantasie, een muizenorkestje dirigeerde.

Alburgh had een zekere bekendheid verworven met het grote aantal hardhouten banken in de openbare ruimte. Overal stonden ze, langs de promenade, het golfterrein, bij het café; eenvoudige banken die voor het nut van het algemeen waren aangeboden door nabestaanden. Op de rugleuning was een inscriptie aangebracht waarop te lezen was aan wie de bank herinnerde.

Mijn dierbare echtgenoot, hij hield van Alburgh

Met zee en zeil in zicht

Aan allen die hier nippen van hun bier. Denk aan Tom

Ginger Tooke, een kwiek vrouwtje, had vroeger rondleidingen gegeven langs die banken, ze kende van veel opschriften het verhaal. Ik wist niet of Ginger Tooke inmiddels zelf was overgegaan tot haar volgende leven als hardhouten bank langs de boulevard.

Ik moest terug naar het hotel voor mijn middagdienst. Linny en ik kwamen binnen als uitgelaten kinderen. Vlug ging ik naar boven om een hemd te strijken. Op mijn voicemail opnieuw een bericht van mijn voormalige werkgever. Zijn gifangel was nog niet leeg.

– Ludwig? Met Peter. Als je het nog weet. Jij komt nergens meer in. Bij de hele keten ligt een fax. O ja, en ik heb een aanklacht tegen je ingediend. Contractbreuk. Ik weet wat je denkt, maar een mondelinge overeenkomst telt ook. Wettelijk. Je hoort er nog wel van. Eikel.

Ik opende een sms-envelopje. *Mi amor. Waar ben je? Ik verdien dit niet. F.*

Ik wist niet wie F. was. Mijn telefoon herkende haar nummer niet. Ik dacht na over de Spaanse aanhef maar dat hoefde geen aanwijzing te zijn want de taal der liefde is een Babylonische spraakverwarring. Ik verwijderde het bericht. De batterij bevatte nog één balkje energie.

In de salon waren een paar gasten, ze zaten in oranje fauteuils en lazen thrillers en kranten. Twee obers hadden de piano naar binnen gerold. Linny Wallace zat op haar hurken bij de ruwstenen haard en pookte in het gloeiende hart van het vuur. De kelner van dienst, een jongen nog, keek aandachtig naar haar kont. Hij was de verbindingsman tussen de bar en de salon. Op het olijfgroene tapijt speelden kinderen. Ik ging achter de piano zitten en bladerde in de map met bladmuziek. Op mijn wenken kwam de kelner met enigszins slingerende gang naar me toe.

– Breng je me een daiquiri alsjeblieft?

Zijn aaneengegroeide wenkbrauwen zakten boven zijn neuswortel ineen tot een deuk, het leek of hij *huh?* zou gaan zeggen.

– Ik weet niet of we dat hebben, zei hij.

– Het is een mixdrankje, je kunt het maken.

Hij leek niet geprikkeld om uit te vinden of het tot de mogelijkheden behoorde. Ik vermoedde dat het woord halverwege hier en de bar zijn hoofd verlaten zou hebben, als een dubbeltje dat uit je broekzak rolt.

– Kun je het nog een keer zeggen. Misschien dat meneer Leland 't weet.

– Dai-qui-ri, hij kent het vast.

De jongen slofte naar de deur, zijn overhemd hing uit zijn broek. De uitdrukking van zijn achterste was al even futloos als die van zijn smoel.

Ik had de partituren op A5-formaat gekopieerd zodat ik

het blad niet zo vlug hoefde om te slaan. Een paar stukken uit Tsjaikovski's balletten om te beginnen, *De Bloemenwals* uit *De Notenkraker*, een wals uit *De Schone Slaapster*. Mijn schoenen kraakten op de pedalen, ik had een grote hekel aan dat geluid. Na Tsjaikovski waaierde ik uit naar Mozart. In de stilte tussen twee *Sonatines Viennoises* kwam Leland de salon binnen.

– Wat heb je nou bij die arme jongen besteld, fluisterde hij. Een do-re-mi?

– Een daiquiri, fluisterde ik terug.

Leland schudde zijn zware hoofd.

– Een daiquiri, Jezus-nog-an-toe.

Hij knikte serviel naar de gasten die over kranten en brillen naar ons keken. Even later bezorgde de jongen een daiquiri in een kegelvormig cocktailglas, met een laagje suiker op de rand, precies zoals ik 'm graag had.

Linny was verrukt over hoe ik Mozart tot leven wekte. Buiten gleed het donker straten en portieken binnen, in de salon knetterde droog hout op het vuur. Ik herinnerde me een gelijksoortige middag, lang geleden in Wenen. Mijn moeder en ik verbleven daar een paar weken vanwege haar rol in *Josephine Mutzenbacher's 1000-and-1 Night*. Op die grijze decembermiddag verliet ik het hotel aan de Kärntner Ring, en ging met de bus naar de Sankt Marxer Friedhof, op zoek naar de cenotaaf van Mozart. Voordat ik de juiste bus gevonden had was er zoveel tijd verstreken dat ik pas tegen de schemering aankwam bij de begraafplaats. Het hek was al op slot. Door de spijlen zag ik tussen de graven alleen nog een kleine witte hond. Aan de zijkant van de begraafplaats klom ik via een vlierstruik op de lage muur en sprong er aan de andere kant af. Ik dwaalde op goed geluk tussen de bomen, waar in de kruinen donkere draden werden gesponnen. Hier ergens hadden ze hem na zonsondergang in de grond gestopt, op 5 december 1791. In een ambtelijke akte was sprake van een *einfachen allgemeinen Grab*, maar welk graf precies vergaten ze meteen.

Op een open plek waar het laatste daglicht draalde, vond ik een stenen zuiltje, kunstig afgebroken, een treurend engeltje leunde er met zijn voorhoofd tegenaan. Het was een vriendelijk engeltje, dat straks, als ik weg zou zijn, zijn hoofd zou oprichten en zachtjes *Der Tod, das muss ein Wiener sein* zou zingen.

De grijze keitjes op het plein voor het hotel glommen van zacht gemiezer, ik nam een paraplu uit de bak bij de uitgang. In het voorbijgaan keek ik het restaurant binnen. Het was nog vroeg, slechts enkele tafels waren bezet.

Veel van de kleine vissershuizen stonden leeg, ze werden in het badseizoen aan toeristen verhuurd. Achter een enkel raam brandde licht. Op straat was niemand, een uithangbord knarste in de wind. Ik rook steenkool, en de geur van houtvuur soms. De vissershuizen van Alburgh, zoals ze tegen de glooiing waren gebouwd, wekten de indruk van een gestadige, organische groei, zoals een elfenbank of een kleurig fantasieontwerp van de Weense decorateur Friedensreich Hundertwasser. De huisjes leken door een paar sterke mannen te kunnen worden opgetild, zoals de strandhuisjes bij de pier. Van een afstand bezien leek Alburgh op een mille-feuille; pastelkleurige bebouwing in lagen op elkaar gegroeid. Twee torens staken erbovenuit, de conische, witte vuurtoren en de klokkentoren van de St. George.

De promenade lag in oranje straatlicht. Het koude metaal van de balustrade boven het strand beet in mijn handpalmen. Dit was het decor van mijn tienerjaren, ik voelde me een toerist in Pompeji. Ik vermeed het om mensen op straat aan te kijken, ik wilde niet hoeven raden naar wat de goede mensen van Alburgh zich herinnerden van Marthe Unger en haar zoon Ludwig.

Wat ik miste toen ik aanklopte bij Joanna, was het diepe blaffen van Black en White, de een zo zwart en de ander zo wit dat ze één hond met zijn schaduw leken. In plaats daarvan klonk er een nijdig geblaf achter de deur. Toen de deur openging, vloog het hondje tegen mijn benen op. Een jack russell, zijn tandjes blikkerden vervaarlijk.

– Af Wellington! zei de vrouw die opendeed. Af!

Wellington was door het dolle heen. Hij sprong tegen mijn benen op en leek vast van plan me in mijn kloten te bijten met die scherpe tandjes van 'm.

– O godverdomme...

Ze greep het beest bij zijn nekvel en smeet hem in een grootse ontlading van woede de tuin in.

– Sorry hoor, zei ze, Welly is zo...

Toen zag ze het.

– Ludwig!

– Hallo Joanna.

Ze opende haar armen en nam me in een muffe omhelzing.

– Ludwig, wat fijn om je te zien. Ach jee, kom toch binnen. Welly, sodemieter op!

Ze smeet de deur dicht, daarachter blafte Wellington als een bezetene en kraste met zijn nagels op het hout.

– 't Is een enorme schat, zei ze, maar zó jaloers. Ik heb 'm van de kinderen. Dan hoeven ze zich niet zo'n zorgen te maken om hun oude moeder denken ze. Ik laat 'm zo wel weer binnen als-ie een beetje rustig is.

Maar achter de deur wekte Wellington niet de indruk dat hij vlug door zijn reserves heen zou zijn. Joanna leidde me door de met schrootjes gelambriseerde gang naar de woonkamer, die laag was, en klein. Het was er erg warm. Er stond geen raam open.

– Wil je thee? Of is het al tijd voor iets sterkers? Thee, ja?

Ik zag dat ze moeite deed om in beweging te blijven, om de opgewekte toon in stand te houden, om niet één steekje te laten vallen omdat ze anders onherroepelijk zou breken.

Voor het raam stond een strijkplank, op de televisie sprak de presentatrice van Channel 4 op indringende wijze tegen me zonder dat er geluid van haar lippen kwam. Ik boog voorover om de wildgroei aan lijstjes op het dressoir te bekijken. Drie zonen en een dochter, getooid met degelijke heiligennamen, omringd door hun partners en kinderen. Ik had weinig omgang met ze gehad, ze waren ouder dan ik en twee waren al uit huis toen wij op de heuvel kwamen wonen. Een foto toonde Warren en Joanna met drie kinderen om zich heen, een vierde, een baby nog, lag in Joanna's armen. Warren had een korte zwarte baard en droeg een bril met donker montuur – nog lang niet de rafelige Vikingkoning van later. Dat werd hij pas nadat hij Joanna verliet voor Catherine en op nummer 17 ging wonen. Sindsdien hing bij Joanna altijd de Union Jack in top, nooit halfstok, nooit gestreken. Het was een kleine diplomatieke provocatie, Joanna wist dat de Ierse de vlag vanuit haar raam kon zien.

De oorlog tussen Joanna en Catherine kende hoogtenoch dieptepunten. Hij duurde eenvoudigweg zo lang als ze zouden leven. Van Catherine, die geen rijbewijs had, wist ik dat ze zich nooit langs Joanna's huis naar de supermarkt of de katholieke kerk van Alburgh liet rijden, maar altijd via de kant van Flint Road die aansloot op de provinciale weg. Ik vermoedde dat ze elkaar in de jaren dat

ze beiden op de heuvel woonden, misschien twee- of drie-
maal van dichtbij hadden gezien, en voor het overige als
schimmen voor elkaar waren. Hun jaloezie was volmaakt
in balans, en had te maken met de dimensie tijd: tijd die
ze beiden *niet* met Warren hadden gehad. Catherine werd
slap en woedend als ze het had over de tijd waarin Joanna
met hem getrouwd was geweest.

– Vijfentwintig jaar heeft ze van me gestolen, heb ik haar
eens horen zeggen.

Ongelogen. Warren verkneukelde zich om het bezit van
zo'n vrouw die voor elke splinter van hem vocht.

Joanna op haar beurt zou er niet voor terugdeinzen de
Ierse te vergiftigen omdat Warren de rest van zijn dagen
aan haar gegeven had. Dat was de bittere kern van hun
strijd: tijd. Over de dagen dat ze niet naast Warren waren
wakker geworden, hem niet hadden horen gorgelen met
mondwater, niet de deur in het slot hadden horen vallen
wanneer hij naar kantoor ging, hem niet de koude rosbief
hadden zien snijden en zijn beruchte zelfgemaakte vis-in-
gelei zagen slurpen. (Mijn god, er kwamen daar soms wel
twintig potjes op tafel met heel andere dingen erin dan de
etiketten beloofden, allemaal door hem zelf gemaakt. *Eet*,
zei Warren, en je at. Wat je at durfde je niet te vragen,
je kauwde met ingehouden adem en slikte alles door. Dat
deed je.)

– O Ludwig, hoorde ik achter me, wat leuk dat je me
komt opzoeken. Ik was al zo benieuwd of je er zou zijn,
met deze situatie en zo. Waar moest je vandaan komen?

Ze zette twee mokken op kurken onderzetters. Door het
gerookte glas van de salontafel zag ik uiteengereten pan-
toffels, door Wellington versnipperde kranten.

– Wil je melk, love? Ik heb het er niet in gedaan. Je hield
toch zo van mijn thee, Ludwig? Het kokende water altijd

39

óp de blaadjes, en alleen first flush, dat was je niet vergeten, toch?

Ik werd opgeschrikt door het hondje dat buiten opeens
tegen het raam sprong. Met zijn nagels krabde hij over het
glas, het leek of zich onder de vensterbank een kleine tram-
poline bevond. Het was een akelig gezicht, dat springende
hondje dat een volwaardige plaats onder de mensen eiste.

– Ah gos, ik laat 'm even binnen.

Ze ging de kamer uit. De hond stormde naar binnen.
Onmiddellijk hernam het dier zijn vijandige houding en
blafte zo schel dat het kraste op mijn trommelvliezen.

– Welly, is het afgelopen!

Wellington schoof een eindje achteruit en hield zijn bek.
Joanna zette de melk op tafel.

– Goed zo, brave hond, brave Wellington.

Ik strekte mijn arm en aaide hem licht op zijn kop.

– Niet zijn oren aanraken! zei Joanna geschrokken.

Vlug trok ik mijn hand terug.

– Hij is daar heel gevoelig, zei ze. Ik denk dat het iets
traumatisch is. De rest van zijn lijfje kun je goed aaien, met
de groeirichting van de haartjes mee, maar bij zijn oren is
hij overgevoelig, hè Welly. Komt hij een koekje halen?

Op het woord koekje stoof het dier naar voren en sprong
naar het biscuitje in haar hand. De hoogte van zijn sprong,
het precies op tijd dichtklappen van zijn kaken, het was van
een bewonderenswaardige precisie. Het koekje was verdwenen zonder kauwen. Ik probeerde een gesprek op gang
te brengen, hoe het met haar was, de kinderen, of ze nog
golfte, maar telkens drong Wellington zich tussenbeide.

– Hij vraagt veel aandacht, zei ik. Je moet oppassen dat
je niet juist vereenzaamt met zo'n hondje.

Joanna knikte. Uit haar ogen vloeide een rivier van liefde
het beestje tegemoet.

– Hij moet erg eenzaam zijn geweest, zei ze. Anders gedroeg-ie zich niet zo. Dat kun je overal teruglezen. Hij overcompenseert nu. De jack russell is zo'n gezelschapsdier, dat wordt nog wel eens onderschat. Staat hier allemaal in.

Ze nam een boekje van een stapel, *Denken als uw hond.* Daaronder een boekje uit dezelfde serie, *Wat de hond van het baasje denkt.* Griezeliger nog was *Uw trouwste vriend: jack russell.*

– Lees je dat allemaal?

Joanna knikte fel.

– Ik vind dat je moet weten wat je in huis haalt. De meeste mensen hebben geen idee, die doen maar wat.

– Wat is er met Black en White gebeurd? Dood?

– Ze liggen achter in de tuin. White heeft een spuitje gehad. Ja, die heb jij nog gekend natuurlijk, die schatten. Ben je al boven geweest, daar?

De wijsvinger die, zonder dat de ogen volgden, in de richting van nummer 17 wees.

– Heb je hem gezien?

– Gisteren. Nee, eergisteren. Jij?

Ze schudde haar hoofd.

– Ik doe niet meer mee, mij hebben ze uitgegumd. Hè Welly, ze moeten het baasje niet meer. Ook al heb ik zijn kinderen opgevoed, voor mij is er geen plekje meer.

De bittere trek rond haar mond verhardde zich.

– Met alle respect, zei ze, jij hebt zijn kinderen niet gebaard en jij mag wel bij hem. Zo oneerlijk, zo vals. Ze sluiten ons buiten, hè beestje. Maar ze weten niet dat hij hier nog vaak kwam, en niet alleen om thee te drinken, o nee...

– Joanna...

– Wil je melk? Laat mij maar. Op z'n Engels toch, darling?

Ik kon de vrije val van dit mensenleven niet veel langer aanzien. Na de thee ben ik weggegaan. Rond mijn hart was een hand die kneep.

– Kunt u iets spelen uit *Schindler's List*?

Ik keek naar een vrouw van middelbare leeftijd. Haar be-
ringde vingers trommelden op de kast. Ik sloeg mijn ogen
op naar het plafond en deed of ik met een innerlijk zoeklicht het geheugenarchief langsging. Toen zuchtte ik diep
en zei

– Het spijt me mevrouw, maar ik kan niets vinden uit
Schindler's List.

Ze glimlachte alsof ik te beklagen was. Toen dezelfde
vrouw me later kwam vragen of ik dan wel iets uit *Titanic*
kende, kon ik haar tevredenstellen met *My Heart Will Go
On*, en zei te hopen dat ze me vergaf dat ik niet klonk zoals
Celine Dion. Ze keek naar me alsof de geur van ironie haar
niet beviel.

Linny Wallace kwam terug van de wc. Een spijkerbroek
en een wit overhemd dat zijdeachtig glom, met een hoge
boord. Haar lippen glansden als een opgewreven appel.
Haar steile blonde haar had ze opgestoken.

Het was zaterdagavond, de dingen waren op hun hoogtepunt. Zaterdagavond was een richel met aan de ene kant
de week die voorbij was en aan de andere kant de week die
kwam – precies op die richel met steile plicht aan weerszijden voelden ze zich vrij en vroegen om verzoeknummers.
De Schooner-bar veranderde in een tingeltangel met de
Maple Leaf Rag, het refrein van Tom Jones' *Delilah* werd
meegezongen door een man of wat aan de bar. O ja, ik was
elke penny waard. Linny werd aangesproken door twee

mannen aan de bar, ze waren vrolijk. Dezelfde jongen die me 's middags bediende, bezorgde me in de loop van de avond nog twee daiquiri's, subliem gemixt door Mike Leland. (Ik weet dat er barpianisten zijn die zeggen dat je niet deugt voor je vak als je drinkt tijdens het spelen. Wat kan ik zeggen.) Er kwam een nerveuze man naar me toe om te vragen of ik iets van Erroll Garner kon spelen.

– Ik speel geen Erroll Garner, zei ik met een knipoog, ik speel Ludwig Unger die Erroll Garner speelt.

Toen speelde ik *Misty* voor hem. Hij keek triomfantelijk om zich heen op zijn barkruk, klaar om wie dan ook te vertellen over de achtergrond van zijn voorkeur voor Erroll Garner, maar Linny was al bezet. Een van de mannen met wie ze praatte haalde drie pints Guinness, misschien hoopten ze haar later te kunnen sandwichen op hun kamer. Engelse meisjes doen de raarste dingen met drank op.

Toen Leland de laatste ronde had ingeschonken, zette ik Randy Newman's *Lonely at the top* in.

I've been around the world
Had my pick of any girl
You'd think I'd be happy
But I'm not

Ik kwam achter de piano vandaan en ging naast Linny zitten. Leland mixte de laatste daiquiri van de dag. De bar liep leeg. De man die iets van Erroll Garner had willen horen zei *welterusten allemaal*, maar te zacht, zodat ik de enige was die het hoorde.

– Je hebt vanavond iemand teleurgesteld, zei Linny. Een vrouw, ze zei tegen haar man *hij moet wel de enige barpianist ter wereld zijn die niks uit Schindler's List kan spelen.*

– Een paar weken geleden is een vrouw uit een bar weggelopen omdat ik niks paraat had uit *The Lion King*. Hakuna matata. Jezus Christus.

We zwegen en dronken. De limoen beet in mijn tandvlees.

– Barpianist... zei ze.

Ik lachte zacht. Ze vroeg

– Is het iets wat je per ongeluk wordt?

– Per ongeluk is goed gezegd. Je kunt je ook voorstellen dat je het op een dag per ongeluk niet meer bent.

– Hoe wordt een jongen uit Alburgh per ongeluk barpianist?

Ik dacht na.

– Dat is een magische vraag, zei ik toen. Het antwoord is een brug, hij loopt van toen naar nu, van het begin van mijn herinneringen tot aan dit moment.

Ik vertelde haar over de stad waar ik geboren was, Alexandrië. Mijn moeder een Nederlandse, mijn vader uit Oostenrijk. We woonden in Kafr Abdou, een populaire wijk bij expats omdat hij ter zijde lag van het lawaai van honderdduizenden auto's en miljoenen mensen – dat ontstoken keelgat waaruit een helse schreeuw opsteeg van sirenes en getoeter en gevloek. Mijn vader, die kunstenaar was, keerde op een dag niet terug van een reis naar het buitenland. Halverwege het liedje vertrokken. Zijn schoenen nog bij de deur, de sigaretten nog op tafel. Niet alle mislukte huwelijken worden ontbonden in strijd en smart, het kan ook met een enkele haal van het zwaard. Ik herinnerde me geen breuk en geen groot verdriet. Het was geruisloos gegaan, een uil in de nacht. Het duurde nog vijf jaar voordat mijn moeder zich ten volle realiseerde dat haar man haar had achtergelaten met een kind en een huis in Alexandrië, en nooit meer zou reageren op de telegrammen die ze naar alle plaatsen in de wereld stuurde waar hij opdook. Al die tijd wachtte ze op hem en leefde door alsof er niets aan de hand was, alsof hij elk moment weer in de tuin kon staan, de treden naar het bordes met een sprong overbrugde en haar in zijn sterke armen zou nemen. Doorgaan alsof er niets aan de hand was, was haar protest tegen de onredelijkheid van het lot. De situatie vroeg, nee, *eiste* weeklagen of juist de geladenheid van stil verdriet, maar zij gaf aan geen van beide toe en leefde haar leven in een groots vertoon van ontkenning.

Mike Leland sloot de bar. Ik vroeg hem om een fles Rémy Martin en de sleutel van de salon, zodat Linny en ik daar de avond konden voortzetten. Even later schakelde hij de spotjes boven de bar uit. Bij de buitendeur nam hij zijn duffelse jas van de kapstok en hees zijn zware lichaam erin. Zijn knipoog was traag van vermoeidheid.

– Gedraag je, zei hij.

In de haard gloeiden nog een paar kooltjes, ik blies de as eromheen weg. Met repen bast die ik van de gekloofde stammetjes naast de schouw scheurde, wekte ik het vuur opnieuw tot leven.

– Pas op dat je het niet uitblaast, zei Linny.

Ik had te hard geblazen, de vlammetjes waren weer weggezonken in de oranje gloed.

– Mensen kunnen vuur moeilijk met rust laten, zei ze.

– Ik heb het wel eens eerder gedaan, zei ik zo neutraal als ik kon.

Haar stem, met ragfijne spot

– Je hebt liever niet dat ik me ermee bemoei?

Ik knikte.

– Dat ligt heel gevoelig bij mannen, zei ze. Cognac?

Uit de as groeide een oranje bloem, trillend in de zachte

stroom van mijn adem. Toen het vuur genoeg kracht bezat, voedde ik het met een paar berkenstammetjes. Ik nam plaats in de fauteuil naast haar.

– Alexandrië, zei ze, daar waren we. Vertel verder.

Uit mijn herinnering doemde mevrouw Pastroudis op, mijn eerste pianolerares. Mijn moeder had me op les gedaan, ze meende dat ik via een instrument mijn emoties beter zou kunnen uiten. Aan het eind van elke les schreef mevrouw Pastroudis mijn verrichtingen in een hardgekaft kasboekje: vingerzettingen, vingeroefeningen, toonladders, harmonieleer. Ze schreef overal *uitstekend!* en *uitmuntend!* achter. Haar warme, zware hand lag een groot deel van de les op mijn hoofd. De piano stond in het souterrain, in haar woonkamer. Ze sprak veel over vroeger. Eens had haar familie het hele gebouw in bezit gehad, nu bezat zij nog slechts het onderhuis. Ze herinnerde zich de feesten in de salon boven haar hoofd, de beau monde van Alexandrië. Op de adem van een zucht verliet soms een naam haar mond.

– Konstantinos Kavafis kwam hier zelfs.

Door de nationalisaties van de jonge kolonel Nasser raakte haar familie bijna al haar bezittingen kwijt, want revolutie is herverdeling. De meeste Grieken van Alexandrië vertrokken, maar mevrouw Pastroudis was gebleven om *uitstekend!* en *uitmuntend!* in mijn schrift te schrijven.

Mijn moeder en ik leefden nu alleen in het grote huis. In de bediendewoning woonde Eman, het dienstmeisje. Een woud van struikgewas en bomen omgroeide de villa, overwoekerde hekken scheidden haar van de huizen ernaast. De tuinman sproeide elke dag, aan de bladeren hingen blinkende druppels. In de onderlagen drong nooit een straaltje zonlicht door, het was er vochtig en donker, als je daar rondkroop kleefde de rode aarde aan je vingers. De boomstammen waren begroeid met epifyten, vlezig, onuitroeibaar. Voor de ramen zaten houten luiken, een bewaker hield de wacht bij het hek.

In huis werden de kamers door dunne doeken gescheiden. Op de plavuizen verschoven gedurende de dag blokken zonlicht, katten lagen te soezen op het warme steen. Achter elk gordijn werd je verder die Byzantijnse tempel in gelokt. Een smaragdgroene, submariene sfeer; je kon je eigen hartslag horen. Wulps, zou ik het nu noemen, Duizend-en-een-nacht. Misschien dat mijn vader verdwaalde in de omfloerste schemerwereld van mijn moeder, waar eunuchen en odalisken door de gangen zweefden. Zijn sfeer was die van de kazerne, de rechthoek.

Ze noemde me Caesarion, kleine Caesar. Mijn koosnaampje. Caesarion was de zoon van Cleopatra en Julius Caesar. Hij en ik waren in Alexandrië ter wereld gekomen. In zijn geval haastten de priesters zich te verklaren dat hij geboren was uit de verbintenis tussen Cleopatra en de god Amon-Re, die als Julius Caesar op aarde was geïncarneerd. Wist mijn moeder niet dat Caesarion de spotnaam was die het volk aan Ptolemaeus Caesar gaf? *Caesartje?*

Het was mijn koosnaam voor speciale gelegenheden.

– Caesarion, speel eens wat je zo goed kunt, liefje...

Dan maakte ik een kleine buiging en nam plaats achter de piano, op de kruk met kussens erop. Caesarion was de titel van het stuk dat we samen opvoerden, ik als wonderkind en zij als de moeder die dat gouden ei had uitgebroed. Ik speelde *Für Elise* en de *Mondscheinsonate*. Als toegift een mazurka en dat was zo'n beetje mijn hele repertoire. Ik gleed van de kruk, nam het gekir en applaus in ontvangst en liet me uitgebreid bepotelen door de dames in het gezelschap. Prinsjes moeten worden opgewreven tot ze ervan glimmen. Dit was Circus Wonderkind, een handvol krakkemikkige stukken die ik leerde bij mevrouw Pastroudis en mijn moeder die zich gedroeg alsof ik Wolfgang Amadeus zelf was. Soms onttrok ik me aan de plicht van representatie en verstopte me in die reusachtige Romeinse villa. Eman liep op slissende slippers door de gangen en kamers op zoek naar mij – *Lóed-viek! Lóed-viek!* Het was gemakkelijk om te verdwijnen in dat huis, dat geheel uit schaduwen was opgetrokken, en bijeengehouden werd door de dikke aderen van de klimop die buiten tegen het zandkleurige pleisterwerk op groeiden; een uitwendig, verhout skelet.

Ze neemt me vaak mee naar Le Salon Trianon, het Paleis van Hemelse Taartjes. Ik mag zelf een Douceur Surprise bestellen, een Om Ali aux Noisettes of de Trois Petits Cochons. Ze verbetert me wanneer ik het Frans verkeerd uitspreek. Dat is haar voornaamste bijdrage aan mijn educatie. Al die toetjes en taartjes draaien rond in een verlichte vitrine, met mijn neus op het glas zie ik de omwentelingen van die suikerstelsels – de vriendelijke crème caramels! de vrolijke Banana Brasiliennes! de nuffige Tarte aux Fruits! Mijn moeder drinkt kleine kopjes koffie en rookt sigaretten. Ze is hier vaak. Onder het gelakte houten plafond, achter de getinte ramen, waant ze zich in Europa, maar een raar, vervormd Europa. Een buitenpost waar men zich probeert te herinneren wat Europa ook alweer was, en zijn best doet om het zo veel mogelijk op de herinnering te laten lijken. In Trianon bootsen airco's Noord-Europese koelte na, uit verscholen luidsprekers druipen de gesuikerde stalactieten van Mantovani. Het geüniformeerde personeel gedraagt zich alsof we in het Hermitage in Monaco zijn. Mijn moeder ziet de rafels en vlekjes op de vestjes van de kelners en de wc-meisjes wel, maar het smetteloze zwarte kostuum van de gerant maakt veel goed.

– En de trekker van de wc kleeft niet, hoor ik haar zeggen wanneer ze de zegeningen van Trianon telt.

Het meisje reikt haar een tissue aan als ze haar handen heeft gewassen, en neemt daarna de spoelbak af. Zo ziet de hemel van mijn moeder eruit: allerfijnst vertakte dienstverlening.

– Teken maar wat je op de muur ziet, prinsje, zegt ze wanneer ik me verveel.

Ik teken de wandschilderingen over, kopieer die mystieke, tabakskleurige vrouwen met beloftevolle gezichtsuitdrukkingen: figuren uit Duizend-en-een-nacht, vrouwen met blote borsten en een tulband rond hun hoofd, verbeeldingen van de liederlijke Oriënt. De kleuren zijn verdwenen onder het sediment van plakkerig stof en nicotine.

Een paar middagen per week brengen we door in die hoge salon, afgewend van de afgekloven wereld daarbuiten, met haar geur van verrotting en het eeuwige woestijnstof dat uit de hemel kruimelt. Opnieuw hoor ik die naam, want ook Trianon heeft hij bezocht – *Kavafis is hier geweest*. Het is geen wonder dat hij overal was, de stad is een eiland, ingeklemd tussen de zee en de woestijn; de bewegingsvrijheid is beperkt.

De espressomachine sist en blaast wolken stoom uit. Het luide hameren van de hendels wanneer de verbruikte koffie wordt uitgeslagen, de rode behuizing van het apparaat, voorzien van blinkende zilveren onderdelen, druk- en temperatuurmeters, het blazen van de stoompijp: die machine is het levende hart van Le Salon Trianon. Mijn moeder staart uit het raam, dat vanbuiten spiegelt zodat niemand naar binnen kan kijken. Buiten schuift het Alexandrijnse leven voorbij, heel die armzalige massamaatschappij, die

mierenhoop van zenuwslopend gefriemel zonder enige samenhang. Zwak dringen in de salon geluiden van buiten
door, het gezoem van myriaden aasvliegen op het kadaver
van de stad.

Op een middag staat er een man stil bij ons tafeltje, hij
is blij verrast haar te zien en buigt met de gratie van een
Arabische edelman. Hij neemt haar hand en drukt er een
kus op.

– Miss LeSage, zegt hij, het is me een eer.

Achter zijn snor schittert een prachtig gebit, tussen zijn
voortanden kiert een spleetje. Heel Trianon kijkt hem na
als hij door de glazen draaideur verdwijnt.

– Hij is grijs geworden, zegt mijn moeder.

Ik vraag wie dat was, en waarom hij haar zo noemde.

– Dat was Omar Sharif, liefje.

Het komt niet bij me op om door te vragen, ik heb de
leeftijd waarop alles zowel een wonder als een vanzelfsprekendheid is.

Mijn vader herinner ik me alleen als een geluid. Hij is uit
mijn leven verdwenen voordat mijn actieve herinnering op
gang is gekomen, zodat de auditieve herinnering de enige
is die ik heb. Het is een ritmisch, schurend geluid dat ik
niet kan thuisbrengen. Het is lichaam- en gezichtloos, en
valt nergens toe te herleiden. Dat schurende geluid is het
enige waar ik aan denk als ze op school vragen wie mijn
vader is.

Ik zit op de Schutz American School, niet ver van
tramstation Raml en Trianon. Daar heb ik op een dag weer
het geluid gehoord dat mijn vader is. Dat *schuren*. De deur
van het lokaal staat open, het geluid klinkt op de gang. Ik
verstijf op mijn stoel. De gedachte: *hij zoekt mij, hij komt
me halen...* Het geluid komt tot stilstand voor de deur van

het lokaal, na een klopje komt meneer El-Fahd binnen, de conciërge. Hij wisselt een paar woorden met de meester en verlaat het lokaal. Ik vraag of ik naar de wc mag.

– Volgende keer in de pauze, Ludwig.

Ik loop in de gang achter meneer El-Fahd aan, *hij heeft me gevonden, hij is al die tijd vlak bij me geweest!* In de centrale hal begrijp ik voor het eerst waardoor het geluid veroorzaakt wordt, het *woesj woesj woesj* – zijn broekspijpen die tegen elkaar schuren wanneer hij het ene been voor het andere zet. Meneer El-Fahd vraagt waarom ik niet in de klas ben.

– Moet je iets halen?

Ik schud mijn hoofd.

– Bent u mijn vader? vraag ik.

Hij lacht.

– Nee jongen, jij hebt je eigen vader. Vlug naar je lokaal nu.

Hij verdwijnt in zijn hokje bij de ingang en kijkt niet meer naar me om. Boven mijn hoofd dreint een wolk van verdriet, de rest van de dag leef ik in de overtuiging dat meneer El-Fahd wel mijn vader is maar tegen me gelogen heeft met een Hoogst Geheime Reden – maar gaandeweg dringt het koude licht van de logica mijn schemerige fantasieën binnen, en begrijp ik dat er meer mannen met X-benen zijn dan alleen mijn vader. Broeken van mannen met rechte benen maken dat geluid niet. Niet zo.

Ik zweef in het luchtledige van een vader die er niet is en een afwezige moeder, wier opvoedkundig uitgangspunt bestaat uit laisser faire, laisser passer. Achter haar ogen trekken dromen voorbij. Ze is soms zo stil die moeder van mij, je zou haast zeggen dat ze er dan niet is. Ik houd van haar zoals meneer Cavour van Moeder Maria houdt, over wie hij ons vertelt in een bijgebouwtje van de Alexandria Community Church. Hij overtuigt ons van zijn onmetelijke liefde voor de moeder van Jezus, hoewel hij haar niet eens heeft gekend. We zien een film over dat gezelschap in de woestijn en na afloop zegt Betsy Pearlman

– Ik ben verliefd op Jezus.

Ik zit op bed, mijn moeder maakt zich op voor de kaptafel. Ik kijk naar haar spiegelbeeld, suizingen in mijn bloed door de geur van haar oogpotlood. Het mascaraborsteltje strijkt langs haar wimpers, het ingespannen kijken, zo kijkt ze naar niets anders in de wereld.

– Wil je een beetje? vraagt ze.

Ze tekent accenten van rouge op mijn wangen en stift mijn lippen rood.

– Ludwig zo mooi, zo mooi, zingt ze zacht.

Hij hoeft niet terug te komen, die vader van mij, ik ben een geverfd prinsje, ik woon met de koningin in een paleis met een hek eromheen en een poortwachter in zijn huisje onder de eucalyptusbomen langs de straat, we hebben die schurende broekspijpen in huis helemaal niet nodig. Ik krijg nagellak op, ze blaast warme lucht op mijn vingertoppen, zo dichtbij en zo lijfelijk is ze nu, dat ik me tegen haar aan laat vallen – ze verliest het evenwicht en grijpt zich vast aan de kaptafel. Ze duwt me van zich weg.

– Kijk nou, alles verpest, zegt ze.

Met een boze frons maakt ze even later nagel voor nagel schoon met aceton en brengt een nieuw laagje lak op. Haar sieraden rinkelen zachtjes. Ze heeft veel sieraden. Als ze eet of drinkt of nagellak aanbrengt hoor je de armbandjes rinkelen. De ringen rond haar vingers tikken als hondennagels op een houten vloer.

– Met je handen wapperen, dan droogt het sneller.

Maar niet lang hierna glijdt ze terug in haar absentie en

is ze weer onbereikbaar voor mij geworden. De omfloerstheid van haar blik, een van ouderdom beslagen spiegel. Er hangt een scherm tussen haar en de dingen, waar je tegenop loopt als tegen een glazen deur die ze hebben gepoetst tot er geen verschil meer is tussen binnen en buiten. Achter die deur zit zij, ik maak vette vingerafdrukken op het glas.

Op een dag werd een groot houten krat op de stoep gezet, zo groot als een huis, en de volgende dag nog een. 's Avonds bij het eten zweeg Eman, ze was verdrietig. Pas na een paar dagen zag ik mijn moeder weer.

– We gaan terug, kleine prins, zei ze.

En toen ik vroeg waarheen, antwoordde ze

– Naar Europa.

Ze zou niet langer op mijn vader wachten, in een stad waar ze niet thuishoorde. Ze had het huis verkocht en de kratten besteld. Er heeft altijd een krachtig magnetisme bestaan tussen mijn moeder en de wereld van de voorwerpen, het huis was in de loop der jaren volgestroomd met de tienduizend dingen. In de weken die volgden zag ik ons leven in de kratten verdwijnen, alles wat we hadden, elke stoel, elk kussen, elk bedoeïenenkleed. Toen ik zag hoe haar tempel werd ontheiligd door de verhuizers, wist ik niet of ik opluchting moest voelen of verdriet.

Op de muren waren de bleke schaduwen afgetekend van verdwenen kasten en kleden. Toen de werkmannen opeens in mijn kamer stonden, kwam bij monde van Eman de boodschap dat ik mijn rode koffertje moest inpakken. Er moesten kleren in en de dingen die ik echt niet kon missen; het was onbekend wanneer de kratten met ons zouden worden herenigd.

We verlieten Alexandrië op een vroege morgen. De taxi snelde over brokkelig asfalt naar Caïro, ik herinner me de rechterkant van de weg.

– We moeten terug! zei ik opeens. Ik ben iets vergeten!

Maar we konden alleen nog maar vooruit, de weg terug was afgesloten. Ze informeerde niet naar wat ik was vergeten. Ik vroeg wanneer we zouden terugkomen.

– Dat weet ik niet, Ludwig. Voorlopig gaan we eerst weg.

Ik begreep de betekenis van afscheid, ik huilde zonder geluid. In mijn huis zou een andere jongen wonen, hij zou blind de weg weten naar de schat die ik vergeten was op te graven, een plastic doosje met gele hondentanden erin die ik onder de struiken gevonden had, en stukjes kristal die ik langs de straten opraapte. Eman zei dat het fragmenten van autoruiten waren, maar ik wist wel beter – kristal, uit de diepten van de aarde. De hondentanden zaten vol krassen en kerven, en waren donkerbruin uitgeslagen. Tanden en kristal, dat is wat er van mij achterbleef. We bewogen vlug bij mijn schat vandaan, er was niets wat ik kon doen.

De eerste halte die we aandeden was Nederland. Op de luchthaven werden we opgewacht door een zuster van mijn moeder en haar man: tante Edith en oom Gerard. Ze namen ons mee naar het noorden, een lange reis met de auto, mijn moeder en ik zaten op de achterbank, voorin zwegen zij. Mijn moeder droeg haar zonnebril en leek aan dat stille gewend.

– Jullie hadden beter op Hamburg kunnen vliegen, zei mijn tante op zeker moment. Of Bremen.

– Daar komen toch geen vliegtuigen uit Egypte, zei mijn oom.

Hij sprak in een mij onbekend dialect. Ze woonden in een herenboerderij aan een kanaal, niet ver van Bourtange, nabij de Duitse grens. Ik had in Egypte de irrigatiewerken van boeren gezien, kanalen, sluisjes, een zich steeds fijner vertakkend netwerk van slootjes, maar een kanaal als dit nog nooit. De rechtheid ervan was intimiderend.

Het was zomer, ik hoorde mijn tante soms *foei wat is het warm* verzuchten. De warmte waar ik aan gewend was, was hier een uitzondering. Mijn moeder zei na een paar dagen dat ze een tijdje zou weggaan. De avond voor vertrek kwam ze op de rand van mijn bed zitten. Terwijl ze sprak, keek ze net over me heen, naar de lichtblauwe korenbloempjes op het behang.

– Ik dacht dat we hier misschien thuishoorden, zei ze. Met familie in de buurt, je oom en tante, maar ik heb me vergist. Ik kan hier niet wonen. Er zijn een paar plekken die ik wil bekijken, ik probeer zo vlug mogelijk terug te zijn, oké liever? Zul je lief zijn voor oom Gerard en tante Edith?

Zo bleef ik daar achter, ik weet niet hoe lang. Lange, droge dagen schoven vloeiend ineen. Generatoren pompten water voor de velden uit het kanaal op. Wiebelende stofzuilen boven de vlakke akkers torsten het azuurblauwe hemelgewelf.

In de dorpen die ik zag, waren de huizen gebouwd van rode baksteen. Het bedrukte me, de donkerheid ervan, de rechthoekige strengheid – het leek in niets op de ordeloze woekering van mijn geboortestad.

Aan de keukentafel at ik voor het eerst gele vla. Vla uit flessen, geel en lobbig en bijna even lekker als de taartjes van Trianon. Oom Gerard diepte de laatste beetjes uit de fles op met een ding dat hij een *flessenlikker* noemde. Na de maaltijd was tante Edith in de keuken in de weer met een *schraper*, waarmee ze restjes eten uit de pannen verwijderde.

Oom Gerard haalde een step uit de schuur, pompte de banden op en deed voor hoe je hem gebruikte. Hij was goed voor me, oom Gerard, minder streng dan tante Edith, bij wie ik het gevoel had dat ik zelfs verkeerd *ademde*. De step vergrootte mijn wereld. De reizen langs het rechte kanaal werden langer, tot aan de sluis kwam ik nu, waar soms kinderen zwommen en van de sluis af in het water doken. In de schaduw van de populieren keek ik naar ze. Ik bemoeide me niet met hen. Ze lieten mij met rust. Ze hoorden bij elkaar, er was geen plaats voor buitenstaanders. Ik keek naar de flonkerende gordijnen van water wanneer ze bommetjes maakten, een van de jongens was de koning van de *boer'nplons*, hoger kwam de zuil van opspringend water nooit – zo werd ik vanzelf onzichtbaar, een bleke vlek onder de populieren die daar de zomer verdroomde – ik keek, ik absorbeerde het paradijs, en ook al deed ik niet mee, nog altijd komt het me voor als een weeffout in de schepping dat je op een dag niet meer naar de sluis fietst, geen bommetjes meer maakt in een flodderig zwembroekje, niet meer met elkaar worstelt en glad en rap als zeeleeuwen onder water zwemt om meisjes onder te trekken – dat je daar uitgroeit, te groot voor wordt, heb ik altijd beschouwd als een teken dat de ziel bestaat, en dat ze kan bederven.

En dan, plotseling, komt de hele troep in beweging, de ordeloze hoop fietsen wordt ontward, ze gaan ervandoor.

– Mooie step, zegt er een in het voorbijgaan.

Daar moeten ze erg om lachen, zodat ik begrijp dat ik daar te groot voor ben, voor die step, zoals zij over enige tijd te groot zullen zijn voor de sluis, voor blote voeten op de pedalen, het zand tussen hun tenen.

Aan tafel zwijg ik over de dromen van overdag. Mijn gezicht, mijn lichaam ademt het licht, de warmte uit die mijn huid overdag heeft ingeademd. Ik vraag me af of oom Gerard ergens in die schuren van hem niet nog een fiets heeft waar ik op pas. Dit zal ik hem vragen als zij er niet bij is. Ik vraag of ik nog een paar *potatoes* mag.

– Aardappels, zegt tante Edith, en schept er twee op mijn bord.

Niet lang na het eten trek ik mijn pyjama aan en kijk televisie in de voorkamer. Daarna moet ik naar boven. De traploper maakt mijn stappen onhoorbaar.

– Welterusten, zegt mijn tante in de deuropening.

Ze wacht tot ik wel-te-rus-ten net zo uitspreek als zij, want ze vindt dat mijn moeder mijn Nederlands zo heeft verwaarloosd. Het licht wurmt zich tussen de gordijnen door, ik sla het laken van me af en loop naar het raam. Het kijkt uit op het kanaal, de populieren, op boerderijen en akkers daarachter. Oom Gerard sproeit het gras in de voortuin. Wanneer komt mijn moeder terug? Sinds ze is weggegaan, is er met geen woord over haar gesproken. Ik weet niet waar ze is, de gedachte dat ze niet zal terugkomen en ik hier altijd zal moeten blijven brengt me in het voorportaal van de paniek. Schaduwen kruipen over de weg, nestelen zich tussen de bomen en struiken, het water verdonkert. Ze zal terugkomen, ze zal me nooit alleen achterlaten. Ik ben in haar gedachten zoals zij in de mijne, ze zal me komen halen. Ik slaap pas in wanneer ik mijn oom en tante zacht hoor praten op de overloop, als hun slaapkamerdeur opengaat, na de discrete tik van het slot.

– Een fiets?

Oom Gerard graaft met zijn vingers door de stoppels op zijn kin.

– Nee jong, die heb ik niet voor je. Die van ons, daar pas jij nog niet op. Maar kan jij fietsen dan?

Ik dacht van wel, zoiets kon je toch gewoon? De kinderen bij de sluis fietsten alsof ze op zo'n ding geboren waren.

– Wanneer komt mijn moeder terug? wil ik weten.

– Och, zegt oom Gerard.

Hij trekt met zijn schouders. Een antwoord krijg ik niet. Die dag komen er voor het eerst woorden bij me op die met het grote afscheid te maken hebben. De introïtus van de requiems die ik in de loop der tijd voor haar zal maken. Alles in mijn hoofd, en dit is de eerste. *O mooie moeder, who art in heaven, hallowed be thy name...* brokstukken van gebeden uit de Alexandria Community Church worden onderdeel van de kleine dodenmis. Terwijl ik furieus langs het kanaal step wellen de woorden op, *farewell moeder, don't leave me alone, tante Edith is a bitch, kom terug, kom terug...*

Op een avond reed een taxi voor, ik was al in pyjama. Het achterportier zwaaide open, op blote voeten rende ik over het tuinpad, het hekje door, en viel haar in de armen.

– Ludwig! Wat ben je zwaar geworden!

Op dat moment schiet ik vol gif en woede, het lag verborgen achter het gemis en de angst – *ze heeft me alleen gelaten. Ze zal me opnieuw alleen laten. Opnieuw en opnieuw.* Mijn omhelzing wordt slap. De kus sterft op mijn lippen.

– Hoe heb je het gehad, schatje? Is alles goed gegaan? Heb je het fijn gehad?

Ze heeft me niet één keer gebeld. Dan had ze al die dingen kunnen vragen. Niet één keer. Rillend zink ik weg in een bad van verwijt. Later aan tafel zegt mijn tante

– Da's met katten net zo. Tot ze weer weten wie ze te vreten geeft.

Ze reisde door Noordwest-Europa. Ze was enthousiast over *snoezige kustplaatsjes* in Noord-Frankrijk maar Picardië vond ze somber en afgeleefd, de Denen waren aardig maar zeer burgerlijk, pas in Engeland dacht ze dat er iets voor ons te beginnen viel. Een huis had ze nog niet gevonden, ze wilde zoeken langs de oostkust. In Alexandrië had ze veel Engelsen gekend met wie ze het goed kon vinden.

– Engelsen begrijpen excentriciteit, zei ze.

De volgende dag pak ik mijn rode koffer in en ga de geruisloze trap omlaag. Ik stap de kamer binnen.

– Zo denken wij erover, zegt mijn tante.

Mijn moeders stem.

– De balk in je eigen oog, Edith, die zie je weer eens niet.

Ze zien me te laat om de hardheid van hun stemmen toe te dekken. Mijn moeder zegt

– Dan denk ik dat we elkaar maar even niet meer moeten zien.

Ze pakt me bij mijn arm en duwt me naar voren.

– Bedank je oom en tante maar, Ludwig.

Ik ga op mijn tenen staan om tante Edith te kussen, ze buigt niet ver genoeg voorover zodat de kus in de kalkoenachtige plooien van haar hals terechtkomt. Oom Gerard kus ik ook, in zijn keel rommelt het ongemak.

– Dag jong, leuk was het.

We verlaten de kamer, in de hal grijpt ze haar koffer, we lopen de tuin door, de klinkerweg op. De open hemel, de razende zon in de nok. Ze klemt mijn hand in de hare, in de andere houdt ze haar koffer waarvan de wieltjes half over de klinkers en half door de stoffige berm rollen. We lopen in de richting van de sluis.

– Loop door verdomme.

Mijn kofferarm staat in lichterlaaie. Bij de sluis in de verte zijn geen kinderen te zien. In de kruinen van de populieren ritselen zuchtjes wind, de wereld houdt zich koest in de bewegingloze middagwarmte. Pas bij de sluis laat ze mijn hand los. We staan stil. In haar nek hangen piekjes bezweet haar, op het lijfje van haar jurk schemeren transpiratievlekken. Van de statige woede waarmee ze de boerderij heeft verlaten is niet veel over. Gesmolten. Ze hinkelt nu op één been en trekt een pump uit. Daarna de andere. Ze brengt een hand naar achteren en vindt tastend over haar rug het lipje van de rits. In een vloeiende beweging ontbloot ze haar rug. Het is ondenkbaar dat onder haar marmerblanke, egale huid dieprood bloed pulseert, dat ze uit nog iets anders bestaat dan glanzende huid. Ze trekt haar schouders naar voren, de jurk glijdt van haar af. Het is of ze uit de schaduw tevoorschijn stapt. Sneeuwwit ondergoed. Ze haakt haar bh los. Over de huid van haar rug en schouders een patroon van strepen. Ze zinkt op haar knieën en gaat voetje voor voetje de zanderige oever af naar beneden, tot de helling te steil wordt, dan zet ze zich af en duikt in het water. Ze komt boven, ze lacht, veegt het haar uit haar ogen.

– Het is heerlijk! Kom erin, Ludwig!

Ik kijk wel uit. Wat als de kinderen komen? Ze draait zich op haar buik en zwemt met een paar slagen naar de overkant. Er komt een auto aan in de verte, de oranje Opel Ascona van oom Gerard. Hij stopt bij de sluis. Ze zwemt deze kant op en klimt op de oever. Oom Gerard staat bewegingloos, hij vergeet haar een helpende hand toe te steken.

– Dag Gerard, zegt ze.

Ze staat op de weg, ze houdt haar hoofd schuin en wringt het water uit haar haren. Zijn ogen volgen de lijnen van haar lichaam als een hand die aait. (Pas veel later, in het Uffizi, heb ik gezien wat oom Gerard die dag bij de sluis zag: de Venus van Botticelli, geboren uit zee en schuim, iets mooiers heeft hij zijn hele leven langs dat kanaal niet gezien. Ik kijk naar die arme man, zijn rode gezicht, zijn ogen die honger en schaamte seinen – zoveel tegelijk, ik zie voor het eerst iets van de ingewikkeldheid van deze dingen.) Ze vraagt wat hij komt doen. Hij scheurt zijn blik van haar los en kijkt in de richting waar hij vandaan kwam.

– Ik wou jullie een slinger geven naar het station.

Mijn moeder steekt haar armen door de bh-bandjes en haakt ze vast. Ze stapt in haar jurk en draait haar rug naar oom Gerard toe. Over haar schouder zegt ze

– Alsjeblieft?

Hij steekt zijn armen uit als om haar op afstand te houden. Zijn grove vingers trekken de rits dicht.

– Dank je.

Ze trekt haar natte slip uit en propt die in de koffer. Oom Gerard legt onze koffers in de achterbak, in stilte rijden we naar Groningen.

– Waar gaan jullie heen? vraagt hij voor het station.

– Naar Engeland, zeg ik vlug vanaf de achterbank.

Mijn moeder knikt.

– Jammer, zegt ze, dat het zo moest.

– Ja, zegt hij.

Ze stapt uit, hij haalt de koffers uit de achterbak. Hij zwaait ons na. Mijn moeder kijkt niet om. Ik wel.

Het was winter, we stonden in een lage woonkamer. Het raam zag uit op zee. Aan de horizon lagen schepen die niet leken te bewegen, maar onmiskenbaar opgeschoven waren als je even later opnieuw keek.

– Het uitzicht, dat is het grote pluspunt, zei de eigenaar. Je woont hier in feite in je uitzicht.

Konijnen schoten onder de gaspeldoorn vandaan, daaronder bevond zich een wirwar van holen.

– En het blijft natuurlijk niet altijd winter, zei hij.

Bij mijn oor hing een uitgedroogd spinnetje aan een draad, als ik bewoog draaide het rond in de luchtverplaatsing. De man had niet erg zijn best gedaan om het huis toonbaar te maken. We hoorden het ruisen van de golven, en iets anders, boven ons hoofd, zacht en aanhoudend. Een gestaag knagen. Mijn moeder tuurde naar de donkere balken van de lage kamer.

– Gaatjes, zei ze na een tijdje.

De man keek nu ook en zei

– Houtwurm.

Hij veegde met de palm van zijn hand over een dressoir.

– Ze vreten alles op, zei hij. Kleine rotzakken.

Hij sloeg zijn handen aan elkaar af. Duizenden kleine kaken vermaalden het houtwerk tot fijn poeder.

– Ik moet er weer 's wat op smeren.

– Het lijkt een fijn huis, voor ons tweeën, zei mijn moeder.

De man schudde zijn hoofd.

– Eén probleem, zei hij.

We keken naar hem.

– Erosie.

– O?

– De boel stort langzaam in elkaar.

Hij wees naar buiten, naar de rand van het klif.

– Met elke storm raken we weer een stuk kwijt. De politiek doet niks, het district niet.

– Ik begrijp het niet, zei mijn moeder.

– Twee, drie meter per jaar. Al mijn land, alles weg.

– Dus niet kopen, bedoelt u eigenlijk?

– Ah!

Hij stak zijn wijsvinger in de lucht en zei dat we hem moesten volgen. We liepen achter hem aan naar buiten. Rond het huis was een surreële hoeveelheid rotzooi opgeslagen. Iemand die niets kon weggooien, en zelfs in een oude melkwagen nog een ijscokarretje zag, met wat aanpassingen. Die tochtige melkwagen, verkleurd tot oud ivoor, was het grootste object dat daar tot stilstand was gekomen. Verder cementmolens, rails, bielzen, bouwmaterialen. Een heuvel van uitgeharde zakken cement en de overwoekerde onderdelen van wat een hijskraan leek.

– Gaat allemaal weg, zei hij.

Zijn hand zwaaide achteloos uit, alsof die tonnen schroot met een goochelgebaar konden worden weggemaakt. Tussen de doornstruiken en het oud ijzer was een soort geitenpaadje waarover we naar de rand van het klif liepen. Mijn moeders mantilla bleef hangen aan de stekels, de struiken groeiden tot boven mijn hoofd. Toen opende zich het panorama van zee en hemel.

– Kijk, zei de man.

Mijn moeders hand lag op mijn schouder, op zijn aanwijzing tuurden we over de rand.

– Ik maak een wal, zei hij. Tegen de zee.

In de verte was een lage, donkere muur tegen de voet van het klif opgetast.

– Wat de zee wegspoelt tijdens een storm, vul ik de volgende dag weer aan. Doe ik het niet, dan sta je hier binnenkort in het water.

Hij praatte tegen de horizon.

– Van het klif zelf gaat daar geen meter meer verloren. Een zachte zeewering, gebouwd van afvalmateriaal van bouwprojecten. Een gesloten systeem.

– Maar... zei mijn moeder.

Ze wees naar zijn zeewering, die een paar honderd meter rechts van ons lag.

– Komt, zei de man. Volgende winter, dan ben ik hier.

Hij wees naar het punt voor onze voeten.

– Als de basis er eenmaal ligt, is het voor de rest een kwestie van aanvullen. Per jaar verlies ik vijfendertig- tot vijftigduizend ton aan materiaal. Op een goede dag kan ik duizend ton laten bijstorten. Een tempo van veertig tot negentig vrachtwagens per dag. Over twee jaar, als de wal bij het noordelijke einde van het klif is, hoef ik 'm alleen nog maar te onderhouden.

Een utopist. Het was verleidelijk om naar te luisteren. We stapten terug van de rand. Het huis was zo'n vijftien meter van de rand van het klif verwijderd.

– Het is mooi hier, zei mijn moeder. Is het allemaal van u?

Hij knikte.

– En u wilt dit echt verkopen?

– Geen van de kinderen maakt er gebruik van. Een onbewoond huis is een onprettig gezicht, vinden mijn vrouw en ik.

Zijn eigen huis lag een eind achter het onze, verder landinwaarts. Het had witgepleisterde muren en een puntdak dat uitstak boven bergen schroot en de wildgroei van stekelstruiken. De huizen lagen dertig meter van elkaar. Hij zou onze buurman zijn. Als hij en zijn vrouw aardig waren, zou er een pad worden uitgesleten in het struikgewas, als het klootzakken waren wist ik dat mijn moeder zou denken aan een hek. Ze was erg op zichzelf, ik had haar nog nooit haar best zien doen om contact tot stand te brengen met een ander. Torenhoge wolken schoven uit elkaar, zonlicht gutste ertussen vandaan. We keken naar het huis.

– Tudor, zei de man.

Zijn naam was Warren Feldman, en hij had ons zojuist een huis verkocht.

Een paar weken later werd het huis opgeleverd dat van binnenuit werd opgevreten door houtborende insecten en van buitenaf werd bedreigd door erosie. Deze factoren waren in de prijs verdisconteerd, het was geen duur huis. De taxi reed er langzaam naartoe, de chauffeur ontweek de kuilen in de weg. Warren Feldman kwam juist de voordeur uit, in een overall, een kwast in de ene hand en een blauwe jerrycan in de andere.

– Zo lui, zei hij.

Toen viel hij om. Pats, zo ondersteboven. We hebben hem met dezelfde taxi naar de dokter in Alburgh gebracht. Hij had zonder te ventileren een of ander giftig spul op de balken gesmeerd tegen de houtworm en de boktor. Een week ziek is-ie ervan geweest, en wij konden een paar dagen het huis niet in. We namen een kamer in The Whaler.

– Hij doet in elk geval wat hij belooft, zei mijn moeder.

Het schroot rond ons huis was verdwenen, het was naar zijn eigen achtertuin verplaatst. Het werd maart, de gaspeldoorn kwam in bloei, al vlug waren we een vlot in een zee van gele bloemetjes. Ze roken bedwelmend naar kokos. Het werd warm na een koude winter, we sliepen op kale matrassen, gelukkige vluchtelingen in ons eigen huis.

Toen kwamen de kratten. Op een onzichtbaar teken waren ze in de haven van Alexandrië op een schip geladen, de zee overgevaren en gelost in de haven van Norwich. Het huis stroomde vol met de tienduizend dingen. Ik had ze met spijt ingepakt zien worden, met tegenzin zag ik dat ze weer werden uitgepakt. Dit huis was zoveel kleiner dan het vorige, en toch ging alles erin. Ik begreep mijn tegenzin niet goed. Misschien had ik gemerkt dat het niet erg is om zonder geschiedenis te leven, omdat ik gewend was geraakt aan tijdelijke verblijfplaatsen. We hadden, sinds we tante Edith en oom Gerard verlieten, in hotels gelogeerd, we hadden Venetië bezocht en lang in Londen gezeten, het had haar veel moeite gekost om een geschikt huis te vinden dat niet te duur was. Hotelkamers waren, had ik gemerkt, een medicijn tegen weemoedige stemmingen.

Het huis was nu door het verleden ingenomen. De piano stond in de woonkamer. Er waren paden uitgespaard tussen kasten van zwaar, donker hout uit Rajasthan, glazen kroonluchters, tussen kunstvoorwerpen van Sinaïtische bedoeïenen, lampenkappen van kamelenhuid, staande lampen van geciseleerd koper – een museum waarin alleen zij de herkomst van de voorwerpen kende. Met de komst van de kratten was het licht in huis weggedrukt. Een tombe vol magische voorwerpen voor een hoogst individuele mysteriegodsdienst.

Ik vluchtte de zomer in. Veldleeuweriken stegen op naar hoge luchtlagen en zongen in religieuze extase. Op de glooiende akkers gromden landbouwmachines. Ik hield van het *vloeiende* leven op het strand. Zodra het weer er ook maar even aanleiding toe gaf, wierpen de Engelsen hun kleren af en gaven zich over aan de zon. Hoe bestond het dat mensen zó wit konden zijn. Ik kreeg mokken thee van dametjes die voor de strandhuisjes zaten. De huisjes waren kleiner dan de kratten uit Alexandrië, en ingericht met zelfgetimmerde kastjes vol bekers en een aanrecht met een fornuisje. De vrouwen zaten in hun gebloemde badpakken in strandstoelen en wisselden de hele dag hoge, zangerige geluidjes met elkaar uit.

Meestal was ik alleen. Alleen zijn vond ik niet erg. Verdriet en geluk waren dan dieper van kleur. Soms keek ik opeens achterom, naar de rand van het klif, daar boven stond mijn moeder, wenkend. Ze riep nooit. Ze wachtte tot ik haar ogen voelde branden.

In het dorp liet ze zich nauwelijks zien. Op het strand kwam ze zelden. Ze zwom 's morgens heel vroeg of als de badgasten weer naar huis waren. Een enkele keer zat ze met haar grote Dior-zonnebril op in de schaduw van een zonnescherm, terwijl haar tenen met zand speelden. Ze ging geen banden aan, vertoonde geen sociaal gedrag.

Er kwam een hulp in de huishouding, Margareth. Haar vriend, een werkloze Arsenal-fan, bracht haar, en om twaalf uur werd ze ook weer door hem opgehaald. Margareth poetste en stofte de voorwerpen in huis af, heel langzaam en secuur, en als ze daarmee klaar was begon ze weer van voren af aan. Ze deed boodschappen in Alburgh en bereidde de avondmaaltijd voor.

Ik groeide op in een feminiene omgeving. Ik vertoonde een ongezonde belangstelling voor badoliën. Soms wilde mijn moeder me opmaken. Ik zei geen nee. Er was geen masculiene tegendruk, geen mannelijk voorbeeld. Warren stond daarvoor te ver van me af. Ik begreep meisjes heel goed, in wezen deelde ik hun interesses en bezigheden. Ik schreef in dagboekjes met een gouden slotje en brandde wierookstokjes op mijn kamer. Op mijn dertiende verjaardag kreeg ik van mijn moeder olijfolieshampoo en gezichtscrème van Lancôme, en ik was er *blij* mee. Dat hoort niet. Dat is abnormaal. Het was een wonder dat ik er geen last mee kreeg op school. Misschien omdat er meisjes verliefd op me waren, dat ik daarom de verdenking van homoseksualiteit ontliep. Sinds de dag dat ik die school voor het eerst bezocht, werd ik omspoeld met opgewonden gefluister. Het heeft me nooit meer verlaten.

Bijna alle bezittingen van mijn vader waren in Alexandrië aan de straat gezet, behalve de maquette van een toren die hij in de haven van Alexandrië aan het bouwen was, een paar rollen bouwtekeningen, zijn schetsboeken en de voorstudies van een beeldengroep. Die beelden stonden op mijn moeders slaapkamer. Ze stelden mijn vader en mijn moeder voor, verenigd in de paringsdaad. Uit de schaduwen van haar boudoir kwamen ze me tegemoet, fantasiewezens van ruwe klei, half mens, half dier. Omdat ze er al mijn leven lang geweest waren, die voorstudies, waren ze zo vanzelfsprekend geworden dat mijn ogen ze al die tijd niet hadden opgemerkt.

De vraag naar de herkomst ervan stelde ik voor het eerst toen ik eens voor de spiegel van haar kaptafel zat. Ze maakte me op. Schminken is misschien een beter woord – ze bracht een dikke laag pancake op zodat elke uitdrukking verdwenen was, en daar bracht ze een nieuw gezicht op aan. Ze keek zo indringend naar me, zoals ze gewoonlijk alleen naar zichzelf keek voor de spiegel; ik hield van die onverdeelde aandacht.

Opnieuw vroeg ik waarom hij hen zo had afgebeeld.

– Je mond, Ludwig, je beweegt!

Maar ze begreep dat een antwoord niet te vermijden viel. Het kwam met horten en stoten. Hij had hen in het eerste jaar van hun liefde talloze malen vereeuwigd. *Als man en vrouw*, noemde ze het. Ik drong aan.

– Als we aan het vrijen waren, zei ze toen.

Hij had hun geslachtsdaad vanuit verschillende standpunten gefotografeerd – materiaal voor *Blind*, een groep van zeventien levensgrote porseleinen beelden van mijn copulerende ouders, in diverse posities. Sommige belegd met mozaïek, andere met cloisonné, ze hebben lang in het Guggenheim in Bilbao gestaan. Een Kama Soetra op ware grootte.

– Maar als ik toen nog niet geboren was, zei ik tegen haar spiegelbeeld, dan kan het dus zijn dat ik daar, op dat moment ben verwekt?

Haar verlegen lach, de hand die naar het oogpotlood reikte.

– Nog heel even stilzitten.

Ze streek met het oogpotlood langs mijn wimpers, ik hield mijn ogen gericht op het kleifiguur van de vrouw op haar knieën, met de bebaarde man achter zich. De sater die haar van achteren nam. Ik dacht: *Daar kom je aan, Ludwig Alexander Unger, daar kom je aan!* en lachte – dwars door alle make-up, het gezicht van de onschuld, brak de lach uit als een nieuwe dag.

– Hè verdorie, mopperde ze, ik was bijna klaar.

We brachten veel tijd door voor de spiegel. Geleidelijk gingen mijn ogen verder open. Ik hield van de bedwelmende zoetheid van haar slaapkamer, de warmte van haar lichaam vlak bij het mijne. Het wond me op. Soms masturbeerde ik nadien.

Ik was haar opmaakpop, zij vertelde dingen van vóór

mijn herinnering. Ik had de indruk dat ze daarbij vaker het gum gebruikte dan het potlood. Terwijl ze me beschilderde, openden mijn ogen zich ook voor haar iconen: een getekend portret van de Maitreya, een krijttekening van Jezus van Nazareth, een foto van Bhagwan, niet helemaal heel uit een tijdschrift gescheurd. Dit waren de vaste punten in haar individuele pantheon.

– Ze lijken op hem, zei ik.

Mijn geisha-gezicht was zonder uitdrukking.

– Hmm?

– Die mannen, ze lijken op hem. Mijn vader.

Haar lach faalde. Hem noemen deed haar pijn. Fysiek.

– Welnee, zei ze.

– Wel waar. Allemaal een baard.

– Dat betekent toch niet...

– En van die priemende ogen, alsof ze iets van je moeten.

Ze schudde haar hoofd. Ik dreef de dolk dieper in.

– Waarom hangen zij hier aan de muur, terwijl van hem in het hele huis geen foto te vinden is?

– Hou op, Ludwig. Dit zijn voorbeelden voor me... wereldleraren... inspiratie. Noem het zoals je wilt. Met je vader heeft dat niks te maken.

Ik wees naar het beeld van hun paring.

– Ze lijken op hem, zei ik.

– Ik weet niet wat jij hebt vandaag, maar hou er maar gauw weer mee op.

Maar ik hield niet op. Er was een prettig soort wakkerheid in mijn hoofd, die met honger te maken had. Wat gezien kan worden, zal gezien worden.

We leefden aan de rand van de wereld en konden er elk moment afvallen. Dat wisten we toen we er kwamen wonen. Dat het een huis met een risico was. Dat Warren dan wel een verdedigingslinie bouwde, maar dat er onzekere factoren waren. We waren voor ons behoud afhankelijk van het tempo waarmee de wal vorderde, de hoeveelheden materiaal die hij wist te bemachtigen. We wisten niet dat in de maanden voor onze komst *vijf* meter van de heuvel verloren was gegaan. Warren deed wat hij kon, we hebben er nooit aan getwijfeld dat hij te goeder trouw was.

– Alles binnenzetten, zei hij in de eerste winter dat we er woonden. Zorg dat alles vastzit en vergrendeld is. Echt.

Vanuit mijn slaapkamerraam op de eerste verdieping heb ik het zien aankomen. Eerst de windvlagen. De speelse duwtjes. Ik hoorde het kraken. In de hemel boven zee vloeiden psychedelische kleuren in elkaar over, regenvlagen striemden ons huis. Ik heb luchten van zwavel gezien en toen hoe alles *groen* werd, het groen van zonnebrillen – de hemel was op z'n kant gevallen, de regen kwam horizontaal aan. Wolken van donkerblauwe inkt rolden in zichzelf op, als een dier dat leed. De storm kwam dichterbij, het licht werd in een draaikolk uit de wereld weggezogen.

– Ludwig! riep mijn moeder van beneden. Ga weg bij de ramen! Niet bij de ramen, heeft Warren gezegd.

De wind werd sterker, ik herinner me mijn verbazing over de kracht van iets wat onzichtbaar was.

De storm duurde een dag en een nacht. Zijn stem heeft

onze oren doen suizen. Alles schudde onder de dreunen-
de paukenslagen. We maakten een vuur in de open haard
maar de rook sloeg terug de schoorsteen in. We hadden
sommige dingen in de schuur gezet en andere dingen vast-
gemaakt, maar we hadden te veel aan het woord *storm* gedacht en te weinig aan een hemel die zich tegen ons keerde. Het dak van de bijkeuken werd opgetild en losgerukt,
we vonden het later terug in de struiken. Het huis leek zich
uit zijn fundamenten te wrikken. Alles klapperde en floot.
Mijn moeder ging met een zaklamp naar buiten om een
luik vast te zetten. Ze kwam verwilderd binnen.

– De wind, hijgde ze. Zo hard. Geen adem.

We zaten een deel van de nacht op, gewikkeld in dekens,
en zijn uiteindelijk in de woonkamer in slaap gevallen. We
wisten: bij het ontwaken zou de zee ons weer dichter genaderd zijn.

Toen ik in de ochtendschemering uit het raam keek, zag ik
de donkere gestalte van een man daarbuiten. Zijn jas flap-
perde. Ik trok mijn laarzen aan. De wind sloeg de adem uit
mijn longen. Over het pad tussen de doornstruiken ging ik
naar de klifrand, waar Warren tegen de wind in leunde.

– Hier... riep hij. En daar.

Er was een grote bres geslagen in de zeewering verderop. Voor onze voeten spoelden de golven tot aan het klif.
Zijn hand op mijn schouder, *niet te dichtbij jongen*. Het klif
kon van onderen zijn uitgespoeld, het kon instorten, we
zouden verdrinken in de schuimende zee. We keken naar
de rafelige rand, ik zag Warrens bezorgdheid. Er was een
nieuwe grens gesneden. Ik probeerde naast hem te staan
als een man die zijn bezorgdheid deelde, ik fronste mijn
wenkbrauwen en liet de ernst bezit nemen van mijn lichaam.

Warren had, toen we het huis kochten, gezegd dat zijn wal volgende winter tot voor ons huis opgeschoven zou zijn – hij had het bij lange na niet gehaald. We zagen zijn strijd, de grote inspanning; mijn moeder had hem niet nu al aan die belofte willen herinneren. Het had geen zin. Het was pijnlijk. Hij deed zijn best.

Bij de stormvloed van 1953 werd Alburgh vrijwel geheel omsingeld door de zee. Er verdronken zes mensen. Op het café van Dwight Busby was te zien hoe hoog het water toen stond: Busby had golfjes op de muur geschilderd, op de schouderhoogte van een man. Een stormvloed van dat kaliber was zeldzaam. De Noordzee was een ondiepe kom, in het noorden stroomde het water erin, via het Nauw van Calais stroomde het er weer uit. Gedurende de storm stuwde de wind meer water de kom binnen, de getijden-werking raakte verstoord, het water van de ene vloed was nog niet verdwenen toen die van de volgende alweer bin-nenstroomde. Die stapelde zich boven op de vorige: de watermassa in de kom was nu verdubbeld. Al die samenge-balde energie ontlaadde zich op de kust – het klif werd van onderaf uitgehold door de golven en stortte uiteindelijk in.

In onze eerste winter op Kings Ness ging veel land verlo-ren. Er was niet voldoende aanvoer van materiaal, het werk lag soms een tijdlang stil. Toen het weer op gang kwam, kwamen uit Alburgh tekenen van protest tegen de vracht-wagens die door de klinkerstraatjes reden. Een ingezonden brief in de *Alburgh Chronicle*, gemonkel onder de mensen. Ze hadden begrip voor *meneer Feldmans oorlog*, maar het dorp was niet berekend op zoveel zwaar transport, het rus-tieke karakter werd erdoor aangetast, mensen kwamen hier voor rust en schoonheid.

Eens werd het werk aan de zachte zeewering een half-
jaar stilgelegd nadat er chemisch afval in was aangetrof-
fen. Het besmette deel werd afgegraven en sindsdien hield
Warren precies bij wat waar werd gestort, zodat vervuilde
grond was te herleiden tot een bron. Warren liet een partij
betonnen drakentanden uit de Tweede Wereldoorlog aan
de voet van het klif plaatsen, ter hoogte van ons huis. Dit
vertraagde de afkalving enigszins. We begonnen anders
naar de zee te kijken. De esthetische en recreatieve func-
ties verloren hun belang. Voor ons lag een element dat ons
probeerde te vernietigen, we interpreteerden zijn onver-
schillige vernielzucht als een daad van vijandigheid.

Warren Feldman was niet de eerste die de kust probeerde
te beschermen, hij zou ook de laatste niet zijn. Het was
onvermijdelijk dat grote delen van East-Anglia eens weer
onder water zouden komen te staan. Er zouden mensen
tegen in het geweer blijven komen, zoals ook de bewoners van de verdwenen stad Castrum al wallen van aarde
en twijgen bouwden tegen het hoge water.

Er stonden soms toeristen in onze tuin die werden aangetrokken door de romantiek van de verdronken stad. Je
moest veel verbeeldingskracht bezitten want er was niets
te zien. Als je vanaf Kings Ness naar het oosten keek, over
zee, keek je uit over de lege ruimte waar zich ooit die stad
bevonden had. Duikers haalden soms brokken kerkmuur
en sluitstenen boven uit het troebele water; het was dank-
zij de onderwaterarcheologie dat er een idee bestond van
Castrums plattegrond. Over de zeebodem verspreid lagen
de resten van ten minste acht kerken, vier abdijen, twee
ziekenhuizen en een onbekend aantal kapellen – waar zich
nu krabben en vissen hadden gevestigd, alsmede sponzen,
kreeften en af en toe een aal.

Castrum was al een havenstad ten tijde van de Romeinen. Het pronkstuk van het museum van Alburgh was een schaalmodel van de stad, waarop ook haar geleidelijke decimering was te zien. Met stippellijnen was verbeeld hoe de kustlijn liep in vroeger tijden, hoe ze steeds verder was opgeschoven – Kings Ness was nu de uiterste westgrens. Bij elk van die stippellijnen hoorde een jaartal: 1286, 1342, 1740, 1953. Er woedden in de loop der eeuwen vele honderden stormen, maar die paar jaartallen waren van belang, daarin hadden zich de stormen van uitzonderlijk gewicht voorgedaan. Daarbij werd Castrum grote schade toegebracht, de kustlijn wijzigde drastisch. Vanaf het jaar 1740 liep de stippellijn achter de westelijke stadsgrens, en was er van Castrum feitelijk geen sprake meer.

Het was een grote stad, op haar hoogtepunt besloeg ze een vierkante mijl. Er waren vier toegangspoorten, ze werd beschermd met palissades en versterkte aarden wallen. Haar vooraanstaande positie had ze te danken aan de haven, die de grootste van Oost-Engeland was. In de hoogtijdagen was ze van tachtig koopvaardijschepen de thuishaven, de vissersvloot reikte tot aan de IJslandse visgronden. De rijken van de stad droegen kleren van Vlaams linnen en dronken Franse wijn. Uit het Balticum kwam hout voor de schepen. De straten waren bevolkt met handelaren uit Antwerpen, Stavoren en Kiel. Een stad die je bezocht om naar de markt te gaan en beneden in het havenkwartier dronken te worden en op de vuist te gaan met een bootsman uit Jutland. Daar beneden bevonden zich ook de ateliers van gildemeesters en werkplaatsen van leerlooiers en smeden. De huizen van Castrum waren van hout, haar godshuizen en abdijen van steen. Buiten de stad werden akkerbouw en veeteelt bedreven, maar het kloppende hart van Castrum was de handel, de veeltalige, rumoerige Noordzeehandel.

Op nieuwjaarsnacht 1286 woedde er een felle noordoosterstorm. Het was springtij. In de monding van de haven werd een dik bed kiezelgesteente opgeworpen door de golven. De doorgang was versperd, schepen konden de haven alleen nog bereiken bij hoogwater. Het lukte niet om de toegang vrij te maken. Castrum verloor een deel van haar belang aan concurrerende havens. Voor het eerst zag de stad een emigratieoverschot. Inwoners zochten hun heil elders. Het onderhoud van de zeewering, dat werk van vele handen, werd verwaarloosd.

De nacht van 14 januari 1342 dan. Watermassa's, opgezweept door de wind en de aantrekkingskracht van de maan, stortten zich op de oostkust. De storm stuwde het water voor zich uit. Het vond een stad op zijn weg. Huizen in het havenkwartier werden uiteen gereten. De bewoners vluchtten met alles wat ze konden dragen naar de bovenstad. Golven sprongen metershoog op, als lasso's die hen werden nageworpen. In het licht van de maan dat soms door het jachtende wolkendek brak, zagen de mensen hoe die nacht al hun aardse bezittingen vergingen. De huilende storm blies ze zoute regen en zwavelgele schuimvlokken in het gezicht, die daar beneden in de krochten van de hel werden gekarnd.

In het morgenlicht zagen ze de ruïnes van huizen, douanekantoren, herbergen, loodsen, werven – alles vermalen in een onophoudelijke gewelddaad. Van de St. George stonden nog de muren en klokkentoren overeind, graven waren opengewoeld en gaven hun weerzinwekkende inhoud aan het daglicht prijs.

In de eeuwen die volgen, raakt de stad verder gemarginaliseerd. In de zeventiende eeuw heeft Castrum nog maar een kwart van haar oorspronkelijke omvang. Veel van de oorspronkelijke bewoners hebben zich gevestigd op een verderop gelegen heuvel, er vormt zich een plaatsje dat Alburgh wordt genoemd. Tussen het oude Castrum en het nieuwe Alburgh bestaat bittere concurrentie om de schaarse middelen.

Het wordt december 1740. Er staat al dagen een sterke noordoostenwind. Het is zeer koud. De wind zwelt aan tot stormkracht. Watermassa's stapelen zich op voor de kust en dreunen neer op de kliffen waarop Castrums laatste resten staan.

De gevolgen van deze storm zijn gedocumenteerd door de priester William Mason, die een paar dagen voor de storm zijn laatste dienst in de St. Paul heeft geleid. De St. Paul, Castrums grootste kerk, raakt door de golven ontwricht. De oostelijke muur stort in. Een paar dagen later valt ook de klokkentoren om. Er zijn, ziet Mason als de zee weer tot bedaren komt, fundamenten komen bloot te liggen van lang vergeten gebouwen. Oude waterputten die tot dan toe in de bodem verborgen zijn geweest, rijzen nu als schoorstenen uit de grond op. De resten van de stad zijn bezaaid met stenen, krabben en vissen. Door de straten haasten stroompjes water zich terug naar zee. Overal modder. De penetrante stank van rotting. De marslanden zijn overspoeld, dat voorjaar bloeien er zeeasters in het binnenland. Zoetwaterbronnen zijn verzilt. De Holy Trinity-kerk, boven op het klif, heeft haar schip verloren. Nu staat daar alleen nog de klokkentoren. Uit het klif steken beenderen, op het strand worden menselijke schedels gevonden.

De toren van de Holy Trinity is een verhaal op zich. Hij heeft op wonderbaarlijke wijze nog tientallen jaren standgehouden, en zakte langzaam, onder zijn eigen gewicht, van het klif tot op het strand, waar hij *rechtop* bleef staan

– een wonder dat in kronieken en op schilderijen en te-
keningen uit die tijd is vastgelegd. Zo stond hij daar, een
eenzame, reumatische wijsvinger, waarschuwend voor een
noodlot dat zich allang voltrokken had.

Ze zeggen dat je bij zwaar weer de klokken van de Holy
Trinity nog kunt horen in de golven.

Als mijn moeder mij had opgemaakt, ging ik naar mijn kamer. De bloedrode, hete wolk in mijn borst. Ik ging op bed liggen en knoopte mijn broek open. Met het hoofd achterover in het kussen spande ik mijn nekspieren – warrelende beelden op mijn netvlies, tot en met de spasmen. De kleine schaamte daarna, mild als hoofdschudden.

Er was een leven voor en een leven na de ontdekking van het sperma. Ik masturbeerde alsof ik door een demon bezeten was. Ik ejaculeerde in gedragen sokken, in handdoeken en aan de binnenkant van broekspijpen, ik at het zelfs op als er geen schietvodden voorhanden waren.

Die obscene gedachten aan mijn moeder, haar rol in mijn fantasieën, eindigden een week na mijn vijftiende verjaardag. Er viel een ansichtkaart in de bus met postzegels uit een ver land en een handschrift dat ik niet kende. Aan mij gericht, zij het met de verkeerde achternaam. *Aan Ludwig Schultz*, stond er, alsof de kaart niet voor mij geschreven maar aan mij opgedragen was. Schultz was de achternaam van mijn vader, die mijn moeder in Engeland had laten vervangen door de hare. De tekst besloeg één regel, drie woorden maar: *Hou van mij.*

Ik bracht de kaart naar mijn moeder. Ze nam haar aan en las wat er stond. Met een stem van ijs zei ze

– Van je vader.

Mijn vader had mij post gestuurd! Ik ontcijferde nu de krabbel onder de tekst als *Bodo*. Hij wist van mijn bestaan, hij had mij genoemd! En hij had me een opdracht gegeven.

Hou van mij. Dat was het moment dat de schaamte viel als een bijl. Hou van *mij*, stond er. Niet van haar, zijn vrouw, maar van hem, mijn vader. Met die uitgebeende boodschap eigende Bodo Schultz zich zijn vrouw weer toe. Van grote afstand had hij mijn smerige gedachten gelezen, hij had in de geheime kamers gekeken. Door de ansichtkaart stond het taboe opeens loodachtig tussen mij en mijn moeder in. Die drie woorden waren zijn vermaning, maar met de vermaning kwam de absolutie mee: zou ik mijn leven beteren, dan beantwoordde hij mijn liefde met de zijne. Dit lag versleuteld in het *Hou van mij*.

De kaart van mijn vader gaf me een vader. Een man met een handschrift, een hand die schreef, een arm die vanuit de verte naar me zwaaide, een romp waarin een hart sloeg dat misschien plaats bewaarde voor mij.

Op de voorzijde van de ansichtkaart was het standbeeld van een man afgebeeld. Een koperen piraat, hij had één arm en één been en zwaaide met een sabel boven zijn hoofd. Hij kliefde de doodse blauwe hemel in tweeën. Op het gelige karton van de achterzijde stond *Cartagena de Indias* gedrukt, en *Estatua Blas de Lezo*. Dat was zijn naam, begreep ik, Blas de Lezo. Uit het poststempel maakte ik op dat mijn vader de kaart twee weken daarvoor had gestuurd, een week voor mijn verjaardag. Misschien had hij haar voor mijn verjaardag bedoeld, een veronderstelling die me gelukkig maakte. Hij had zich ingespannen om uit te zoeken waar ik woonde; wie weet hoeveel kaarten hij in de loop der jaren niet al had verstuurd? Naar Alexandrië bijvoorbeeld? Misschien dat er daar een stapeltje op me lag te wachten met een rood lint eromheen?

Ik ging naar de bibliotheek en zocht naar de man die op de kaart was afgebeeld. Ik vond Blas de Lezo op verschillende plaatsen, het meest had ik aan een boek getiteld *The War of Jenkins' Ear*. Daarin kwam Blas de Lezo y Olavarrieta uitgebreid voor. Hij was geen piraat maar een Spaanse zeeheld die vocht van Sicilië tot Oran. Achtereenvolgens verloor hij een been in Malaga, een oog in Toulon en een arm in Barcelona, als gevolg waarvan hij *Mediohombre* werd genoemd, halve man. Zijn standbeeld stond in Cartagena, Colombia, omdat hij die stad had verdedigd tegen de Engelse admiraal Vernon. Vernon had geprobeerd Cartagena, waar de zilvervloten naar Spanje vertrokken, te veroveren met honderdzesentachtig schepen met tweeduizend kanonnen erop, en vierentwintigduizend manschappen. Blas de Lezo verdedigde haar met slechts drieduizend soldaten, een paar honderd indiaanse boogschutters en een handvol fregatten. Het was een van die tot de verbeelding sprekende gevechten waarbij een ogenschijnlijk kansloze minderheid een overweldigende meerderheid verslaat. Wel had Blas de Lezo zijn zege met de dood moeten bekopen.

Ik vond er geen betekenis in, in Mediohombre. De halve man was gewoon een halve man voor op een ansichtkaart, door Bodo Schultz uit een rek in Cartagena geplukt om aan zijn zoon in Engeland te sturen. Achter de held van Cartagena was een oud, donker vestingwerk te zien, een muur, de rondelen. Op de muur stond een slank kruis. Wat deed mijn vader in Colombia? Wat bezielde de rusteloze?

Het gezicht dat hij tot dan toe in mijn fantasie had bezeten, dat van een conciërge in de Schutz American School in Alexandrië, werd geleidelijk overgenomen door dat van een Spaanse zeeheld, die, afgaand op zijn koperen beeltenis, een vooruitstekende onderkaak had, en vlezige lippen die hij boos naar voren stak.

In mijn verbeelding leken mijn vader en ik nooit op elkaar. Ik was een kind van mijn moeder, hetgeen bevestigd werd door winkelmeisjes en dametjes op het strand die altijd door mijn haren streken toen ik klein was, en zeiden dat ik zo'n *knap ventje* was.

Ik weet niet of mijn moeder zich bewust is geweest van het verband tussen de ansichtkaart en het einde van onze opmaaksessies. Ze lokte me soms.

– Ah toe, voor mij, nog één keertje?

Op een winteravond, het huis dik en rond van de geur van houtvuur en eten, heb ik me laten verleiden. Eén keer nog, zoals ze vroeg, omdat ik verlangde naar de intimiteit tussen ons, die nooit groter was dan wanneer ze me opmaakte. Het rook zo lekker, zo zwaar in die schaduwkamer van haar, waar ze sliep op een hoog bed te midden van een zee van kussens. Vederlichte sluiers hingen van het plafond neer – het heilige der heiligen, van onreine ogen weggehouden. Haar sfeer daalde over me als een voile, haar geur kroop mijn neus binnen en maakte mijn benen slap. Ze bekeek mijn gezicht aandachtig in het schijnsel van de lampen van de kaptafel.

– Je zult je binnenkort moeten scheren, zei ze. Een beetje rossig, lijkt het wel.

Ze bracht een laag foundation op.

– Maar je huid is zuiver. Je hebt mijn huid.

Ze had de huid van een meisje. Oude huid is lichtloos, ze weerkaatst het licht niet zoals jonge, bronzen huid dat doet, maar absorbeert het. Oude huid zuigt licht op zoals een muur de grondverf. Je kunt rimpels en vouwen innemen, vet wegzuigen en botox inspuiten, maar de glinstering van jonge huid valt niet na te bootsen.

Met een kwast sloeg ze op haar hand, de zijdezachte haren gleden over mijn gezicht. Het was nu wasbleek, een porseleinen pop. Ze bracht met vaste hand lijntjes aan onder mijn ogen, haar adem streek langs mijn wang. Een boodschap flikkerde als een stervende tl-buis onder mijn schedeldak – *HOU VAN MIJ HOU VAN MIJ*. Het mascaraborsteltje gleed over mijn wimpers, ze hield haar gezicht een eindje weg van het mijne en glimlachte. Mijn lippen stiftte ze met Chanel, de felrode lippenstift die ze soms gebruikte als ze het huis verliet.

Toen ik me even later stond af te trekken in de badkamer – Caesarion Filometor –, zag ik, toen ik klaarkwam boven de wastafel, onwillekeurig mijn gezicht in de spiegel, mijn vrouwelijk, lijkbleek evenbeeld, dat zozeer leek op haar, en mij bekroop een gevoel zo verschrikkelijk en voos, dat ik mijn ogen sloot voor mijzelf.

De woensdag daarna ben ik 's avonds naar het veld van de rugbyclub gegaan. Het was donker en koud maar in het kleine houten clubgebouw was het warm. Op het veld stonden mannen en jongens over te gooien met een bal. Een hoge mast hing netten van licht over hen uit, daarbuiten was het donker. Uit een kleedkamer aan de zijkant van het clubgebouw kwam een grote man, die vroeg wat ik kwam doen.

– Kijken of ik het leuk vind, zei ik, rugby.
– Heb je geen kleren bij je?
– Nee.
– Volgende keer je spullen meenemen, zei hij.

Hij sjokte naar het veld. De training begon, ze renden rondjes. Aan de rand van die lichtkoepel keek ik naar hun verrichtingen. Uit hun mond en neus kwamen pluimen van witte damp. Bij een kale, oudere speler hing een halo van mist rond zijn hoofd. Toen ze tactische oefeningen deden, werd het vlug onoverzichtelijk voor me. Na enige tijd begreep ik dat je de bal achteruit moest gooien, liefst naar een vooruit bewegende speler. Er waren twee groepen te onderscheiden, het gezelschap zware, lange mannen die samen de scrum vormden, en de snellere aanvallers, die verspreid stonden over het veld. Ik raakte in gesprek met een andere toeschouwer, een jongen op krukken. Hij was aanvoerder van het tweede team, hij had zijn scheenbeen gebroken tijdens een wedstrijd. Zijn naam was Michael Leland, *zeg maar Mike.* Hij legde me de beginselen van het rugby uit. Het kwam me voor als een spel van de gesloten vuist en de geopende hand – de vuist stelde de samengebalde kracht van de voorwaartsen voor, de geopende hand symboliseerde de snelheid en wendbaarheid van de driekwarten. Het zag er interessant en hard uit, ik had het idee dat het geschikt zou zijn voor de opdracht die ik mezelf had gesteld: een man worden.

Ik kocht schoenen met metalen noppen, sokken en een rugbyshirt in geel en zwart, de clubkleuren van de Alburgh Rugby Football Club. Of ik ging rugbyen, wilde de oude verkoopster van warenhuis Fraser's weten. Dan had ik ook nog een gebitsbeschermer nodig, en scheenbeschermers en sporttape.

Thuis legde ik de kunststof gebitsbeschermer in een pannetje kokend water en vouwde hem, toen hij loeiheet en zacht was, rond mijn bovengebit. Het leek of mijn tanden barstten.

Mijn moeder probeerde me het rugby uit mijn hoofd te praten, ze was bang dat ik mijn vingers zou breken en geen piano meer zou kunnen spelen, maar de eerstvolgende woensdagavond ging ik opnieuw naar de rugbyclub. Ik kleedde me ongemakkelijk om in het bijzijn van vreemden, in die koude kleedkamer met zwammenwoekeringen en donkerbruine kringen op het plafond, en hier en daar een gat. De geur kon ik niet thuisbrengen, maar er zouden nog talloze kleedkamers volgen die zo roken.

Wat ik me herinner van die eerste training: bijtende koude en het moment dat ik tegenover de man kwam te staan
die me de vorige keer had gevraagd waar ik mijn spullen
had. Ik reikte tot onder zijn borst, ik begreep dat ik hem
moest tackelen, hetgeen inhield: hard met mijn schouder
inkomen op zijn bovenbenen en hem naar de grond werken – wat mislukte. Ik hing maar zo'n beetje aan zijn shirt
tot hij me zachtjes van zich afschudde en zijn weg naar de
achterlijn vervolgde.

Niet veel later speelde ik mijn eerste wedstrijd bij de ju-
nioren, op de wing, een positie waar ik weinig kwaad kon.
Langs de zijlijn hoorde ik een grijze cynicus zeggen dat
de winger de enige toeschouwer was die zich met het spel
mocht bemoeien. Voor andere posities vertoonde ik voor-
alsnog geen bijzondere geschiktheid. In mijn team speelde
een jongen die Selwyn heette, een gebeeldhouwde atleet
die drie tries scoorde die dag. Fly-half stond-ie, het was
een genot om naar hem te kijken. Er school macht in zijn
lichaam, wanneer hij op volle snelheid inkwam hoorde
je het lijden van de tegenstander. Zijn tries werden bijna
tenietgedaan door mijn onkunde aan de zijlijn: tweemaal
liet ik mijn man lopen. Ik durfde de confrontatie met een
ander, mij tegemoet rennend lichaam niet aan, en klauwde
halfhartig naar shirts en broekjes.

– Je man! Je man! schreeuwde de coach.

Maar ik lag op de grond en mijn tegenstander was onderweg naar zijn try. Ook de jongen op krukken stond
langs de zijlijn. Ik ontweek zijn blik. De tweede keer dat
ik mijn man liet lopen, werd ik gered door Selwyn Loyd
– hij kwam van halverwege het veld opstomen en greep
de jongen die mij was gepasseerd vlak voor de trylijn van
achteren vast en smeet hem tegen de grond.

Op woensdag kreeg ik tackletraining.

– En meer spek eten, zei de trainer. Of eten jullie geen vlees thuis.

Blijkbaar had ik de uitstraling van een vegetariër.

– We eten vlees, meneer Gorecki, zei ik.

– Steve.

Zigzaggend kwam hij op me af.

– Je tackle doorzetten, zei hij.

Ik lag op de grond na zijn hands-off en keek naar hem.

– Je maakt 'm niet af. Schouder erin en helemaal afmaken. Niet loslaten voor je tegenstander ligt. Concentreer je op de bovenbenen, niet op de bal.

Vlezige stronken, die bovenbenen, varkenshaar en modder, ik kreeg mijn armen er nauwelijks omheen. Toch lukte het me om hem een paar keer te tackelen. Erg enthousiast over mijn techniek was hij niet, mijn vastberadenheid beviel hem al beter.

Het was een prachtig gelegen veld, waar ik leerde dat ik een lichaam had. Het lag op de glooiing naast Alburgh, beneden begon het golfterrein. Achter de oostelijke doelpalen lag de zee, achter het clubhuis stond de watertoren in een deinend landschap van gras en gaspeldoorn. Er stond bijna altijd een flinke wind.

In het voorjaar merkte ik dat mijn lichaam sterker was geworden, harder, en dat ik het leuk was gaan vinden om na trainingen en wedstrijden in de kantine te staan en stom te lachen met de lui om me heen. Ik dronk voor het eerst bier omdat ze altijd vergaten cola voor me mee te brengen. Uit elementaire keukentjes kwam een onafgebroken stroom broodjes spek, waar je roestbruine HP Sauce tussen kneep. Ik hield van de verhalen en anekdotes van oudere spelers, mannen die me niet zozeer geboren leken maar gegroeid uit drakentanden. Ik bestudeerde hun laconieke, alerte houding en imiteerde die. In de kantine waren de ramen altijd beslagen, ik herinner me eeuwige regen en de zee in de verte. En dat Mike Leland uit een mok in de vorm van een tiet dronk, met een gat in de tepel waardoor hij bier zoog. Na de wedstrijd werden er liederen gezongen onder de lage plafonds, wanneer ik meezong werd mijn individuele identiteit langzaam vloeiend en ging over in iets gemeenschappelijks, iets waarin de dingen licht en gemakkelijk werden.

Soms dacht ik aan mijn vader, dat ik trouw was aan zijn opdracht, en stelde me voor dat hij me zag te midden van dat hoekige, joviale volk, en dat dat zijn instemming had.

Het is bijna halfvijf, zondagmorgen heel vroeg in Suffolk, ik heb zojuist Linny Wallace voor haar kamer afgezet. Beiden afgemat, de fles is leeg op twee vingers na. Het ongemakkelijke ogenblik, het moment waarop mensen soms minnaars worden, die eerste kus, het begerige ritselen van vingers over textiel, de magneetkaart die door het slot glijdt en de deur die achter de rest van de gebeurtenissen dichtvalt. Ik weet dat er talloze van zulke nachten van haastige, agressieve seks zijn geweest, maar herinner me op dit moment geen ervan afzonderlijk.

De mobiele telefoon is leeg nu. Het beeldscherm licht een paar seconden op wanneer ik hem weer aanzet, en vervalt dan tot het afgrondelijke duister van een lege batterij. Ik sta een tijdje naar het mobieltje in mijn hand te kijken, met een aanzwellend gevoel van afgeslotenheid omdat ik nu onbereikbaar ben geworden voor het verwijt van vrouwen en vuilbekkende hotelmanagers. Hatemail is ook aandacht.

Ik word wakker met mijn kleren aan. Het is over tienen. Ik drink drie grote glazen water, neem een ibuprofen en trek mijn kleren uit. Hierna slaap ik tot vroeg in de middag. Ik lunch in het restaurant met brood, spek en eieren, twee dubbele espresso en een groot glas sinaasappelsap.

Volgens afspraak ontmoet ik Linny om halftwee in de lobby. Haar ogen zijn fris en helder, niet bedauwd zoals de mijne. Ik ben blij dat we niet met elkaar naar bed zijn geweest, ook al ben ik gewend aan het ongemakkelijke contact dat daar gewoonlijk op volgt. Ik ken de weg. Er hangen vragen in de lucht, toespelingen. Soms wil je, soms niet.

We gaan naar buiten, ik wil haar het klif laten zien.

– Je bent helemaal geen krekel, zegt ze, je bent een verhalenverteller op een plein in Marrakesj.

Ik schaam me. Ik heb haar overspoeld met mijn geschiedenis, een gek die je aanklampt op straat en met je meeloopt terwijl hij je zijn afzichtelijke levensgeschiedenis vertelt. Ten slotte vraagt hij om een kroket.

– Sorry, zeg ik. Ik liet me meeslepen.

De behoefte haar te vertellen over de dingen met mijn ouders, die nog maar zo kort geleden gebeurden, verwart me. Zoveel wat in mij rondzwerft, al dat ruimtepuin. De oorzaak van mijn biecht ligt, voorzover ik kan nagaan, in de behoefte aan ordening, zoals ik die soms ook heb aan restauranttafels, wanneer ik na de maaltijd vuile borden opstapel en messen bij messen leg en vorken bij vorken. Met moeite kan ik mezelf daarvan weerhouden, ik heb gemerkt dat het stapelen in bepaalde kringen niet als een teken van goede opvoeding wordt beschouwd.

– Hoe ver zijn we in het verhaal? vraagt Linny.

– Halverwege, ongeveer.

– Je verhaal was een droom, vannacht. Ik herinnerde me mijn eigen leven niet meer.

– Ik weet niet wat me bezielde.

– Ik kon er moeilijk afscheid van nemen. Je vertelt me toch nog meer?

– Je viel in slaap.

– Ik was zó moe. Ik kon echt niet meer.

– Je hield het al verbazend lang vol in dat gekkenhuis.

Haar heldere lach. Haar stem zou geschikt zijn voor telemarketing.

– Een gekkenhuis ja, dat is het wel een beetje.

We lopen naar de boulevard. Ik wijs haar op het huis Avalon, op de boulevard. Een diepe tuin, vanuit de salon zien de bewoners de zee.

– Engels-eclectisch, zegt Linny. Ik hou daar erg van.

Ik ken het witte huis vanbinnen. Voor de lage heg staat een bank. *Seizoen van mist* luidt de inscriptie. We kijken over het witte tuinhek naar het huis. De herinnering splintert tussen mijn ogen.

Selwyn, de rugbyer, woonde hier. Hij werd een vriend. Een jongen die voor de kust zeilde als op een schilderij van Hopper. Zijn vader was arts, zijn moeder speelde cello in het Norwich Philharmonic Orchestra. In de salon stond een Blüthner, de eerste keer dat ik bij hen thuis kwam, deed ik erg mijn best op een paar walsen van Chopin. Ik was op Selwyns moeder gesteld. Ze was mild excentriek. De chocolate fondue fountain na een diner bracht haar in een toestand van zorgwekkende extase. Selwyn had ook een oudere broer, die er soms in het weekeinde was. Ze leken weinig op elkaar.

Linny en ik lopen naar de pier. Ze heeft mooi haar, valt me op als ze voor me uit de trap afdaalt naar het strand. Het is heel zacht, als het gewassen is zal ze misschien zeggen *dat het alle kanten op staat*. Ik heb zin om mijn hand erop te leggen.

Bij Kings Ness kijkt ze naar de brokkelige aarden wal, de restanten van Warrens zeewering.

– Ik heb er wel over gelezen, zegt ze, over de kusterosie, maar zo had ik het me niet voorgesteld. Zo... romantisch.

Ik vraag wat ze daarmee bedoelt.

– Het doet me aan Caspar David Friedrich denken. Misschien ook door wat jij hebt verteld.

Het beeld dringt zich op van haar als kunstminnende

vrijgezel. Misschien gebruikt ze zelf het woord *alleengaand*. Misschien gaat ze met groepsreizen mee naar ruïnesteden in Jordanië en kloosters in Georgië, wisselt nog een tijdje foto's en herinneringen uit op internet, daarna is ze weer alleen en denkt niemand meer aan haar.

Ik vertel haar over Warren Feldman, hoe hij, toen het districtsbestuur besloot de betonnen zeewering van Alburgh niet te verlengen tot Kings Ness, de kustbescherming zelf ter hand nam. Hij schreef bouwmaatschappijen en wegenbouwers aan, en bood ze de mogelijkheid om hun minerale afval bij zijn klif te storten tegen de helft van het tarief dat ze elders betaalden. Daarmee verwierf hij zowel inkomsten als materiaal waarmee hij Kings Ness beschermde tegen de zee. Veertien huizen waren er toen nog over. In de oorlog was dat het dubbele geweest.

Warren Feldman had machtige tegenstanders. Van Natural England had hij de meeste last. Volgens de doctrine van deze natuurbeschermers moest de zee vrij spel houden in de kustgebieden rondom Alburgh, een proces dat landschappelijk interessant heette te zijn vanwege de belangwekkende fossiele vondsten die na zware stormen uit het klif tevoorschijn kwamen. Het klif werd benoemd tot sssi, Site of Special Scientific Interest.

– Eerst mensen, dan fossielen, zei Warren, en begon een strijd die zou duren tot aan zijn dood.

Het was begonnen met negentigduizend ton veengrond, afkomstig van de South Lowestoft Relief Road. Dat werd de basis van zijn zeewering. Ze moest worden doorgetrokken langs de gehele voet van Kings Ness, over de lengte van bijna een kilometer. Vrachtwagens met zand, klei en stenen stortten hun lading op het klif, een dragline reed het restmateriaal van al die bouwprojecten uit over de zeewering en hoopte het op tot een sombere muur. Er staken brokken steen uit, stukken gewapend beton, soms een oude schoen. Ik herinnerde me Warren daar boven, op het klif, hoe hij het werk overzag dat op de lagergelegen wal werd verricht. De wind blies tranen in zijn ogen en kruimels uit zijn baard, dat archief van vele maaltijden. Hij leunde op zijn wandelstok, een dunne regenjas wapperde rond zijn bovenlichaam omdat hij hem nooit dicht ritste. Hij had een geheimzinnige voorkeur voor twee of drie T-shirts over elkaar, en daar twee truien overheen. Hij droeg nooit iets anders dan outdoor-sandalen. In de zomer staken daar zijn ongewoon grote tenen uit.

Koning Knut, werd hij genoemd. Hieraan lag een verkeerd begrepen legende ten grondslag. Catherine had me lang geleden het verhaal van Knut verteld, koning van Engeland en Scandinavië, ergens in de elfde eeuw. Het begon met de hovelingen die hun koning vleiden, door te flemen dat de wereld zou buigen voor zijn wil.

– Ook de zee? vroeg Knut.

– Ook de zee, echoden de edelen.

Daarop liet Knut zijn troon op het strand neerzetten en wachtte de vloed af. Het water naderde, Knut gebood de zee zich terug te trekken. Het water spoelde rond zijn enkels, nogmaals riep hij de golven toe hem te gehoorzamen. De hovelingen brachten zich in veiligheid, en pas toen Knut tot aan zijn knieën in zee zat, stond hij op en waadde naar het strand. Hij smeet zijn kroon in het zand en zei tot zijn gevolg

– Er is maar één Koning almachtig, maar één die de zeeën commandeert en de oceanen in de palm van zijn hand houdt. Bewaar jullie loftuitingen maar voor Hem.

Ik herinner me dat ik dat een raar, christelijk einde vond voor een verhaal over een Vikingkoning en de zee, maar Catherine, ernstige katholiek die ze was, nam me mijn scepsis zeer kwalijk.

– Als je mijn kind was... O, o.

Later leerde ik dat de kanoetstrandloper zijn naam aan dezelfde legende ontleent.

Een echtpaar komt Linny en mij tegemoet over het strand. Hand in hand, allebei in een oranje bodywarmer. Eenmaal heb ik hand in hand gelopen, in Venice Beach, nadat ik Kings Ness verlaten had. Ik weet niet hoe ik zou reageren als Linny opeens mijn hand zou pakken, een soortgenoot die warmte zoekt.

Ik wijs haar de afgebroken leidingen in het klif, die eens naar ons huis leidden. Omdat de afkalving onverminderd is voortgeschreden, staan we nu misschien op de plaats waar het huis eens stond. Ze kijkt naar de branding, je hoort kiezels rollen in de onderstroom.

– Hier verdwijnt Engeland dus beetje bij beetje, zegt ze.

We lopen verder en gaan aan de noordzijde Kings Ness op. Matgeel licht verspreidt zich in donzige vlekken op het water. Aan de horizon is een luchtspiegeling te zien van een plat, glinsterend oppervlak, alsof er een ijsvlakte in deze richting schuift.

– Ach gadver, zegt Linny op Flint Road.

– Via Dolorosa, mompel ik.

Ze hinkelt tussen dode konijnen en kuilen in de weg door.

– Ik heb zó gehuild bij Waterschapsheuvel! roept ze.

Voorbij nummer 17 verlaten we de weg en gaan het verwilderde pad op dat vroeger naar ons huis liep. In mijn herinnering staat het daar nog. Ik kan naar de deur lopen, haar openen en de geur van boenwas en schoonmaakmiddelen ruiken die Margareth in de kast bij de achterdeur bewaart. Het is een diepe, altijddurende verbazing dat dingen die niet meer bestaan, onverstoorbaar voortleven in mijn hoofd, en daar zullen blijven tot de laatste dag. Ik begrijp nu beter dan ooit waarom mensen gedenktekens oprichten en banken met inscripties plaatsen. Het werk van ons leven mag niet al tijdens ons leven vergeten worden, en tot stof vergaan.

De gaspeldoorn heeft zijn verwrongen ledematen over het pad uitgestrekt. Het schokje door de leegte aan de rand, waar de herinnering een huis situeert.

– Hier was het, zeg ik.

– Welk nummer? vraagt ze.

Ik begrijp het niet.

– Het huisnummer.

– Vijftien. Daar stond het. En daar – ik wijs nog verder, over zee –, daar lag Castrum.

Het is rustig in de bar die avond. Ik hou er vroeg mee op. Alleen Linny is er nog, en een man die om beurten een slok whiskey en een slok water drinkt.

– Zo, nachtbraker, zegt Leland.

Ik schuif aan naast Linny, nu de enige ter wereld die echt iets van me weet. Zij drinkt kir, ik eet de kers. Ze zegt

– Morgen ga ik weg.

Ik knik en realiseer me dat Warren morgen ook begraven wordt. Dat ik moet spelen in de kerk. Ik weet niet eens hoe laat.

Later, in de salon, een fles water en een fles Chivas Regal naast ons, glijden we terug in het gesprek als een hand in warm water. Ik vertel over Selwyn, die mijn ogen heeft geopend. Met hem zijn er dingen begonnen.

Ik ben onder de indruk van zijn lichaam en dat mooie blonde hoofd, ik geloof dat hij mij interessant vindt omdat ik buiten de orde sta. We spelen nu beiden in het tweede. Onder de douche na de wedstrijd kan ik mijn ogen moeilijk van hem afhouden – de David, maar dan met een grotere lul. Tijdens de wedstrijd ben ik vaak in zijn buurt te vinden als we in de aanval zijn, hij weet altijd een paar breaks te maken, met geweld of een vloeiende sidestep, het is profijtelijk om in zijn kielzog te opereren. Ik scoor een paar keer omdat hij op de valreep getackeld wordt en de bal in zijn val afspeelt. Er zijn scouts van Bath en Leeds naar hem komen kijken, maar zijn ouders hebben hem een professionele carrière verboden; in Oxford of Cambridge kan hij ook rugbyen. Je kunt je voorstellen dat hij economie of medicijnen gaat studeren, daar doorheenrolt en een gemakkelijk, vloeiend leven zal hebben. Met verbazing zie ik hoe een gelijkmatig, vriendelijk iemand als hij ook meedogenloos kan zijn, op het veld, maar ook tijdens de jacht. Hij heeft een eigen geweer, een Mannlicher-Schoenauer met een walnoten kolf, ik heb hem zonder een spoortje wroeging houtduiven, grijze eekhoorns en eksters zien afschieten. Zijn meedogenloosheid bevat geen woede, zelfs geen wreedheid – ze is even gelijkmatig als de rest van zijn karakter.

Op een witte februarimorgen gaan we met een groep jagers mee, onder wie zijn vader. Iedereen is omhangen met patroongordels, we zitten op hooibalen in een veewagen met een trekker ervoor, en worden met negen man van het ene jachtgebied op het landgoed naar het andere gereden. We kammen de bossen uit op zoek naar *ongedierte*. Zo noemen ze dat. Selwyn schiet een grijze eekhoorn aan flarden en zegt dat het een exoot is, een soort die hier niet thuishoort. Ik kijk of hij een grapje maakt, iets wat naar mij verwijst, maar zie niets wat daarop lijkt. Norvie, de jachtopziener, zegt dat grijze eekhoorns schadelijk zijn, ze vreten de bast van bomen op. Ik kan me niet aan de indruk onttrekken dat wij schadelijker zijn voor die beesten dan zij voor ons, maar ik onderdruk de zachte gedachten, ik zal zijn zoals zij en hard meelachen om hun grappen.

– Het is *open season* voor duiven, konijnen, hazen, zwarten en reeën.

– Zwarten, Norvie?

– Paki's, negers... Ik ben geen racist, ik heb alleen een hekel aan die zwarten.

Ik zal niet knipperen wanneer Selwyn me vraagt een foto

van hem te maken met dat beest in zijn hand, waarvan het bovenlichaam nog maar met een paar rafels vastzit aan de rest. Tussen de bomen hangt kruitdamp en vliesdunne mist, en soms, wanneer we uit het bos het open veld in stappen en aan de einder een rij grove dennen met platte schermen zien, is het of we op de savanne zijn – Afrika, vlak voordat de zon de hemel openbreekt.

De trekker brengt ons naar Bunyans Walk, de heuvel aan zee, ten noorden van Kings Ness. Daar speelt zich de erosie op gelijke wijze af als bij ons, maar dramatischer, er vallen zware, oude bomen aan ten prooi. Vanaf het strand zie je, als je omhoogkijkt, het web van wortels naakt en panisch in het gele zand grijpen.

Het bos krimpt wanneer wij er binnentrekken. In een brede rij banen we ons een weg door bruine, afgestorven varens, we breken takken af die in de weg zitten. Ze schieten op de ellebogen van takken, iemand roept

– Dat is geen boom, dat is een hotel!

Een serie schoten volgt – harde, droge knallen en ontploffingen van bladeren en takken daarboven. Ik sla mijn handen voor mijn oren en zie Selwyn glimlachen.

– Daar! schreeuwt een man bij de tiende eekhoorn.

Het dier verbergt zich aan de kant waar wij niet zijn. Ze gaan er in een kring omheen staan en vuren net zo lang tot ze hem raken. De eekhoorn zit klem tussen twee takken, zijn kop hangt omlaag, bloed druppelt op de bosgrond. Selwyns vader schiet een Vlaamse gaai, iemand anders een houtsnip, verder eksters en nog een paar grijze eekhoorns. We bewegen in een lange rij naar de rand van het klif, een reebok breekt door onze linie. In de branding verderop drijft een zwarte boomstam zoals je die ook soms op het strand vindt, doorweekt en loodzwaar, wie weet hoe lang hij al over de oceanen drijft.

We verlaten Bunyans Walk via de zuidkant, waar de uitgestrekte rietlanden zijn die de heuvels van Kings Ness en Bunyans Walk van elkaar scheiden. Het riet ligt achter een kunstmatige wal van zand, waar soms de zee doorheen breekt. Nu, in het bleke licht van het februarizonnetje, lijken de riethalmen op een miljoen streken van het eenharig penseel. Er trekt een langzame, vloeiende rilling door het riet, een hand over een kattenrug. Daar, in het riet, houden zich Chinese blafherten op, muntjaks, een uitheemse soort. In de schemering, wanneer ik over geheime paden in het riet loop (ik ken de verborgen rietsnijdersplaatsen, ik weet waar wordt gestroopt), schrik ik me soms een ongeluk als zo'n beest opeens wegschiet. Je hoort het nog een tijdje plonzen. Ik heb er nog nooit een gezien. In China denken de mensen dat het hert kan toveren omdat het zo razendsnel is.

Selwyn vraagt of ik wil schieten, ik hoef niet zo nodig maar neem het geweer van hem aan. Ik keer me naar de bosrand, hij wijst op een kraaiennest in een eik. Ik leg aan en schiet, maar raak alleen takken. Schouderophalend geef ik het geweer terug – ongeschikt, zie je wel. De jachtopziener schreeuwt vanuit de verte dat we verder gaan. Als laatsten komen we de veewagen binnen, waar ze roken en praten over een vrijgezellenfeest in Amsterdam.

– Alles wat je nodig hebt is een schone onderbroek en een koffer vol condooms, hahaha!

Het onbetwiste hoogtepunt was geweest dat de bruidegom een gepelde banaan uit een Thais kutje had gegeten. Selwyns vader zegt dat ze die smeerlapperij voor zich moeten houden, er zijn jongeren bij, maar lacht te hard om geloofwaardig te zijn.

Het beslissende verhaal, dat waarin Selwyn een rol speelde, vond in de late winter plaats. Het mistte al dagen. Als ik 's morgens buiten kwam om naar school te gaan, kroop de natte, grijze damp mijn kleren binnen, en uiteindelijk ook mijn hoofd. Als je dagen achtereen niets anders ziet dan dat diffuse grijs, kun je het gevoel krijgen dat je zelf mist geworden bent. Ik schreef kleine briefjes aan mezelf met daarop *We zitten nu zes dagen in de mist, of er nog leven is daarbuiten weten we niet.* Soms, als je daar boven een vliegtuig hoorde, wist je dat de wereld nog niet was vergaan. De zee was niet te zien, ik hoorde alleen de branding. Het raam was een blind, grijs vlak, lichtgevend als een beeldscherm.

Op een asgrijze middag was ik barnsteen aan het zoeken op het strand bij Bunyans Walk. Er lag daar een dik kiezelbed. Ik zag weinig meer dan de grond onder mijn voeten. De mist waaide in flarden om me heen. Er kwam me een schim tegemoet, een ijl trillende zuil. Langzaam vormde die zich tot een mens, tot Selwyn met hun hond, zag ik toen hij me dicht genoeg genaderd was. Maar zonder zijn hartelijkheid. Iets beklemde hem al een poosje, ik had het ook in de kantine gemerkt. Het had met mij te maken. De Duitse herder snoof en gromde buiten ons zicht.

– Kaiser! riep Selwyn.

De hond kwam uit de mist tevoorschijn. Hij sprong tegen me op en maakte zanderige pootafdrukken op mijn broek en jas.

– Ga je het me nog vertellen? vroeg ik.

– Wat.

– Wat er is.

Hij tuurde in de damp. Toen zei hij dat ik om drie uur naar zijn huis moest komen. Ik staarde naar zijn rug tot hij was opgelost.

Even later ging ik het pad op naar Kings Ness. De akker

aan mijn rechterhand was omgeploegd, de aarde glansde. Hogerop werd de mist dun en gelig, daarboven blikkerde eindelijk de zon. Ik hoorde de jubelzang van een leeuwerik, in mijn borst sloeg een voorgevoel van onheil de maat.

Ik was er om drie uur stipt. Selwyn ging me voor naar de televisiekamer. Hij wees me een stoel. Toen haalde hij vanonder zijn trui een vhs-band tevoorschijn, zonder hoes. Hij schoof de band in de videorecorder, de televisie sprong uit zichzelf op het videokanaal.

– Dit wilde ik je laten zien, zei hij met zijn rug naar me toe. Mijn broer kwam ermee aan.

Een mechanisch muziekje, het logo van een filmmaatschappij, vermaningen betreffende de ongeoorloofde vertoning en vermenigvuldiging van het materiaal, toen de eerste beelden. Een landschap ergens in Zuidoost-Azië, de camera gleed over een baai bij ochtend met kano's waarin vissers stonden met rieten hoeden op, en zwenkte over een strand naar een terras van een villa op een groene heuvel. Een gezelschap blanken, koloniaal en verveeld. Het oog van de camera tastte het gezelschap af. Nu werd bepaald wie de hoofdrolspelers werden en wie onbelangrijk zouden blijven. Er werd ingezoomd op een jonge vrouw, ze hield een sigaret tussen haar lange vingers en blies een dun streepje rook uit. De rook vormde zich tot de titel van de film, lilith, de letters vervloeiden tot vlinders en kolibries die een voor een het beeld uit vlogen. We waren terug bij de mooie, jonge vrouw – in wie ik mijn moeder had herkend. Of beter, een vrouw die sprekend op haar leek, een heel jonge versie van haar. Zij was Lilith. Ik kroop tot voor de televisie om het beter te kunnen zien, maar achter mij had Selwyn de fast forward-knop ingedrukt zodat de gebeurtenissen zich opeens met onbegrijpelijke snelheid afspeelden. Mannen, vrouwen, verwikkelingen en vorsende blikken, de villa in de donkergroene heuvels, een zwembad en een man met een lendendoek en veel borsthaar...

– Zet stil! gilde ik.

En daar was zij weer, aan de rand van het zwembad, gracieus rustend op een stretcher. Ik kende dat lichaam, het had een rol gespeeld in mijn erotische verbeelding. Nu lag het daar aan de rand van een zwembad god weet waar, en was die knaap met die lendendoek iets van plan – je zag duidelijk zijn lul afgetekend achter die doek. Ze reageerde er niet op, stoïcijns lag ze de goden uit te dagen, een grote zwarte zonnebril op haar neus. Hij zei iets tegen haar over de temperatuur van het zwembadwater. Ze zei dat het wel meeviel. Na een tijdje werd het interessanter toen de man zei

– Nu je met Richard naar bed bent geweest...

– O Henry, alsjeblieft. Het stelde niets voor.

– Je bent een slet. Je weet wat we daarmee doen.

– O? zei de vrouw ironisch.

Hij liet het stuk textiel zakken, zijn geslacht kwam in beeld, een grote jongen, met dikke aderen. Radeloos keek ik om. Selwyn leunde tegen de muur, de afstandsbediening in zijn hand.

– *Wat is dit?* bracht ik uit.

– Wat denk je, zei hij strak.

– Hoe kom je eraan? Die vrouw, Jezus...

Ze had haar slanke vingers rond de penis gesloten en trok de voorhuid naar achteren. Haar blik was onverminderd ironisch. Hij kwam, o afgrijzen, over de stretcher staan en bracht zijn geslacht naar haar mond. Het ding verdween er grotendeels in. Langzaam neukte hij haar zo. Ze snoof en kokhalsde. Speeksel werd uit de zijkant van haar mond geperst. Ik kotste op het tapijt. Ik hield mijn lippen op elkaar maar het spoot er door mijn neus en langs mijn mondhoeken uit; ik hield mijn hand voor mijn mond en rende naar de wc. De acuutheid van het braken verdrong even de flitsen in mijn kop, de wetenschap dat het mijn moeder, *mijn jonge moeder* was die daar in haar mond werd geneukt. Iets liep af, daar, op dat moment. Niets zou nog hetzelfde zijn. Omdat zij het was. Geen twijfel mogelijk. Niet alleen het gezicht. De handen. Mijn moeders handen.

Ik hing over de pot, alles draaide, de wereld een wastrommel. Zweet droop van mijn voorhoofd. Ik bleef op mijn knieën zitten omdat ik niet wist wat ik nu moest doen. Ik kon nergens naartoe. Ik wist geen betere plek dan de vloer van de wc. De sluiers waren weggerukt, ik had gezien wat voor mijn ogen verborgen was gehouden. Het was geen leugen, het was erger. Ik was blind en doof geweest, in telkens wisselende decors was dit voor me verborgen gehouden – telkens nieuwe zetstukken waren tussen mij en de waarheid geschoven. Wie wisten dit allemaal? Werd het niet al jaren achter mijn rug gefluisterd?

Selwyn zat op zijn knieën, met een teiltje dampend water naast zich schrobde hij mijn maaginhoud uit het tapijt.

– Ze is het dus, zei hij tegen het tapijt.

– Sorry van dat, zei ik.

– Je wist het niet?

– Nee.

– Helemaal niks?

– Nee.

Achter hem stond het beeld op zwart. Ik zette de tv weer aan. Selwyn richtte zich op.

– Wat doe je?!

Daar was ze weer, de-moeder-van-de-jonge-foto's, naakt nu, met een camera-oog tussen haar benen dat inzoomde op krulletjes schaamhaar en een snavelkutje daartussen, niks wat ik niet al van honderden andere afbeeldingen kende, behalve dat dit mijn moeder was waarbij de man zich naar binnen wrikte.

– Jezus, Ludwig, zet af!

Maar ik zou zien wat er te zien viel. Het was er de tijd en de plaats voor, een nieuwe mogelijkheid zou zich niet vlug voordoen. Met mijn hoofd in mijn handen keek ik naar de paring van de onbekende met mijn moeder, zonder geluid, geluid kon ik niet verdragen. Selwyn stond bij de deur, zenuwachtig, misschien luisterde hij of hij zijn ouders hoorde thuiskomen. Minuscule zweetdruppeltjes op haar bovenlip, de ironie had plaatsgemaakt voor een uitdrukking van gewelddadig genot. Ze had haar handen rond zijn kleine billen geslagen en trok hem dieper in zich. Ik spoelde de band vooruit. In razend tempo volgden de ontwikkelingen elkaar op. Het ging om de rivaliteit tussen twee mannen, waarbij vier vrouwen betrokken waren. Een dame die het adellijke moest verbeelden, een Aziatische schone met kleine borsten, een blond, nietszeggend meisje en ten slotte mijn moeder, de ster van de film, die een zekere onaanraakbaarheid uitstraalde. Op het laatst werd ze door beide mannen tegelijk genomen, die zo hun conflict leken te beslechten. Het was rauwe, nietsontziende porno, in verzadigde, harde kleuren. Het was afzichtelijk, elke erotische prikkel werd gedempt door schaamte en verwarring. Mijn hart sloeg zwaar in mijn borst. Ik spoelde door naar de aftiteling en zette hem weer op *play*. De namen rolden over het scherm, de hare als eerste.

LILITH – EVE LESAGE

Ik stond te vlug op, een duizeling sloeg me bijna tegen de grond. Ik wachtte tot het sneeuwbeeld wegtrok en liep de kamer uit zonder Selwyn iets te zeggen. Als verdoofd ging ik de straat op – de zoon van. De aarde mocht zich onder me openen, ik zou dankbaar zijn. Eve LeSage. Marthe Unger. Pornoactrice. Mijn geschiedenis moest worden herschreven. Ik had mijn leven lang met een ratel op straat gelopen. Ik droeg het merkteken van schande. Het gerucht zou als vocht door de muren sijpelen, er zou gefluister zijn achter mijn rug, het lijden zou een naam hebben.

Door de grijze damp scheen een zon van water, het klaarde nu vlug op. Op zee lagen pulserende zilveren strepen. In de verte, verder dan ik in dagen had kunnen kijken, rees een eenzame witte golf op; ik hoopte al heel lang op een dag een walvis te zien, ik verlangde naar die grote zielen van de zee, die onder water hun geheimzinnige sonartaal spraken.

Op mijn kamer ging ik achter het bureautje zitten. Ik kon me geen leven voorbij dit moment voorstellen. Soms kotste ik onverwacht, erupties van slijm en gal. Ik hield de prullenbak bij de hand. Ik kon nu mijn gevoelens met bloed in mijn dagboek krassen, maar het kwam erop neer dat ik de gordijnen sloot, op bed ging liggen en in slaap viel.

De volgende morgen was de zon teruggekeerd, het was gaan waaien. Voor mijn raam ploeterden meeuwen tegen de wind in. Ze hingen boven de rand van het klif, grote mantelmeeuwen, en bleven, terwijl ze soms achteruit geblazen werden, stoïcijns met hun vleugels slaan.

Ik schoot de deur uit en bleef de hele dag weg. Ik geloof niet dat het mijn moeder is opgevallen dat ik haar een tijd ontweek. Ik sliep veel. Ik sliep me door de schok heen. Ik zocht Eve LeSage op op internet. Er was genoeg te vinden. Ze had haar rol gespeeld tussen Linda Lovelace en Sylvia Kristel, ze had enige tijd cultstatus. *Lilith* gold, in zijn genre, als *artistiek*. Ze had in zes films gespeeld. Meteen met *Lilith*, de eerste, was haar naam gevestigd. Ik vond foto's en interviews; websites waar de herinnering aan haar in leven werd gehouden – ze had de seksindustrie plotseling achter zich gelaten, op het web deden verschillende geruchten over de oorzaak de ronde.

Op een avond zat ik met haar aan tafel. We aten aardappelen in de schil met crème fraîche, bonen en chilisaus; ik maakte een landschap van sneeuw en bloed in de gekerfde aardappel. Ik hoorde haar kauwen. Het doorslikken van elke hap. Haar bestek schraapte langs mijn zenuwen. Ze keek op, nu sloeg ik mijn ogen niet neer.

– Kan het zijn dat er iets is? zei ze.

Ik haalde mijn schouders op.

– Ludwig?

– Ja.

– Is er iets?

– Wat er is. Zegt de naam Eve LeSage je iets?

Ze bracht de hap naar haar mond en kauwde langzaam, voor in haar mond. Ze knikte nauwelijks zichtbaar.

– Het moest er een keer van komen, zei ze.

Volgde een stilte.

– Ik wist niet of je er zelf achter moest komen, zei ze toen, of dat ik het je moest vertellen.

– Toen deed je maar niks.

– Ik was blij met elke dag dat je het niet wist.

Ik verschoof de aardappel.

– Het is zo... *smerig*... Ik heb nog nooit zoiets *smerigs* gezien.

– Ik vind het erg, zei ze... voor jou. Voor jou vind ik het erg. Voor jou zou ik willen dat het niet... dat het anders was gegaan. Dat ik je dit had kunnen besparen.

– Te laat.

– Te laat ja. Ik heb het bij je proberen weg te houden. Ik ben altijd bang geweest voor dit moment. Later, op een dag, wil ik je vertellen hoe... hoe het is gegaan. Als je het

wilt weten. Er is meer dan wat je nu ziet. Dan wat je nu
kunt zien. Mijn leven, toen, het paste daarin. Ik weet niet
hoe ik het moet zeggen...

– Zes films. *Zes.*

– Het was nou ook weer geen misdaad, Ludwig.

– Prostitutie *ís* strafbaar.

– Het was film. Ik ben er niet trots op, helemaal niet,
maar heel slecht heb ik me er nooit over gevoeld. Ik kan
me voorstellen... voor jou is dat anders, jij hebt er niets
mee te maken. Je was er nog niet eens...

– Hoe kon je?

– Ik ben mijn lichaam niet, Ludwig, het is maar een
voertuig... Ik deed er niemand kwaad mee, integendeel.
Behalve jou, nu. Maar je was er nog niet eens, je mag het
me verwijten maar je mag me er niet om haten, lieverd.
Oké? Je mag me er niet om haten.

Ik had geen woorden meer. Niet een.

– Ludwig, wil je niet zo naar me kijken? Je vader kon zo
kijken. Zo... vol walging.

Twee tranen, de ene eerder vertrokken dan de andere.

– Je mag me niet zo aankijken, hoor je?

In de dagen die volgden kwam het onderwerp nog enkele
keren ter sprake. Ze vroeg niet om begrip, ze verklaarde de
omstandigheden waarin het haar min of meer normaal had
geleken om in pornofilms te spelen. Kennis van de achter-
gronden, merkte ik, verzwakte mijn woede. Het verkleinde
de afstand tot de ranzige enormiteit. Het leven ging door,
kortom. Het zocht een balans tussen extreme waarden, net
zo lang tot er weer een mate van dagelijksheid ontstond,
een manier om voort te kunnen. Het vormde zich om de
deviant heen, als een amoebe rond een bacterie.
Op de club wisten ze het. Ik wist dat ze erover spraken

als ik er niet bij was. Er werden bedekte grappen over gemaakt, maar daar viel mee te leven. Een bekende uitdrukking luidt dat voetbal een sport is voor heren die wordt gespeeld door beesten, en rugby een sport voor beesten die wordt gespeeld door heren. Onder voetballers zou ik sociale schade hebben opgelopen, bij de Alburgh Rugby Football Club werd ik ontzien, en er niet om veroordeeld – wat ik altijd heb verklaard uit de mate van beschaving die bij het rugby hoort.

Op het veld werd ik roekelozer. De technisch volmaakte tackle heb ik nooit onder de knie gekregen, ik wierp me gewoon met alles wat ik had voor de tegenstander, met soms opzienbarend resultaat. Ik speelde in het tweede en was even vaak geblesseerd als niet. Op die leeftijd herstel je vlug. Bij een van die maffe tackles brak ik mijn sleutelbeen. Ze zeiden dat de jongen waar ik tegenop liep uit Sizewell kwam, waar de kerncentrale stond waarvan wij de koepel op heldere dagen aan de einder konden zien als een bleke, ondergaande zon. Het was of ik tegen een bus op liep. Ouder dan zeventien kon hij niet zijn, die jongen, maar hij had al een volle snor. Een blessure heeft de naam van de degene die haar veroorzaakt – ik zal die jongen uit Sizewell nooit vergeten.

De Engelsman kent het begrip adding insult to injury.

Er werd een brief bezorgd van de districtsraad, ondertekend door de secretaris, A. Brennan. In de brief werden we gesommeerd Flint Road nummer 15 te verlaten voor 21 oktober aanstaande. Als we tijdig vertrokken, zou het district zorg dragen voor de sloop van het huis, de verwijdering van het puin, de schoonmaak van het perceel. Gingen we hier niet op in, dan zouden de kosten op ons worden verhaald, zoals de schoonmaak van het strand. Was er asbest in de constructie van het huis verwerkt, dan liepen de kosten nog verder op. De toon van het schrijven was neutraal, alsof we werden verzocht vuilnis vanaf nu niet op dinsdag maar op woensdag bij de weg te zetten. De datum 21 oktober werd in de slotalinea herhaald, die dag zouden gas, water en licht worden afgesloten.

We waren ontegenzeggelijk in de gevarenzone terechtgekomen. In een trage angstdroom had de afgrond ons al die jaren achtervolgd, nu stond hij op het punt ons in te halen.

Toen de brief kwam, was de oostelijke buitenmuur nog vier meter van de rand verwijderd. Het kon nog jaren duren maar ook komende winter gebeurd zijn. Mijn moeder zat met de brief voor zich aan tafel.

– Ze laten er geen gras over groeien, zei ze.

Ik las hem tweemaal over maar vond er geen enkele geruststelling in, niets over vervangende woonruimte of schadevergoeding. We waren overgeleverd aan erosie aan de ene kant en ambtelijk pragmatisme aan de andere. Mijn moeder zat rechtop. De herinnering aan haar, parend.

– En de verzekering? vroeg ik.

Ze glimlachte met harde mond en schudde haar hoofd.

– Wat bedoel je? zei ik.

– Niks.

– Kom op.

– Tegen zoiets kun je je niet verzekeren. Ik heb het overal geprobeerd, bij zo'n beetje alle verzekeringsmaatschappijen. Het argument was dat we het risico kenden toen we hier gingen wonen. We... ik heb het risico genomen.

– Dus?

Er kwam geen antwoord. Ik begreep zo half-en-half wat ons boven het hoofd hing: geen huis en ook geen vluchtroute; van familie of vrienden was geen sprake. We waren op elkaar aangewezen. Ze had de opbrengst van het huis in Alexandrië in dit huis gestoken, van het restant en haar spaargeld hadden we geleefd. Nu leed haar investering onder razendsnelle ontwaarding. De brief van het district bracht de waarde van ons bezit terug tot een schuld. Ik wist niet of ze de omvang van de catastrofe overzag. Haar kalmte was hemeltergend. Ik vermoedde dat ze zich in de beslotenheid van haar slaapkamer tot haar meesters wendde voor steun, voor inzicht; de mannen met de baarden en de dwingende ogen, bij hen ging ze te rade. Ze was ervan overtuigd dat er een hoger plan achter de dingen school. Gebeurtenissen als deze dienden om een les uit te leren. Betekenis, goed of slecht, was troost. De bitterste realiteit was te verdragen als je er een bedoeling in kon zien. De oeroude afweer tegen het niets. Met god had haar overtuiging niet te maken, zei ze, maar als je goed keek zag je duidelijk zijn schaduw op de vloer.

Ik ging naar boven en schopte tegen mijn bureau. In het

raam hing een vlieger, wild zwenkend. Daarachter de glitterzee.

's Avonds schoof ik Margareths vispastei in grote brokken naar binnen.

– Ik heb nagedacht, Ludwig...

– Hmm...

– ...maar we gaan niet. We blijven hier. Dit is ons huis, ze kunnen ons niet dwingen.

Ik fronste mijn wenkbrauwen.

– Zonder gas? Water? Licht?

– Ik heb Warren de brief laten lezen. Hij zegt dat het geen probleem is om een paar leidingen te leggen van zijn huis naar het onze. Gasflessen kunnen we in het dorp krijgen. Zie het als een soort kamperen. Warren geeft alle hulp die we nodig hebben.

– Omdat hij zich schuldig voelt, ja.

Juist toen was de eerste laag zand en klei ter hoogte van ons huis tegen het klif gestort. In afwachting van de uitspraak van het Hof van Beroep was het werk weer op gang gekomen. Vanaf de dag dat de brieven begonnen te komen, leefden we in een tijd van wachten. Er kwamen brieven van advocaten, het energiebedrijf, het waterleidingbedrijf, gemeentepost – mijn moeder klemde ze met een wasknijper aan de lamp boven tafel, zodat het noodlot iets vrolijks kreeg.

Het kan lang duren, maar wanneer de instanties eenmaal hun stralen bundelen tot een zoeklicht, is er geen ontsnappen meer aan. De koppeling van informatie is een stalen hek dat zich langzaam sluit. Een omvattende macht, onpersoonlijk als een chemisch proces, had zich in ons leven genesteld. De datum stond boven onze voordeur geschreven. De dag zou komen – en zo veraf als hij leek toen de eerste brief kwam, zo vlug was het opeens 21 oktober. Maar omdat dat een zaterdag was, gebeurde er niets die dag. De eerstvolgende werkdag doofde de waak-vlam in de geiser. De verwarming sloeg af. Enkele weken later stond er een bestelwagen van Eastern Electricity aan de weg. Toen was ook het licht uit. Er ruiste geen water meer door de leidingen. Warren groef een sleuf naar ons huis. Schakelaars en stopcontacten waren plots nutteloze ornamenten, de telefoon deed het niet meer. Met een paar dagen waren deze dingen hersteld door Warren, een strook omgewoelde aarde verbond zijn huis met het onze. Mijn slaapkamerraam was nu altijd beslagen omdat ik de kamer verwarmde met een petroleumkachel. Margareth kookte op butagas. Maar hoe handig we ook om de gebreken heen leefden, we waren ervan doordrongen dat dit hoe dan ook *laatste dagen* waren. Dit gaf ze schoonheid en betekenis. De tijd bezat een mate van urgentie waar ik later vergeefs naar zou zoeken.

Er waren drie stormen die winter, geen zo sterk als de my-thes van 1286, 1342, 1740, 1953. Warrens zeewering werd op een paar plaatsen weggeslagen, alleen bij ons ging ook daadwerkelijk een stuk van het klif verloren. Er stak nu een scherpe inham landinwaarts. Graszoden hingen langs de rand naar beneden. Het begon *persoonlijk* te worden. We zaten rechtop bij de inslagen van het water, de rillingen door het huis. Dan de stilte die aanspoelde als mist.

Ik voltooide de middelbare school in het late voorjaar. Ik was achttien jaar en ouder dan de meesten uit mijn klas door het verloren jaar na Alexandrië. Aan een studie had ik niet willen denken, ondanks aansporingen van mijn mentor en het schoolhoofd. Toen ik de kamer van de laatste verliet, zei hij

– Je hebt een goed hoofd, Ludwig, gebruik het verstandig.

Ik speelde piano in The Whaler en verdiende daarmee veel geld voor iemand van die leeftijd. Ik kocht als een van de eersten een mobiele telefoon en had een computer op mijn kamer. Verder rugbyde ik. Wanneer ik mijn bitje indeed knarste het zand tussen mijn tanden, en 's avonds na een wedstrijd, wanneer ik in bed lag, schuurden zandkorrels onder mijn oogleden. Ik hield van het harnas van spierpijn dat me in de dagen na de wedstrijd omgordde, de tevreden huivering van het afgematte lichaam. Op een dag ver in de toekomst zou je een rugbyveld passeren, je zou een smartelijk verlangen ondergaan naar vaseline op je wenkbrauwen, sporttape rond zwakke plekken, de zenuwen in je maag en vingertoppen voor de wedstrijd waardoor zelfs de beste, meest ervaren spelers nog eens naar de wc gingen – en dan zou je je afvragen hoe je in godsnaam in dat oude lichaam opgesloten was geraakt, en je ogen sluiten als je de lichamen zag die daarginds op elkaar klapten en weer opstonden alsof ze alleen maar gestruikeld waren.

Mijn moeder en ik leven nu elegant langs elkaar heen. Er is geen reden om dieper op de dingen in te gaan. Soms kan ik haar zien zoals ik haar vroeger zag, dat wil zeggen zonder de dingen die ik nu weet. Het is me ingewreven dat dingen dubbelzinnig zijn, niet uit één stuk. Mijn moeder heeft al zoveel levens gehad, dat met mij is maar een van haar manifestaties. Je wordt er onzeker van, je kunt je opeens voorstellen dat je er eigenlijk alleen voor staat, dat de anderen als schillen van je afvallen, de rokken van de ui.

Het is de laatste zomer op de heuvel. Ik ben verlost van de opdracht ergens bij te horen; mijn moeders verleden heeft daar alles mee te maken. Ik ben een freak nu, en daarmee vrij. Ik zou naakt kunnen rondlopen, mijn huid geen schild meer tegen hitte of kou maar een permeabel vlies – mijn lichaam glijdt door de zachte buitenlucht als een paraglider boven de korenvelden. Op de houtwallen staan bomen als gestolde branden, het stof van Flint Road bedekt mijn schoenen. Ook al ben ik in de mollige natuur van Suffolk, de cederachtige schermen van de grove dennen in de verte doen me altijd weer aan Afrika denken, mijn voorstelling van de savanne, een zo sterke sensatie dat ik haar minuten kan laten duren. De balenpers schuift al dagen heen en weer over de velden en spuwt zwarte strobalen uit. Het braakliggende land tussen de weg en de klifrand is overwoekerd met manshoge distels, boerenwormkruid, klaprozen zo groot als een vuist, en margrieten stralend in hun eenvoud. Vlinders boven een veelstemmig zoemend bloemenveld. De telefoonpalen langs de weg wasemen carbolineumdamp uit, op de draden zitten mussen en oeverzwaluwen als noten op een notenbalk. Bij Warren en Catherine staat het barstensvol voluptueuze blauwe hortensia's, en dan opeens, in een ooghoek, vallen de mussen als één lichaam van de telefoondraden en lossen op in de moerbeihagen langs de kant van de weg.

Die winter verging ons huis. Eindelijk, voeg ik daar nu aan toe. Vlak voor kerst maakte een storm korte metten met de wal, waardoor de tweede springvloed vrije doorgang had naar het klif. Warren kreeg de kans niet om de verloren aarde aan te vullen, het waren de eerste weken van het nieuwe jaar, weken waarin nauwelijks gebouwd werd en geen mineraal afval werd aangeboden.

Factoren, omstandigheden.

Toen de weersdiensten opnieuw zwaar weer aankondigden, kwam Warren met een gesloten gezicht aan de deur.

– Ik wil even met je moeder praten, zei hij.

Ik liep de trap op als een kleine jongen en probeerde ze af te luisteren, maar de woorden waren onverstaanbaar wanneer ze mijn oren bereikten. Toen hij weg was, vroeg ik een beetje achteloos

– En, wat is het nieuws.

– O, zei ze. Warren denkt... de voorspelling is slecht. Hij is bang, nou ja, hij denkt dat het wel eens afgelopen zou kunnen zijn.

En toch. De zwaarte. Het onomkeerbare. Het heeft zich niet aangekondigd, het lag op je te wachten in het donker.

– Wat denk je, schat?

Ik knipperde tranen weg en zei in de deuropening

– Ik ga inpakken.

Wat betekent een huis. De muren rond een holte. Het betekent binnen, het beschermt je tegen buiten. Nu stond binnen op het punt buiten te worden. Het dak zou openscheuren, de donkere hemel zou zich binnenwringen, de koude zwarte zee. Ik keek rond in mijn kamer, wegend wat mee moest en wat niet. Er was geen plan, geen bestemming, het beste was om zo licht mogelijk te pakken. Ik bezat een koffer van bruin karton, langs de straat gevonden, met stickers erop van een Rijncruiseschip en de Lorelei. Twee broeken, overhemden, ondergoed, een samengebonden pakketje brieven en ansichten. Verder de kostbaarheden die ik meende te kunnen verpanden als het leven zich tegen me zou keren: parelmoeren manchetknopen, het automatische Tissot-horloge dat van mijn overgrootvader was geweest, Friedrich Unger. (Hij, Friedrich Unger, was uit Ostfriesland naar Oost-Groningen gekomen om een Nederlands meisje te trouwen, Aleida Wanningen – vorouders die waren vereeuwigd op foto's waarop de tijd stug en stijf leek, je kon je niet voorstellen dat er hardop werd gelachen of overspel gepleegd. Mijn moeders schoonheid kwam van Aleida, de toen heersende mode en de afdruk in sepia konden haar regelmatige, edele trekken niet verbergen. De zoon van Friedrich en Aleida, Wilhelm Unger, Willem genoemd, was de vader van mijn moeder en tante Edith. Ik had mijn grootouders nooit gezien, mijn grootmoeder stierf vroeg als gevolg van hartfalen, mijn grootvader had zich van mijn moeder afgekeerd na *Lilith*. Mijn moeder wist niet beter of hij woonde nog altijd met zijn tweede vrouw in de bakstenen kolos nabij Bourtange, de boerderij die ik kende van foto's waarop mijn moeder katoenen jurkjes droeg en blootsvoets door het stof van droge zomers liep. Toen wij in Nederland waren, de halteplaats tussen Alexandrië en hier, had hij ons niet willen zien. Dit meldde zijn tweede vrouw, tante Wichie, zelf kwam hij niet aan de telefoon. Ik had daarvan niets gemerkt, dat er een grootvader was daar niet ver vandaan.)

Ik nam bladmuziek mee en drie boeken, *Moby Dick* (mijn

mooiste boek), *De geverfde vogel* van Jerzy Kosinski (uit mijn moeders kast, de belofte van volwassen literatuur) en *Geschiedenis van de westerse filosofie* van Bertrand Russell, ongelezen, maar imponerend omdat meneer Dowd van Engelse Taal- en Letterkunde had verteld dat Russell dat boek tijdens een oversteek per schip naar de Verenigde Staten geschreven had, uit zijn hoofd, vrijwel zonder bronnen.

Een klopje op de deur, mijn moeder. Met haar armen over elkaar leunde ze tegen de deurpost. Ik vroeg wat ze kwam doen.

– Overmorgen komt er een vrachtwagen, zei ze.

Ik keek rond, de posters aan de muren, de computer, het stalen bed, het kastje dat naar rechts overhelde omdat het niet goed in elkaar was geschroefd.

– Dat wil ik houden, zei ik, en wees op de spullen op bed.

Het loeien van de wind, nog maar het begin.

– Het is alleen maar een voorspelling, zei ze.

– Droom maar fijn.

– We moeten voorbereid zijn, gaf ze toe, dat is zo.

Zo bespraken we de ondergang, mijn moeder en ik. Het was ons beste gesprek in tijden. We waren niet zwaarmoedig of dramatisch, dat waren de stemmingen die eraan vooraf waren gegaan; in het koude licht van het voldongen feit leken de evacuatie en het verlies beter te verdragen.

– En daarna? vroeg ik.

– Als dit hier verdwenen is, bedoel je?

Ze knikte naar buiten, waar de afgrond nog maar een sprong verwijderd was van mijn slaapkamerraam.

– Er moet toch iets zijn dan, zei ik.

– Ik heb vertrouwen dat er wel iets komt.

Vertrouwen was haar toverwoord, het simsalabim van de holistische magie. Even was er de wringing van ergernis, maar ik liet het gaan. Ze zei

– Ik kan nog altijd poetsvrouw worden, of...

– Bij een benzinepomp gaan staan, dan worden we white trash en gaan we in een caravan naast de snelweg wonen! En rijden we rond in een busje vol rommel en verwaarlozen ons gebit, oké?

Ze lachte. Tinkelend, blokjes ijs in een glas.

– Overmorgen dus.

Ze knikte en zei in de deuropening

– We moeten sterk zijn, goed lieverd?

– Sterk...

– Jij bent het al, altijd al. Ik ken niemand zoals jij, Ludwig. Jij hebt eigenlijk al niemand meer nodig.

Zacht sloot ik de deur achter haar.

Soms blijven de laatste noten van een liedje in mijn hoofd zeuren. Urenlang, tot een nieuwe melodie de vorige komt aflossen. Dit overkomt me ook wel eens met de laatste woorden voordat er een stilte intreedt. Die nestelen zich in mijn hoofd en weerklinken daar langdurig. Een geheimzinnige innerlijke herhaling. Die avond was het mijn moeders stem. *Jij hebt eigenlijk al niemand meer nodig.* Ook terwijl ik pianospeelde: *Jij hebt eigenlijk al niemand meer nodig.* Er kwam een wereldbeeld uit tevoorschijn. De kroon op de persoonlijkheidsontwikkeling was niemand nodig te hebben, alleen te zijn, een zwevend punt in de duisternis. De uiterste consequentie van deze levenshouding was dat ze uiteindelijk ook mij niet meer nodig had.

De wind was toegenomen, merkte ik toen ik naar huis liep. Het schuim van de brekende golven lichtte op in het schijnsel van de maan. Ze spoelden al tegen de zeewering maar misten nog de kracht om haar schade toe te brengen. Het zou toenemen, het zou borrelend en sissend momentum verzamelen om onze achilleshiel te raken. Ik zou slecht slapen in het bed bij de afgrond.

Er kwamen verhuizers. Zij wees ze dingen aan. Dat moet mee, dat niet, voorzichtig met die lamp, u deukt het koper zo. Ik herinnerde me het huis aan de Rue Mahmoud Abou El Ela, het lichte negatief van kasten en kleden op de muren na de onttakeling, en voelde de korte steek van verlies toen ik dacht aan de schat die begraven lag in de paradijstuin van rozen, bougainville en de blauw bloeiende jacaranda.

Ze waren met zijn drieën. De chauffeur was de baas. Hij deed zijn werk hoofdschuddend.

– Ik kan een grotere wagen laten komen, zei hij een paar keer.

Ze manoeuvreerden tussen de tienduizend dingen door, een ballet van olifanten. Buiten hoonde de wind onze verrichtingen. Tweemaal reden de verhuizers heen en weer tussen ons huis en de schuur van Warren en Catherine, waar we ons huisraad zolang mochten opslaan. Tegen de achtermuur stonden verhuisdozen, twee rijen dik, vol voorwerpen die, gewikkeld in zacht vloeipapier, aan hun wachttijd in het donker begonnen.

De muren trilden. Zo dichtbij, je zag de golven voor het raam. De grauwe waterlichamen die boven het klif werden uitgeperst en drie, vier meter de lucht in spoten, tot aan de nok van het huis, waar ze een kort, ijzingwekkend moment leken stil te staan om ons, hun prooi, in zich op te nemen, te monsteren, voor ze terugzakten in zee. Het eindspel. De wervelwind van snippers in mijn hoofd, de oervragen: waar zullen we wonen? wie zal er voor ons zorgen? Een omvattend *wat nu*? Maar ik wist ook dat ik teleurgesteld zou zijn als het nu niet zou gebeuren – ik was het getalm beu, het schuifelen in de wachtkamer tot de dokter met het oordeel kwam. Beneden hoorde ik de stofzuiger, mijn moeder die de ravage van de verhuizers enigszins in orde bracht. Ik begreep dat de toestand waarin ze het huis zou achterlaten, haar herinnering zou bepalen. Het opruimen en schoonmaken van wat ten dode is opgeschreven, is een cruciale daad, een paradoxale uitdrukking van hoe te leven.

Er was prematuur ramptoerisme op gang gekomen. Je zag hoofden boven de struiken uitsteken die onze evacuatie gadesloegen. Omdat het niet mogelijk was het huis van dichtbij te observeren zonder dat je meteen voor het raam stond, gebeurde het van veraf, soms met verrekijkers. Wij waren *het huis dat het niet lang meer zou maken*, wij waren *opnieuw neemt de zee*, en ook waren we, zoals de *Norwich Evening News* kopte: CASTRUMS LAATSTE HELDEN. In een bijzin stond dat dit het huis was waar bij gerucht de voormalige pornoster Eve LeSage zou wonen met haar zoon. Tegen de tijd dat *The Sun* er een goed verhaal in zag – SEKSGODIN VERLIEST HUIS EN HAARD –, waren wij al niet meer bereikbaar voor commentaar of foto's, zodat ze er oud materiaal bij afdrukten, mijn moeder op haar rug met Wills Horn boven op zich. En een teamfoto van het jaar dat we kampioen werden met het tweede. Ik zit vooraan, een knie steekt naar voren, daar rusten mijn armen op. Rond mijn hoofd is een cirkel getrokken. Selwyn staat achter me met zijn armen over elkaar, daarnaast zie je Leland met zijn scrumcap op. Bailey en Dalrymple barsten net in lachen uit – het is een vrolijk plaatje. Ik wist niet wie er zo hulpvaardig was geweest om het ter beschikking te stellen aan de krant.

Zoals mijn moeder stofzuigde, vervulde ik die avond mijn plicht in The Whaler. Ik speelde alsof op dat moment niet het zand onder ons huis werd weggespoeld, ik zong alsof er niet een blok basalt op mijn hart lag.

– Het gaat gebeuren hè, zei Leland toen ik even pauze had.

Miss Julie Henry was niet te houden. Haar meegevoel overschreed de grenzen van het betamelijke. Ik zag het er nog eens van komen dat ze me zou ontmaagden in de koelcel of zo. Waar ik zou slapen, vroeg Leland. Eerst bij Warren en Catherine, zei ik, daar zouden we deze nacht afwachten, verder wisten we het nog niet.

Het was druk in het hotel, de storm trok bezoekers aan, het was een spektakel, de golven die metershoog boven de zeewering uit spoten. Ik smeerde hem eerder dan gewoonlijk en rende naar Kings Ness. De storm had zich verdikt tot zwaarder materiaal, ik kwam er moeilijk tegenin. Felle regens. Zoutige schuimvlokken werden over het land geblazen, zandkorrels en gras en blaadjes vlogen me striemend om de oren. De hemel was helder en open. Ginds de donkere contouren van het huis. Ik stormde bij Warren en Catherine binnen. Ze zaten met zijn drieën onder de lamp.

– Het staat er nog! riep ik.

Alsof er iets aan stukken viel.

– Schoenen uit, zei Catherine.

Ik schoof aan.

– Schoenen! zei Warren.

In het donker van de gang trapte ik ze uit. Er stond een glas voor me klaar, de ramen trilden in de sponningen. Het goedje in mijn glas was scherp, tranen sprongen in mijn ogen – ik had weliswaar bier leren drinken in rugbykantines, maar whiskey was nieuw voor me. Een harde, onbuigzame meester. Ik kreeg niet goed vat op de atmosfeer aan tafel, ik viel erbuiten.

– We hebben het erover gehad, Ludwig, zei mijn moeder. Warren en Catherine hebben aangeboden dat jij hier een tijdje kan blijven tot er meer duidelijkheid is.

Ik zei niks. Ik wachtte het af.

– Morgenvroeg ga ik naar Londen, vervolgde ze. Hoe en wat weet ik nog niet, ik wil met andere advocaten praten. Warren denkt ook dat dit een zaak is die tot aan het Europese Hof moet worden uitgevochten. Want het gaat over – een soort bescherming. Hoe was het ook alweer Warren, het recht om je huis te beschermen? Een mensenrecht, zei je toch?

Ik was te opgewonden om te luisteren, ik vroeg Warren of hij een zaklantaarn had en kreeg een Maglite mee waarmee je een koe buiten westen kon slaan. Het licht baande een weg voor me uit tussen het struikgewas. Ik naderde de rand, en bleef er een meter of tien bij vandaan. De golven raakten het klif met de doffe, afmattende slagen van een zwaargewicht. Een spookhuis, eenzaam en verloren. Het riep het medelijden op dat je voor een afgeranseld paard kunt voelen. Ik bukte tussen de struiken om de windstoten te vermijden en begroette mijn herinneringen, mijn ogen op het donkere huis gericht. Het was koud, ik dook dieper ineen. Sissende fonteinen werden vanuit de diepte opgestuwd. Regenvlagen striemden op me neer. Het moest na middernacht zijn, ik had visioenen van ons huis als een schip, van het kantelen en wegdrijven, het zou ons vergeten op zijn reis.

Toen een stem, mijn naam. *LUD-WIG!* Ik kwam overeind. Vinnige naalden in mijn vlees toen de bloedsomloop weer op gang kwam. Een lichtbundel vlakbij, Warren, zijn brillenglazen beregend. Hij schreeuwde

- *WAT DOE JE?!*
- *IK WIL HET ZIEN!*

Hij bleef even staan kijken, riep *VOORZICHTIG!* en ging met het hoofd tussen de schouders getrokken terug naar huis. Golven braken over de rand, witte gedaantes klommen als vijandelijke soldaten aan land. Schuim vloog door het licht van de lantaarn. Ik kon niet ophouden met kijken naar de bewegingen van het water, de torens die een voor een instortten. Al zou het huis overleven, de oostelijke wand zou zwaar beschadigd zijn, het water moest nu al in de voorkamer staan. Soms dacht ik beweging te zien, de rilling die aan het wegzakken in de diepte voorafging – gezichtsbedrog. Het huis stond, misschien zou het gespaard blijven! Een scheut absurde hoop. Ik rende en schreeuwde tegen de wind, de hemel – ik was de allereenzaamste, o vreugde, de allereenzaamste van allemaal! Ik danste als een demon in de straffende regen. Een geluid bracht me tot staan, ik richtte de lamp op het huis. Het kermen van een nachtdier, een pijn die niemand kan beschrijven. Met verbazingwekkende lichtheid kantelde het huis rond een lage as, en gleed kreunend, krijsend de diepte in. De muziek van mijn nachtmerries. Een geluid als een ondergrondse explosie – toen was het voorbij. Met open mond staarde ik naar de leegte waar zo-even nog een huis stond. Ik was zo lucide als wat. Een uitverkorene. Nu al, op dit moment, ging alles door als altijd, een huis, geen huis – de echte erosie ging niet over een huis maar over de tijd, ik had de tijd in werking gezien, het zijn, het niet-zijn, de schitterende onverschilligheid. Ik zonk op mijn knieën en woelde met mijn handen door de aarde, wreef haar tussen mijn vingers als een boer. Koude regens overspoelden mij, op de rug van een walvis reisde ik naar de uiteinden van de aarde, niets bleef voor mijn ogen verborgen.

Zo had ik het altijd voor me gezien, het vertraagde beeld van een huis dat in de diepte zakte, als in een scheur in de aarde, maar zo was het niet. Het kantelde en verdween in de woeling daar beneden. Gek genoeg heeft de versie die ik heb gezien de ingebeelde versie niet weggedrukt. Ze bestaan nu naast elkaar in mijn hoofd, ze zijn beide even reëel. Soms moet ik tegen mezelf zeggen *o nee, zo was het niet.*

Ik bleef twee weken bij Warren en Catherine, ik werd gek daar. Ik was geladen met destructieve energie. Ik paste niet in één huis met twee oude mensen. Ik trok in bij Cameron Fitzpatrick, een jongen uit mijn team. Een verslaafde natuur. Hij woonde op zichzelf in een appartementje boven Webster's groentewinkel. Het was er klein. Overdag rolde ik mijn slaapzak op en zette de matras in de kast. Ik herinner me peuken overal en het vermoeide meubilair van de kringloop. Camerons vader was niet in beeld, zijn moeder kon hem niet aan. Hij had op een aantal internaten gezeten. Rugby hield hem enigszins in het gareel. Hij werkte in het magazijn van Fraser's. Hij was een verlorene. Een jongen die het alleen zou redden met een ongelooflijke hoop mazzel, die hij niet had. Cameron had een keer zitten blowen op de toren van de St. George. God weet hoe hij daar op geklommen was. Hij vertelde het aan iedereen die het horen wilde. Hij miste de klasse om over zulke dingen te zwijgen.

Ik probeerde alles te laten doorgaan als altijd. Er kwamen dingen tussen. Het artikel in *The Sun* verscheen, met die walgelijke foto van mijn moeder en die van mijn team. Terwijl ik pianospeelde in dat *eerbiedwaardige hotel aan het pittoreske marktplein van Alburgh*. Het zal je nog verbazen hoeveel nette mensen die krant lezen. Ik werd die jongen waar *iets mee was*. De mollen waren diep gekomen, hun wroeten had ook Bodo Schultz tevoorschijn gebracht. Ze schreven afschuwelijke dingen over hem, afschuwelijk in de zin dat ze misschien waar waren. Over zijn destructieve kunst, de omstredenheid ervan. Ik droeg de dubieuze glans van beroemdheid, mijn afkomst was een mythe. Ik probeerde onbeweeglijk en onaanraakbaar te zijn. Ik dacht aan de woorden van mijn moeder, de zin die zich in mijn huid heeft gebrand: *Jij hebt eigenlijk al niemand meer nodig.* De kwade spreuk die mijn leven in een richting duwt. De toekomst opent zich voor me als een gladde stalen buis, niks om me aan vast te klampen; ik glijd, ik val, niets hecht zich aan mij zoals ook ik mij aan niets hecht. Mijn vingers glijden over de toetsen, een nocturne in G-mineur van Chopin, opus 15-3, ik knik hoofs bij het zachte applaus. Ik ben een goed aapje.

Mijn moeder had haar intrek genomen in het Belfort in Londen. Eens per week belde ik haar. Ik kreeg slecht hoogte van haar bezigheden. Ze zette haar verre stem op, de stem van mensen die in gezelschap zijn als ze telefoneren. Er was een claim in voorbereiding zei ze, ze had veel vertrouwen in de nieuwe advocaten. En ze moest naar Nederland voor een erfenis, maar van wie kreeg ik niet te horen. Ze was achter haar scherm en liet zich niet uitlokken. Ik had het gevoel dat het huis de schil was geweest die ons bijeengehouden had, en dat we nu in twee zelfstandige delen uiteengevallen waren. Ik maakte me zorgen. Ik kon

me haar niet alleen in de wereld voorstellen, hoe ze dagelijkse dingen deed, ik had haar zo weinig in verhouding tot
anderen meegemaakt.

Twee keer per week at ik bij Selwyns ouders, Paula en Ashley Loyd. Selwyn was inderdaad medicijnen gaan studeren
in Cambridge, hij kwam thuis met verhalen over nachtelijke klimpartijen over de leien daken van de stad. Het kotsen in de voortuin van de decaan. Hij speelde rugby in het
eerste van de Cambridge University Rugby Football Club,
en punterde op de Cam met verbluffende meisjes. Zijn leven had een aanstekelijke dynamiek gekregen.

Met opluchting verliet ik op die avonden Camerons illusieloze hok om met Paula en Ashley te dineren. Ze gaven me niet het gevoel dat ze me een gunst bewezen, ze
vonden het prettig gezelschap te hebben nu hun kinderen
het huis uit waren. Ze stelden geen indiscrete vragen en
zouden je niets aanrekenen waar je zelf niets aan kon doen.
Als we tv-keken, zag ik de oude kotsplek op het tapijt.

Paula had iets achteloos aristocratisch. Ze zou nooit met
een malle hoed op bij de paardenrennen van Ascot worden
gezien, maar met een vlindernet in het oerwoud van Belize
misschien wel. Ashley was een knipogende bonhomme,
een man met doorzichtige, onschadelijke geheimen. Hij
was huisarts en bereidde zich voor op zijn pensioen door
meubels op te knappen in de garage. Jagen deed hij het
liefst. Hij vroeg altijd of ik een *lekker stukje ree, een boutje*
uit de vriezer wilde om mee naar huis te nemen. *Een stukje
haas anders?* Soms nam ik een geseald pakketje mee, en
bakten Cameron en ik 's nachts vlees in campingboter als
we stoned waren en een vreetkick hadden, en hakten erop
los met bot bestek.

Ik ging met de trein naar Londen. Ze haalde me op bij Liverpool Street Station. Ze lachte veel, mensen keken naar haar. We liepen naast elkaar door de straten, soms nam ze mijn arm. Ze had zich voorgenomen er een gezellige dag van te maken. Ze vertelde honderduit over haar plannen, de vorderingen in de zaak. Je zag niet dat we tragisch waren. We aten taartjes in een tearoom en keken naar schepen op de rivier van lood. Ze droeg elegante witte schoentjes, bij het verlaten van de zaak sloeg ze haar mantilla om. Ze bezat de sleutel van de stad. Het verwarde me, al die jaren had ze zichzelf levend begraven aan de kust en nu bewoog ze zich alsof de straten voor haar zouden buigen.

– En jij, Ludwig? vroeg ze tijdens de lunch, vertel eens, hoe heb je het daar bij je vriend...

– Cameron.

– Cameron, ik ken hem niet geloof ik?

De vraag was nutteloos, ze kende niemand van mijn vrienden, de mensen met wie ik omging. Ik vertelde over de ontferming van Paula en Ashley Loyd. Dat ik soms bij Warren en Catherine langsging, en ook, irrationeel als het mocht zijn, wel eens ging kijken of het huis er nog stond, of ik niet uit een droom was ontwaakt om te ontdekken dat alles bij het oude was gebleven.

Ze hield haar hoofd afgewend toen ik vertelde dat ik na de storm twee shovels had gezien op het strand, die het puin bijeenschraapten en in de laadbak van een vrachtwagen kiepten. Er was minder van het huis over dan je zou denken. De schoorsteen met brokken muur eraan, een grote, gescheurde plaat beton. Fragmenten van muren, dakpannen. Scherven. Brokstukken. Ik keek ernaar vanaf het klif, en ervoer het alsof ík het was die daar beneden bij elkaar werd geveegd, een verzameling die nooit meer een geheel zou vormen. Van onze bezittingen geen spoor – tribuut, door het vijandelijk leger afgevoerd. Ik stond daar boven naar de dans van de shovels te kijken en wist me op bijna mystieke manier onderdeel van de geschiedenis; precies zoals ik hier nu stond hadden tallozen voor mij de verwoesting van hun leven op zich laten inwerken, met de nu onschuldig kirrende branding verderop, en hun kansen gewogen.

's Avonds ging ik met de trein terug naar huis. Het was vroeg donker, ik kocht een enkeltje naar Darsham. Het viel haar niet op dat ik die ochtend blijkbaar ook al een enkeltje genomen had. Ik was toen nog in de veronderstelling dat ik in Londen zou blijven die nacht, maar haar montere *ik breng je zo maar weer eens naar het station* had een ander scenario in werking gezet.

Ik was niet tot haar doorgedrongen, wist ik terwijl de trein zich door de duisternis boorde. Ik keek naar mezelf in de spiegeling van de ramen, een jongen die het huilen nader dan het lachen stond.

Ik legde een briefje neer voor Cameron, bedankte hem voor zijn gastvrijheid. Ik had een kamer voor mezelf gevonden. We zouden elkaar nog wel zien op de club. Ik nam mijn intrek in een appartementje naast de Readers' Room, op de boulevard. Het stond in de wintermaanden meestal leeg, ik kon het nog twee maanden huren voordat het seizoen begon. Mijn kleren waren doordrongen van een bijterige rooklucht, ik was blij dat die uitzichtloze troep achter me lag. Ik had mijn handen vrij nu, er lagen dingen in het verschiet. De dag was niet ver meer dat ik Julie Henry zou overhandigen wat ze zo graag wilde hebben. Haar seksuele agressie stootte me af en wond me op. Het leeftijdsverschil tussen ons was aanmerkelijk, en er was een machtsongelijkheid; factoren met een erotische lading. Er waren momenten waarop er dingen hadden kunnen gebeuren. Een hotel bestaat uit vele ruimtes die volmaakt zijn ingericht voor de liefde. Eens passeerde ik haar in de keuken tussen twee roestvrijstalen aanrechtblokken, ze posteerde zich zo dat ik er niet langs kon.

– Sorry, Miss Henry, mompelde ik, en wrong me erlangs.

Haar lichaam, de afdruk ervan gloeide op het mijne alsof we naakt waren. Ik onderging voor het eerst de begeerte van het vrouwtjesdier, en begreep dat die in essentie weinig verschilde van die van het mannetje. Dat zou ik onthouden. De momenten na het werk, de nazit genaamd, het personeel dat vermoeid en voldaan bij elkaar zat in de bar; door ieders moeheid sloeg de alcohol in als een bom. Julie Henry hield zich dwingend in mijn nabijheid op, ik wist niet hoe ik daarmee moest omgaan. Dronkenschap leek een veilige strategie, het was of je het roer uit handen gaf aan een ervarener kapitein dan jij. Dit was een misverstand. Het misverstand zette zich voort op straat, waar ik Julie Henry opwachtte nadat ze de bar had afgesloten en de nachtportier de glazen deur op slot draaide. Ze vroeg waar ik woonde, ze zei

– Dan gaan we daarnaartoe.

Haar hakken klikten door de holle straat, in mij grepen de koude en de warme hand van angst en opwinding in elkaar. Er waren glinsteringen op zee, en het licht van schepen ver weg. Dat mijn vingers trilden, merkte ik toen ik de sleutel een paar keer naast het slot stak. Ze stapte achter mij het halletje binnen en sloot de deur. Ze duwde me tegen de muur en kuste me. Over de rest valt te zeggen dat ik geen besluiten heb hoeven nemen. Haar lichaam was een bevel.

De volgende morgen was ze verdwenen, wat ook leek op te gaan voor wat gebeurd was: het lichaam slaat geen herinneringen op aan de liefde, er is alleen de rivier die in het donker tussen de oevers snelt. Maar jij gaat over straat als een ander, de wereld heeft je een paar van haar geheimen laten zien, jij alleen weet wat die glimlach betekent.

Wat misschien nog goed is om te vertellen, is dat ik me de avond erop in The Whaler meende te moeten gedragen als een geliefde – alsof ik in het openbaar rekenschap moest afleggen van wat er was gebeurd. Dat Ludwig Unger zijn maagdelijkheid had verloren aan Miss Julie Henry. Hoort! Hoort!

– Doe verdomme normaal, Ludwig! fluisterde de vrouw

wier anus kort tevoren nog boven mijn gezicht hing.

Het was zeer verwarrend.

Ik belde mijn moeder op het enige nummer dat ik van haar had, dat van het Belfort in Londen. De receptionist zei dat ze een paar dagen geleden had uitgecheckt.

– U vergist zich denk ik, zei ik.

– Het spijt me, meneer, maar mevrouw Unger is hier niet meer.

Ik drukte hem weg. Het machteloze gevoel alsof een dierbare op een ander continent op sterven lag en zou overlijden voordat jij er kon zijn. En walging over de diva-achtige kant van haar persoonlijkheid, de onverantwoordelijke grillen, de vanzelfsprekendheid waarmee ze aannam dat de wereld haar haar wispelturigheid wel zou vergeven; dat ze deed alsof ze een meisje was.

– Enigszins onverantwoordelijk is het wel, ja, zei Paula Loyd voorzichtig.

Ashley humde. Ik keek naar de telefoon in mijn hand, het beeldscherm dat al dagen donker bleef.

– Wacht je nu tot zij jou belt? vroeg Paula.

– Ik weet niet eens of ze mijn nummer nog wel heeft.

– Wil je een stukje vlees van het een of ander mee? vroeg Ashley.

– Ik kan me niet herinneren dat ze me ooit op dit nummer heeft gebeld.

– Ze neemt vast gauw contact op. Misschien belt ze wel hiernaartoe, of naar de Feldmans. Ze zal je altijd vinden. Geloof me maar, als moeder.

Ik schaamde me voor deze dingen in het bijzijn van de Loyds, de indruk van een sociaal zwak milieu, maar de behoefte aan troost, aan geruststelling was sterker.

Een andere dag nu. Op zich is er weinig bijzonders aan, als zoveel andere dagen verdwijnt hij als een loopband onder je voeten. Pas later krijgt hij zijn betekenis, wanneer je eraan terugdenkt met de wetenschap: dat was de laatste dag.

Het begint in de kleedkamer, waar Samuel Titterington zegt

– Heb ik jullie al verteld dat ik vannacht een stuiver heb opgedronken?

Verder het gerucht dat John Davies, onze clubneger, Harriet Tooke heeft geneukt in een strandhuisje. John zwijgt en glimlacht als een heilige. We spelen tegen het tweede van Lowestoft & Yarmouth. Een koude, lage zon schijnt over het gras. Ik ben flanker, een mooie positie, je hangt aan de zijkant van de scrum zodat je er als eerste weer los van bent als de bal vrijkomt. Er is veel strijd bij de voorwaartsen, het is fysiek en agressief. Lichamen, schouders. Ik pak de bal op uit een ruck en storm op een haag van tegenstanders in – soms geeft de muur mee, soms niet. Dan lig je omver met zes, zeven man boven op je en geen spoortje lucht meer in je longen, dit is het einde, het gras bij je mond, vlees en windsels van sporttape in je blikveld – *ze merken het niet! Geen adem om te schreeuwen dat ze van je af moeten gaan!*

Zo verdrink je in die zee van lichamen.

Beduusd loop je even later weer rond, je bent er nog, ze hebben die zware boerenkar van je borst gerold en je zoog zuurstof in als een medicijn. De opluchting dat alles nog even doorgaat, het krijt op je knokkels en de wind van zee die de laatste bruine blaadjes over het gras blaast.

Even daarna kreeg ik een tikje op mijn wenkbrauw. Bloed drupte langs mijn oog, een scheurtje.

– Veeg even af, zei Leland.

Dit omdat anders het spel zou moeten worden stilgelegd

voor een bloedwissel. We waren door onze reserves heen. Het was een zware wedstrijd, ook al wonnen we gemakkelijk. Iedereen deed wat-ie moest doen, we speelden sterk, eenvoudig toen. Onder de douche de opgetogenheid, de rode lichamen vol schrammen en bulten, geflatteerd in de stoom die opsteeg van de koude vloer.

– Ik denk dat er twee draadjes doorheen moeten, zei Ashley Loyd.

Hij had de wedstrijd bekeken vanaf de zijlijn. We stonden in het afnemende licht buiten de kantine, hij monsterde mijn wenkbrauw. Achter de bar rommelde hij toen in de zilveren EHBO-koffer tot hij een nog onaangebroken pakje met een naald en draad vond. Hij mopperde dat we de inhoud van de kist moesten bijvullen. In het bierhok, onder het licht van een peertje, zat ik op een fust terwijl hij naar mijn wenkbrauw tuurde.

– Oerwoudgeneeskunde, mompelde hij.

En even later

– Dit steekt even.

Het kalme, lange glijden van de naald door mijn huid, de dokter is een god die mij weer heel maakt. Achter de deur riepen mensen bestellingen naar de barman, lappen spek sisten in de pan. Mevrouw Packton riep *Ik kan niet heksen!* vanuit het kleine keukentje. Toen ik mijn portemonnee en telefoon uit de waardevolle-spullenbak haalde, ging juist het toestel af. Een lang, buitenlands nummer. Mijn hart sprong op. Ik nam op.

– Hallo?

– Ludwig? Met mama. Waar ben je? Wat een lawaai daar!

Ik ging naar buiten, haar verwarring in mijn oor.

– Ludwig?! Ben je daar?

– Waar ben jij? vroeg ik buiten de kantine.

Ze lachte.

– Wat fijn om je stem te horen, lieverd.

– Waar ben je?

– In Amerika, Californië, in Los Angeles! Hoe laat is het bij jou? Hier is het...

– Wat doe je daar?

– Ken je Rollo Liban? Heb ik je nooit over hem verteld? Rollo is een goede vriend van vroeger, hij heeft me uitgenodigd om hier te komen.

– Je hebt meer dan een maand niks van je laten horen.

– Je kunt je niet voorstellen hoe druk het is geweest!

– Je bent in Amerika...

Haar giechel.

– In een hotel aan het strand! Het is zo veranderd hier, en toch ook weer niet. Je weet niet wat je allemaal ziet.

– Wanneer kom je terug?

– O, dat weet ik helemaal niet, engel. Ik neem het zoals het komt, eventjes. Ik zit nu op m'n balkonnetje, in de zon. De eerste dagen waren heel grijs en somber, maar nu is het alweer een paar dagen prachtig. Misschien kunnen we hier wonen op een dag, ik denk dat jij het ook heel bijzonder zal vinden. Het blijft natuurlijk Amerika, maar...

Toen we na een tijdje ophingen, realiseerde ik me dat ze op de essentiële vragen geen antwoord had gegeven: waar ze precies was en wat ze daar deed. Ik ging naar de *ontvangen oproepen* en belde het laatste nummer. Een vrouwenstem, met het enthousiasme van goed nieuws.

– Loews Hotel, how may I help you?

Ik verbrak de verbinding. Ik keek naar de kantine. De ramen waren beslagen, de wanden leken een beetje te bollen van het licht en het leven daarbinnen.

Ik haakte mijn blik los, draaide me om en liep naar de lichte rand van het dorp in de verte.

'THE GREATEST COMEBACK
IN THE HISTORY OF PORN'

De triomf van die eerste reis! Alsof je het toestel eigenhandig bestuurde en het als een veertje liet neerdalen op
het zwarte laken! Met mijn oude koffer stapte ik even later
tussen de glazen schuifdeuren door de wereld in. Ik had
dollars gepind in de aankomsthal, de biljetten noemden
me een man van de wereld. Trefzeker loop je rond in de
verfilming van je eigen bestaan, niemand ziet dat je hart
bonst als dat van een hondje. Kijk hoe hij in die taxi stapt,
het lichte vertoon van autoriteit, een man die al zo vaak
taxideuren achter zich dichttrok en zei
– Loews Hotel alstublieft.
De taxichauffeur draait zich om.
– Hotel wat?
– Loews.
De ironie rond je mondhoek wijst hem zijn plaats.
– Waar is dat, man, het Lois-hotel? Ik ken het niet.
Oké, als die armzalige immigrant dan niets weet, dan zul
je hem een eindje op weg helpen, een missionaris zijn, een
lamp voor zijn voet. Je spelt de naam van het hotel voor hem
en leunt achterover, alles zal nu gaan zoals jij wilt. Maar de
man weet van geen ophouden. Nu wil hij weten wáár dat is,
dat Loews van je. Opeens verlies je je kalmte, ze valt rinke-
lend aan scherven, ik zeg dat híj de chauffeur is, en dat als
hij dan helemaal niets weet, ik bereid ben om zelf achter
het stuur plaats te nemen. Hij blijft op een gelijk niveau van
onverschilligheid, het lijkt of hij mijn belediging helemaal
niet opmerkt. Hij legt me uit dat Los Angeles een veelheid

van steden is, Beverly Hills, Compton, Venice, Santa Monica, Palisades... En dat moet ik van hem horen. Slapjes hang ik achterover en mompel *Santa Monica*. De taxi verlaat de luchthaven, het afbrokkelende zonlicht in. De middag nadert zijn einde, de glorie is een leugen, het bitter op je tong aan het einde van de dronkenschap.

De straten hadden iets uitgesproken armoedigs. Soms was in de verte een concentratie van wolkenkrabbers te zien, een klontering, alsof ze door thermonucleaire hitte met elkaar waren versmolten. Ik keek op het beeldscherm van mijn telefoon, die het hier niet deed. De weg golfde in trage glooiingen onder ons. Tegen het turkooizen plakkaat van de hemel waren de bottige silhouetten van palmbomen uitgeknipt. Grote zwarte auto's gleden voorbij, in zichzelf gekeerde brokken staal met donker glas. Ik miste elke nieuwsgierigheid naar het leven daarbinnen. Tussen de huizen door zag ik soms de oceaan.

– Dit moet het zijn, zei de chauffeur.

Ik zweeg en reikte hem dollars aan vanaf de achterbank. Er stonden ellenlange limousines voor de ingang en mannen met malle pandjesjassen aan. Eenmaal binnen viel de enorme ruimte van het atrium op me neer. Ik liep tussen een colonnade van huizenhoge neppalmbomen, een kathedraal van licht en openheid, en passeerde de receptie. Aan het einde van de zuilengang zag je de vlakke oceaan door grote glazen panelen. Mijn versleten kartonnen koffer brandmerkte me als een indringer; ik ging zitten in de bar en moffelde het ding tussen het tafeltje en de fauteuil. Een serveerster bezorgde me een Budweiser. Ze schoof een bonnetje onder het bakje zoutjes. Toen ze weg was keek ik er vlug op. Acht dollar voor een biertje. Tien biertjes en ik was blut. Het imponeerde me. Ik had nog nooit zoiets duurs gedronken. In het Loews was het evenwicht tussen prijs en prestatie zoek, het hotel was een discrete machinerie, ontworpen om in korte tijd zo veel mogelijk geld uit haar bezoekers te kloppen. De gasten kon het weinig schelen. De gebronsde sletjes op gouden schoentjes, de luidruchtige mannen van middelbare leeftijd met zware borstkas en dunne benen, de oudere echtparen met afnemende lichaamsfuncties maar een portefeuille vol risicoarme beleggingen; de prijs van dingen was een abstractie op de afrekening van de creditcardmaatschappij.

Ik had gehoopt mijn moeder te betrappen op iets, misschien alleen een glimp op te vangen van haar leven zonder mij, maar na een uur liep ik naar de receptie om haar kamernummer te vragen. Uit de samenscholing achter de receptie maakte zich een jongeman los, zijn brede lach, de obscene hartelijkheid. Mevrouw Unger was niet op haar kamer. Ik ging terug naar de bar. De stoel was alweer bezet, ik ging onder een groot televisiescherm met een geruisloze basketbalwedstrijd zitten. Ik walgde opeens van het Loews, die tempel van hoeren en sjacheraars. De stoffering van de leugen.

– *Ludwig!*

Ik keek op. De knellende band van mijn gedachten drukte op mijn ogen.

– Ludwig, waar kom *jíj* vandaan?! Hoe heb je het hier gevonden?

Vade retro.

– Wie is dat? vroeg de man die bij haar was.

– Ludwig, schat, wat is er met je?

– Ik kwam kijken hoe het met je was, zeg ik dan.

Ze schudt haar hoofd. Ik zie dat ze overweegt om streng te zijn, te zeggen dat het dom van me is om hier te komen, maar zoiets zeg je niet als iemand de halve wereld voor je overvliegt.

– Mag ik vragen... zegt de man.

Ze kijkt naar hem om, een frons van ergernis.

– Dit is mijn zoon, zegt ze.

Haar vinger nadert de hechtingen in mijn wenkbrauw, ze wil ze aanraken maar ik draai mijn hoofd weg.

– Wat heb je daar, wat is dat?

– Ah, zegt de man, zo zit het. Hallo Ludwig.

Zijn ogen gleden van mij af naar de wedstrijd boven mij.

– Zeg even dag tegen Rollo.

– Dag Rollo.

– Dag Ludwig.

– Wie is Rollo Liban? riep ik even later vanuit de badkamer naar haar.

Ik zat op de wc maar een gesprek was mogelijk. De badkamer was gevuld met de geur van haar lichaam, de parfums waarmee ze die probeerde te verhullen; lotions, oliën.

– Een vriend van vroeger, klonk het vanachter de deur.

– Wat voor soort vriend?

– Een vriend-vriend, we hadden niks of zo. Ik moet er niet aan denken zeg.

– Hoe kende je hem.

– Zeg, inquisiteur.

De geur was een intimiteit, je inhaleerde iemand. Haar ruiken, de moedergeur, maakte me misselijk.

Ze stond voor het raam, het brommen van het ventilatiesysteem verstomde toen ik de badkamerdeur sloot. Beneden lag het roerloze zwembad, een vlakke blauwe steen. Met de schemering was dunne mist meegekomen.

– Zullen we een wandelingetje maken? vroeg ze. Het is heel mooi op de pier.

In de verte baadde het reuzenrad op de pier in flikkerend licht.

– Je kunt je naam op een rijstkorrel laten schrijven.

– Ik ben geen kind meer.

– Dat weet ik wel, schat.

– Je vertelt me niet waarom je hier bent.

– Je hebt geen idee hoe deprimerend Londen was.

Ze draaide zich naar me om.

– Kom, we gaan even naar buiten. Hou op zo naar me te staren, oké lieverd?

Ik zag fitnesstoestellen op het strand, een laag muurtje er-omheen, een man die in het bijna-donker turnoefeningen deed aan de rekken. Ze deed haar platte schoentjes uit, we liepen door het zand naar de pier. De woorden brandden zo fel in mijn mond, maar ik kon ze niet uitspreken.

– Overdag wordt hier gesurft, zei ze. Jongens met zo'n bord, hoe heet dat...

– Een surfboard.

– Het is ongelooflijk wat ze er allemaal mee kunnen. Ze beheersen zo'n golf echt, ze weten precies wat hij gaat doen. Je moet echt een paar lessen nemen.

Een paar goede momenten waren wat overbleef. Wie zou die willen verstoren.

– Ik wil wel zo'n rijstkorrel met mijn naam, zei ik.

We liepen de zware balken van de pier op, er waren henge-laars en mensen die nutteloze diensten aanboden. De naam-op-een-rijstkorrel-schrijver was er een van. Er was een la-tinomeisje met Disney-ballonnen, bij een stalletje kon je frisdranken, tijdschriften en sigaretten kopen. In de gondels van het reuzenrad zat niemand. Het was bijna helemaal don-ker nu, op een dieppaarse veeg aan de horizon na. We ston-den aan de balustrade. Rond de kop van de pier was een ring van boeien gelegd, met bellen erbovenop; een geluidsbaken voor wie de pier naderde in de mist, die hier zeer plotseling kon optreden. De bellen luidden eenzaam. Ze zei

– De pier thuis had niet van die klokjes, toch?

We liepen terug. Aan het begin van de pier zat de rijstkorrelman. Een lichte neger, zijn haar in vilten strengen.

– Kijk, zei hij met een stem die zware voorwerpen in trilling kon brengen.

Mijn moeder glimlachte.

– Dit is geen vrouw, zei hij, dit is een verhaal. Ik schrijf het op een rijstkorrel.

– Het is voor hem, zei mijn moeder.

Ze knikte naar mij.

– Hij heet...

Hij legde een wijsvinger op zijn lippen.

– Uw naam is genoeg, ik zal voorzichtig zijn, ik schrijf hem tussen mijn hartslagen in.

Hij boog voorover en nam een rijstkorrel tussen duim en wijsvinger. Hij bracht de hand met de dunne inktpen onder de lamp.

– Maar het is voor hem, zei mijn moeder, Ludwig.

– Toverspreuken eerst, zei de man.

We wachtten het af, nieuwsgierig en gegeneerd. De sjamaan zoemde terwijl hij schreef. Onder de balken klotste het water rond de palen.

Triomfantelijk hield hij even later de rijstkorrel naar ons op, en stopte hem in een glazen buisje.

– Een rijstkorrel voor u, van uw nederige administrateur aan de oever van de Nijl.

Hij voegde een druppel olieachtige vloeistof toe, en sloot het buisje af met een zilveren dopje met een koord eraan. Ze nam het van hem aan. We keken ernaar. De naam werd vergroot door de ronding van het flesje en de vloeistof daarbinnen: Eve LeSage.

– Wat staat er nou? vroeg mijn moeder, die haar leesbril niet op had.

– Kunt u uw eigen naam niet lezen? vroeg de neger.

Nu begreep ze het.

– O, zei ze koel.

– Het staat geschreven, zei hij, kijk!

Hij reikte achter zich, naar de kist waarin hij zijn spullen vervoerde, en hield een tijdschrift voor ons op. *LA Weekly*, mijn moeder op de cover: EVE LESAGE BACK IN THE LIMELIGHT. Een wulpse pose, haar onderarmen onder haar borsten geslagen, haar gezicht lokkend naar voren. De slangen op het hoofd van de neger sisten. Mijn moeder, voedsel voor de armen.

Ik pakte het glazen buisje uit haar hand en schoof het over tafel naar de man terug. Ik zei

– Je moet niet alles geloven wat je leest.

Mijn moeder en ik hadden zwijgend naast elkaar gelopen toen we de pier verlieten. Ik dacht oosterse dingen als *wie de waarheid wil verbergen moet zelfs de rijstkorrel wantrouwen*, wat grappig was maar niet op dat moment.

– Je wist het al, zei ze.

– Ongeveer.

– Daarom kwam je.

– Misschien. Dat weet ik niet.

– Ik had het gevoel dat je het al wist.

– Ik zal het nooit niet meer weten.

– Dat is het leven, liefje. Dat is volwassen worden.

– Lul niet. Alsjeblieft.

Het was een tijdje stil, we ploegden door het zand.

– Zulke dingen zeg je niet tegen je moeder, ik verdien...

– Niet respect zeggen. Dat hoort niet in het rijtje thuis.

– We hebben dit gesprek eerder gevoerd, Ludwig. Ik kan het niet beter maken voor je, dit is hoe het is.

– Nu ga je zeggen dat je geen keus had.

– Had ik die dan?!

De woorden bleven steken in mijn keel. Ver weg hoorde ik de bellen op zee. Mijn stem was dik van frustratie.

– Je had dit niet hoeven doen.

– Weet je, ik verdien tienduizend dollar per opnamedag. Het maakt veel goed, snap je. Niet alles. Maar veel.

– Een dure hoer is nog steeds een hoer.

– Ludwig, ik wil...

– Is het dan niet zo?! Moet ik het anders noemen zodat jij er beter tegen kunt? Wen er maar aan, dat de wereld je ziet als een hoer. Voor wat je bent. Voor wat ik ben.

– Och, overdrijf toch niet zo, zei ze met plotselinge kalmte.

Ik greep haar bij haar bovenarm.

– Is het dan níet zo?!

– Ik respecteer je gevoelens, Ludwig, maar ik heb ook een eigen leven, ik hoef mijn keuzes niet meer alleen op jou af te stemmen. Ik heb twintig jaar...

– O, een offer. Natuurlijk. Je hebt een offer gebracht, voor mij... Ik was een hinderlijke onderbreking van je leven als hoer.

– Ik ben dat niet, zei ze rustig, hou daarmee op. Ik heb een contract voor drie films, en Rollo probeert een show voor me te regelen in Las Vegas, samen met Annie Sprinkle en een meisje van nu, Holly Cranes misschien. Linda Lovelace kreeg geloof ik vijfendertigduizend dollar per week in Las Vegas. We kunnen opnieuw beginnen Ludwig, iets nieuws opbouwen.

– Dus die Liban is je pooier.

– Agent.

We waren uitgekomen bij een brede geul die uitmondde in zee. We konden niet verder, we moesten omhoog, naar het verharde pad evenwijdig aan zee dat overdag door fietsers, skaters en wandelaars werd gebruikt. Een asfaltweg door de woestijn.

– Ze lozen direct op zee, zei mijn moeder. Zwemmers worden er ziek van.

Op het water stond dik schuim. Het bewoog. Ik dacht aan gepureerde stront.

Ze liep naar het hotel, ik ging op zoek naar iets te eten. Ik was ontevreden. Sommige woorden. Hoer. Pooier. Ze ergerden me. Het was pathetisch. Ik haalde ze door in mijn vocabulaire.

Op Appian Way zag ik een grote man die schreeuwde in zijn mobiele telefoon. De stem van de man sneed door het donker.

– Nee, luisteren nu! We zijn aan het praten, jij en ik. Ik koop een drankje, jij koopt een drankje, en dat is alles. Nee, ík ben aan het woord. Nee! Je gaat me eerst laten uitpraten...

Hij was iemand aan het afmaken. Het riep allemaal acute weerzin op. Nog voor ik de hoek om was, werd ik gepasseerd door een rennende vrouw. Ook zij had een mobiele telefoon aan haar oor. Ze schreeuwde

– Ik wil godverdomme dood! Hoor je dat?!

Op Ocean Avenue slalomde ze tussen wachtende auto's voor het stoplicht door. Een boodschappentas zwaaide wild heen en weer. Ze verdween op een parkeerplaats.

Russische taxichauffeurs op Colorado Avenue kauwden op zaadjes en spuwden de schilletjes uit. Een paar blokken verderop ging ik een restaurant binnen. Het besef dat het veganistisch was kwam met de menukaart mee. Muntthee, pompoensoep en loempiaatjes werden tegelijk op tafel gezet, *want*, zei de jongen die me bediende, *we gaan zo dicht*. Hij legde ook de rekening neer.

– Dat had je misschien eerder moeten zeggen, zei ik.

Zijn blik veranderde. De haat waarmee horecawerknemers achter de klapdeuren over ons praten. In de gerechten spugen soms.

– Het staat op de deur, zei hij afgemeten.

Ik was licht in mijn hoofd van de vlucht, en raakte in de

losgezongen stemming die de wereld soms in je teweeg-
brengt. Ik verliet het restaurant nog voor ik mijn eten ophad en vond op straat velletjes dundrukpapier, uit een boek
gerukt. Ik raapte een katern op. Iemand had een Bijbel aan
flarden gescheurd. De blaadjes ritselden tussen mijn vingers. De laatste pagina's van Genesis, een flink stuk van
Exodus – ik was niet ongevoelig voor de betekenis daarvan.

Mijn moeder lag in bed en keek over haar leesbril naar me.
Ik opperde om extra linnengoed te vragen en de twee delen waaruit het bed bestond van elkaar te schuiven.

– Dat wil ik niet, zei ze beslist, dan staat het hier meteen
vol. Het is echt groot genoeg.

Ik was te moe voor een nieuw conflict, om voldoende
energie op te wekken om mijn zin door te drijven. Ze las
verder in het boek over energievelden en de wijze waarop
een geheime wereldregering een verbrandingsmotor op
water had verdonkeremaand. Iets anders dan esoterische
lectuur las ze niet meer. Ik haalde mijn tandenborstel en
pyjama uit de koffer. Een korte douche om de reis van me
af te spoelen, mijn tandvlees bloedde bij het poetsen. Ik
probeerde niet aan de toekomst te denken, een leven van
tijdelijke adressen.

De slaap kwam moeizaam. Verderop in bed was een ander
lichaam. Het ademde, het maakte een geluid alsof het zich
verslikte, en ten slotte, toen het licht al twee uur uit was,
snurkte het. Zoog rochelend lucht in, liet het zacht prut-
telend weer ontsnappen. Ontluisterende intimiteit.

– Je snurkt, zei ik in het donker.

Even later opnieuw, harder.

– Hé, je snurkt!

Ze schrok wakker.

– O, sorry, mompelde ze, ik zal me omdraaien.

Ze sliep weer in, werd weer lichaam. Het lichaam dat opnieuw een rol zou spelen in de fantasie van mensen. Mannen. Miljoenen mannen. Het zou begeerd worden, het zou heftig verlangen oproepen – haar beeltenis zou ontelbare malen worden vermenigvuldigd, ze zou weer een ster zijn, want dat is wat een ster is, het resultaat van een ongecontroleerde, eruptieve vermenigvuldiging, een metastase – maar nu, omdat het een comeback was, en ze veel ouder was dan toen, zou er de knipoog van camp zijn, die geïroniseerde slechte smaak, misschien zou ze beschermvrouwe worden van homo's, die de camp zo'n beetje hadden uitgevonden. Maar hoe ironisch kon het zijn, vroeg ik me af, commerciële seks: je kunt voor de camera neuken met een bolhoedje op of een Minnie Mouse-masker voor, maar het blijft porno: de afbeelding van penetratie, bedoeld om masturbatie te stimuleren. Zoals ik het heb gezien in *Lilith*. Dat lichaam naast me. Dat me al zoveel pijnlijke verwarring heeft bezorgd, en dat nu snurkt. De gedachte: zal ik haar verkrachten? Dan ben ik overal vanaf, dan is de zonde manifest en zal mijn leven nuttig zijn, het zal bestaan uit boetedoening. Ik zal verlangen naar wat niet bestaat: vergeving. Het lukt me niet om andere dingen te denken, het is allemaal even smerig. En zij slaapt als een roos. Een luidruchtige roos. In haar dromen zijn geen demonen. Ik houd de wacht. Zo zal ons leven zijn, ik zie het plotseling duidelijk voor me: zij zal zich weggeven, ik zal haar bewaren. Bij mij zal ze zich hervinden en weten wie ze ook alweer was. Het leven van een pornoster is haar vertrek, ik zal haar terugkeer zijn. Dat is het enige heldere moment in die hele lange nacht, wanneer ik begrijp hoe ons bestaan eruit zal zien. Ik zal bij haar blijven, waar ze ook naartoe gaat om wat dan ook te doen, ik zal er zijn met het geduld van een biechtstoel. Ook weet ik dat ze me zal wegduwen, dat ze zal zeggen dat ik mijn eigen leven moet leiden en niet haar oppasser hoef te zijn; dingen die ik zuiver en lijdend zal verdragen met de glimlach van het beter weten.

Halverwege de nacht was ik het zat.
– Waarom doe je het licht aan? kreunde ze.
– Je snurkt verdomme.
Ik ging uit bed en begon het onderlaken los te trekken aan mijn kant. Ik schoof de bedden vaneen.
– Ik heb oordopjes in de badkamer, zei ze, in mijn toilettas.
– Niks oordopjes.
Nu had ik dan mijn eenpersoonsbed maar stond ik voor het probleem van te weinig beddengoed. In een broek en een T-shirt ging ik de gang op, de lift in, en vroeg bij de receptie om extra lakens en een dekbed.
– Welk kamernummer, meneer?
– Ik neem het zelf wel mee.
– We laten het even bezorgen, meneer, dat is geen probleem. Wat is uw kamernummer?
Even later een klop op de deur, een zwarte jongen met slaapogen achter een berg linnengoed. Mijn moeder had zich op haar zij gedraaid, een slaapmasker uit het vliegtuig op haar gezicht, ze was weer in slaap gevallen.

Ze was weg, de volgende morgen, er lag geen briefje. Een groot ontbijt, het fruit jubelde van versheid. Ik zou aan dit leven kunnen wennen. Er wandelden tientallen hagelwitte gymschoenen door de zaal, in een optocht alle kanten op. In de ramen een oceanische hemel vol smetteloos licht. Eerlijk gezegd wist ik niet zo goed wat ik moest doen. De dag lag richtingloos voor me. Ik probeerde het gevoel op te wekken van een reiziger die na een voetreis van twee jaar eindelijk in Californië is aangekomen.

– Hoera, Californië, zei ik een paar keer zacht, maar ik hield het gevoel niet lang vast.

Bij een klein ontbijtrestaurant op Ocean Avenue nam ik een *LA Weekly* van de stapel. Ik las het coververhaal na een wandeling, buiten op een bankje bij een alternatieve koffietent. Het artikel bestond uit twee delen, een overzicht van haar carrière en het verslag van een persconferentie. Mijn ogen schoten over de regels, *Mister Rollo Liban, Miss LeSage's agent... major deal... Watchtower Productions... high class porn... return of porn-chic...* In het najaar verscheen haar eerste film in vierentwintig jaar. Ja, ze was ouder, ze moest al tegen de vijftig zijn, schreef de journalist, maar ze was nog altijd oogverblindend. Als ze zo schitterend bewaard was gebleven zonder de zegeningen van de plastische chirurgie, merkte hij op, dan was dat niet minder dan een wonder, vergelijkbaar met de wonderbaarlijke conservering van de resten van de negentiende-eeuwse heilige Catharina Labouré in Parijs.

– Denkt u dat uw lichaam het nog aankan, dat geweld? was een vraag geweest tijdens de persconferentie.

Ze had geglimlacht en gezegd

– Dit lichaam ís het geweld, mijnheer de journalist.

Over wat ze gedaan had tussen toen en nu, waar ze was geweest, liet ze zich in bedekte termen uit – Europa, een gezinsleven, de luwte. En waarom ze nu terug wilde? Drie redenen, had ze gezegd: het geld, het geld en het geld. En de vierde reden: het licht. Het licht was haar metaforische omschrijving voor aandacht, de beroemdheid die ze had verlaten voor een man. Dit verklaarde de tekst op de cover: EVE LESAGE BACK IN THE LIMELIGHT.

Het verbaasde me dat er volstrekt normaal over een hervatte pornocarrière werd gesproken, geen geginnegap, geen moralisme. Misschien maakte het niet uit waar je beroemd mee was geworden, misschien wogen politiek, entertainment, criminaliteit en pornografie hier even zwaar.

Met Watchtower Productions was een contract overeengekomen voor drie grote producties. Eerst *Lilith, The 2nd Coming*, dan *Josephine Mutzenbacher's 1000-and-1 Night*, en ten slotte *Testament*, een uitzinnige, gepornoficeerde hervertelling van drie seksueel geladen verhalen uit het Oude Testament: de geschiedenissen van Tamar, Onan en Juda, die van koning David en Batseba, en het verhaal van koning Ahasveros en Esther.

De film over Josephine Mutzenbacher zou in Wenen op locatie worden gedraaid. De regisseur was Jerry Rheinauer, de Cecil B. DeMille van de pornografie. Aan haar, Eve LeSage, werd in het artikel gerefereerd als de Grace Kelly van de porno; het was een universum van afgeleiden, van halfartiesten die status probeerden te ontlenen aan de verwijzing naar echte artiesten, aan sterren die straalden zonder de ranzigheid van *smut*.

Ik was te warm gekleed, de zon begon te branden. Je kon hier niet zonder zonnebril. Het licht was te fel, mijn ogen traanden. Door het waas van traanvocht viel mijn oog op een recensie in het kunstkatern. De rubriek *Must See Art* besprak een nieuwe expositie, *Abgrund, by Bodo Schultz, at Steinson & Freeler Gallery.*

Beduusd ging ik naar binnen en las daar het artikel. De galerie had bij hoge uitzondering nieuw werk van Bodo Schultz aangeboden gekregen via diens agent. De recensent beschrijft wat hij heeft gezien: een film door Schultz gemaakt, rafelig en intens. Schultz leidt ons langs de rand van een zelfgeschapen afgrond, niet de afgrond van de ziel maar een fysieke afgrond, ergens in de jungle van Panama. Zelf komt hij niet in beeld, op één moment na, de camera staat op een vast standpunt, we zien een man naderen wanneer achter zijn rug opeens een zware ontploffing plaatsheeft. De camera valt om door de schokgolf, even later wordt het ding opgeraapt, het staat nog altijd aan, het oog glijdt langs het bovenlichaam van een man, zijn gezicht: Schultz. De springstof is te vroeg afgegaan. Een trage, stille film; telkens als Schultz aan zijn giftige litanieën begon, schrok je. Het was een beeldverslag van zijn project in de jungle – hij vernietigde een berg. Een berg. De criticus was onder de indruk van de nietsontziendheid, prees hem als een man van de uiterste consequentie. Een *must see* derhalve.

Er was ook ander werk van Schultz te zien bij Steinson & Freeler, maar die film, daar ging het blijkbaar om.

Op internet had ik dingen over mijn vader gevonden, op de terminal van de kleine bibliotheek in Alburgh, artikelen over de morele implicaties van zijn werk, niets wat me destijds lang vasthield. Hij was de man van de ansichtkaart voor mij, Mediohombre, de eenarmige eenbenige. Ik had vaak het gevoel dat hij me zag.

Ik liep terug langs brede straten. De galerie was geopend van elf tot zes, en op zondag gesloten. La Cienega Boulevard, ik moest uitzoeken waar dat was.

– Waar was je? vroeg mijn moeder. Je moet niet zomaar weggaan zonder te laten weten waar je zit.

We zaten in het Ocean and Vine-restaurant van het Loews. Ik legde de *LA Weekly* op tafel met haar beeltenis naar beneden.

– Doodvermoeiend, interviews, zei ze uit zichzelf.

Haar hand wapperde in een afwijzing van de wereld.

– Rollo heeft er een suite voor afgehuurd op de bovenste verdieping. Ik denk dat het wel tien interviews waren, al met al. Ik had nog nauwelijks ontbeten.

Ze stak een porseleinen lepeltje in het onthoofde ei, de zachte dooier welde eruit op, glanzend als een ontsteking. Er bleef een beetje struif achter op haar onderlip. De droge stem van de biologieleraar, meneer Bonham Carter, toen we op een excursie naar de botanische tuinen van Cambridge bij de *Amorphophallus titanum* stonden: *Associaties zijn voor eigen rekening.*

De toast kraakte tussen haar tanden.

– Het is een heerlijk hotel, zei ze.

– Wie betaalt dit allemaal? Het is krankzinnig duur.

Haar ogen schoten heen en weer tussen het ei en mij, ze zocht een houding, wat ze kon vertellen en wat niet.

– Schatje, zei ze, ik weet niet...

– Het maakt niet uit, zei ik, alles staat toch al ergens.

Ik draaide het tijdschrift om van een advertentie voor Asahi Beer naar Eve LeSage.

– Doe dat weg, zei ze scherp. Alsjeblieft zeg.

Ik bladerde door het tijdschrift en vond de bespreking van de expositie. Mijn vinger wees. Ze keek, haar hoofd een beetje schuin om het beter te kunnen lezen.

– Ach zo, zei ze, en leunde achterover.

– Wil je het niet lezen?

– Vertel maar wat er staat. Ik heb mijn bril niet op.

– Maf, zei ik.

– Nou?

Ik las voor. Ze zat bewegingloos achterover. Haar brunch raakte ze niet meer aan. En toen ik klaar was

– Die man wordt steeds gekker.

Ze wenkte een serveerster.

– Jij nog iets, Ludwig?

Ik bedankte.

– Alles op rekening van kamer 304 alstublieft.

Ze had niet de behoefte om de galerie te bezoeken. In de lift zei ze

– Die man maakt alles kapot.

– Ben je niet nieuwsgierig dan? Ik wed dat je hartstikke nieuwsgierig bent.

– Laat 'm eerst de achterstallige alimentatie maar eens betalen.

La Cienega Boulevard was te ver lopen voor nu, zag ik op de kaart van de stad die ik 's middags kocht. Ik zou de volgende dag gaan. Ik bleef nog wat rondhangen op Main Street en was onder de indruk van de hoeveelheid diensten van holistische aard die werd aangeboden. Ik stuitte op een economie van karma-yoga, ayurvedische consumptieartikelen en glazen capsules met geïoniseerd water tegen jetlag, katers en allerhande straling, voor zestien dollar vijftig per stuk. Uit al die winkeltjes dreef de geur van wierook en aromatische oliën. De hippiedroom was een bedrijfstak geworden, gedragen door surfende veganisten en boeddhisten op teenslippers. Ik siste *sodemieter op* tegen een meisje dat me een flyer aanreikte van een bijeenkomst met Yogi Amrit-nog-wat. *Experience love beyond words*, las ik in het voorbijgaan.

Ik zag in waarom deze omgeving en dit klimaat geschikt waren voor het keiharde hedonisme waarvan je hier de uitingen zag – je kon je zulk gelul niet voorstellen in Djibouti of bij een temperatuur van min tien. Het was een gevoelige levensstijl die alleen kon overleven in een hooggeïndustrialiseerde omgeving waar anderen het echte werk deden, of in artificiële zones in de tweede en derde wereld die dreven op de monocultuur van het toerisme. De hippiekinderen waren groot geworden, dit was hun wereld – hun egoïsme leek me nog monsterlijker dan dat van hun ouders.

Ik begreep waarom mijn moeder zich tot de Westkust aangetrokken had gevoeld. Hier was het voor haar begonnen, na een teleurstellend verlopen zangopleiding aan het conservatorium in Den Haag. Ze had een mooie stem, het was haar diva-droom zangeres te zijn, maar poliepen op haar stembanden en, uiteindelijk, een te gering talent speelden haar parten. Gaandeweg de opleiding werd haar duidelijk gemaakt dat ze nooit meer dan een verdienstelijk koorzangeres zou zijn. Ze vertrok met haar vriendje naar de Verenigde Staten. Hij, Jelte Boender, was een Groningse rocker die Route 66 wilde afreizen. Na twee weken reden ze Los Angeles binnen, de tinteling, het feest waar iedereen het over heeft. Ze speelden op straat, hij gitaar, zij zong – *Nights in White Satin*, *Bridge over Troubled Water*, langzame, lievige liedjes waar Boender de rillingen van kreeg maar die geschikt waren voor haar stem, een beetje lijzig, zonder veel kracht erachter. Op een dag zagen ze Richard Burton en Liz Taylor lopen op Hollywood Boulevard; ze voelde de oude eerzucht oplaaien, de brandende wond van het halftalent. *Zij* wilde daar lopen, aangestaard, onaanraakbaar – hier en daar een handtekening uitdelend als een zegening.

Jelte Boender en zij sliepen in een pension in Culver City en leefden van de schamele opbrengst van hun straatoptredens.

Op een dag mediteerde ze op het strand, toen een man toenadering zocht. De parafernalia van een fotograaf: rafelige fototas, camera om zijn nek, de woorden

– Hallo schoonheid, mag ik je wat vragen? Ik hoop dat ik je niet stoor?

Om kort te gaan, hij wilde foto's van haar maken, met haar bovenlichaam ontbloot.

Het was een zondagmiddag, Jelte Boender deed auditie bij een beginnende rockband in Venice (die later nog een klein succes zou hebben als St. Vincent and The Grenadi-

nes, zij het zonder Jelte Boender, die niet was aangenomen).
Hij stelde zich voor als Gene Howard. Ze dacht aan het verhaal dat ze er later misschien over zou vertellen: *Ik zat op het strand te mediteren toen er een fotograaf naar me toe kwam die een beetje op Kris Kristofferson leek maar Gene Howard heette – voordat hij dé Gene Howard was – en tegen me zei...*

Ze ging met hem mee naar zijn studio aan huis en terwijl ze haar blouse uittrok, haar bh, probeerde ze gevoelens van voorbestemming te hebben. Gene Howard probeerde niet eens haar in bed te krijgen, hij wilde alleen haar schoonheid. Ze was gevleid en lang niet zo verlegen als ze dacht te zullen zijn, het ging haar gemakkelijk af. Ook toen hij vroeg of ze niet meer uit wilde trekken, of hij haar naakt mocht zien, ervoer ze dat niet als een inbreuk op haar lichamelijke integriteit, *al die dingen die mensen als Gloria Steinem ervan probeerden te maken*, zoals ze tegen de journalist van *LA Weekly* zei. Ze had zich mooi en gewild gevoeld, dit was haar bestemming; haar geboorte en opgroeien in Oost-Groningen waren een vergissing geweest. Hier hoorde ze thuis, in dit licht en in deze belofte.

Gene Howard vertelde dat hij soms productieassistent was bij films van Abby Mayer, producent en regisseur van films als *Ride me High* en *Harem Keeper*. Ze had nog nooit van hem of zijn werk gehoord. Howard zou een ontmoeting arrangeren.

– O mijn god, zei Abby Mayer toen hij haar zag, je bent...
fresh cream and apple pie...

Ze vond hem een beetje vies maar voelde dat hij macht had. Hij was bezig met de voorbereidingen van een ambitieuze productie, zijn grootste tot nu toe, en zij *was* Victoria Wagner, zei Mayer, de vrouw om wie alles draaide in *Lilith*.

– Wat moet ik doen? had ze gevraagd, wat houdt de rol in?

– Jij moet alleen jezelf zijn – ik verbied je om iets anders te doen. Te acteren, bijvoorbeeld.

Ze begreep het nog altijd niet, een speelfilm waarin je niet hoefde te acteren?

– Je lichaam meisje, je lichaam, dat is je expressiemiddel. We gaan een prachtige film maken, de mooiste sexy film *ever*. Mijn god, ik voel me net Roberto Rossellini toen-ie Ingrid Bergman voor het eerst zag!

Mayer wilde proefopnames maken. Ze ontkwam er niet aan, toen de taxi op een avond kwam voorrijden bij het pension, om haar Groningse rocker te vertellen dat ze *een soort auditie* had. Ze gaf kort uitleg, hij snorkte.

– Gewoon een seksfilm, laat je niks wijsmaken.

Hij had geen moeite gedaan om haar tegen te houden. De gelatenheid van een man die weet dat hij in de liefde boven zijn stand heeft geleefd.

Bij het zwembad van een huis in Beverly Hills had Mayer een *loop* met haar opgenomen, een soort voorstudie voor *Lilith* – alleen zij en een man, haar beoogde tegenspeler in de film, Llewelyn Reed. Ze vond hem aantrekkelijk, hij had humor.

Nog geen twee weken later was het 8mm-filmpje op de markt; de zoem begon. Een spectaculair nieuw meisje, Abby Mayer had haar ontdekt. Ze gingen een grote film opnemen in Thailand.

Die *loop* is verdwenen, maar de artiestennaam die Mayer in een opwelling voor haar verzon is gebleven: Eve LeSage. Over wat er precies in het filmpje te zien was bestaat twijfel, maar zeker is dat ze schitterende seks had met Llewelyn Reed.

Ze had geen last van de camera. Dat was belangrijk.

Sommigen gingen op slot met de camera aan. Zij niet. Ze was zich niet eerder bewust geweest van een zekere exhibitionistische neiging, en verzette zich niet tegen die gevolgtrekking. Ze kende geen schaamte waar het haar lichaam aanging.

De hippie-idealen nemen in deze era razendsnel een commerciële gedaante aan, de vrije liefde baant de weg voor een vloed aan pornografie. Het is een gemakkelijke manier om aan geld te komen, het vak stelt geen opleidingseisen, het vraagt alleen sublieme lichamen. Ze denkt dat dit een begin is – van hieruit zal ze worden opgenomen in de bovenwereld van de cinema, de rode lopers, de cover van de *Rolling Stone*. Porno zal samengaan met Hollywood, geen twijfel mogelijk, het is een kwestie van tijd. Zó dichtbij is het, een sprongetje zonder aanloop bijna. Het lijkt er alvast erg op, de infrastructuur, de hiërarchie op de set, de ster van de film, alles identiek – maar het een heet een kunstvorm en het ander gore troep.

Ze vloog naar Bangkok met Gene Howard. Langzaam maar zeker was hij in de rol van haar manager gegroeid – wat ze prettig vond, zakelijke aspecten hielden haar aandacht niet lang vast. De crew was vooruit gereisd, het wachten begon. Wachten op de zon, wachten tot de voedselvergiftigingen en collectieve buikloop voorbij waren, wachten op vergunningen – en toen het wachten gedaan was, werd de film in ongeveer drie weken opgenomen. Het scenario was vrij uitgebreid voor het genre, een verhaal over de eeuwige triade macht, jaloezie, wraak.

Llewelyn Reed was verliefd op haar en maakte haar het hof met kleine attenties. Gene Howard, die productieassistent was en de kamer naast de hare had, praatte op haar in: Reed werd altijd verliefd op tegenspeelsters en brak daarna hun hart. Het was tweeëndertig graden in de schaduw. Gedurende de seksscènes drupte Reeds make-up op haar lichaam. Gene Howard zei

– Je ligt erbij als een dode vis. Beweeg eens wat meer, alleen je handen desnoods. En kijk niet alsof je wordt verkracht.

Maar de geringe expressie, het statische, zou juist haar handelsmerk worden. Abby Mayer was begeesterd, vanachter de camera riep hij

– Een Oscar zul je niet winnen, maar wat een liefdesgodin zul je zijn!

Het hotelleven van Marthe Unger begon. Ze raakte gewend aan roomservice. In Californië ging ze na een tijd alleen nog om met Europeanen en New Yorkers.

– Het lijkt of de hersenen van Californiërs door de zon zijn verbrand, zei ze.

Ze probeerde verslaafd te raken aan wodka en cocaïne, omdat iedereen om haar heen wel ergens verslaafd aan was, maar het putte haar uit. Ze kon er de energie niet voor opbrengen, ze was te *moe* voor een verslaving. Norman Mailer schreef over haar in *Esquire*, of beter: over *het meest begeerde lichaam ter wereld*. Ze dronk champagne met Hugh Hefner en ontkende geruchten dat ze met hem naar bed was geweest. En ten slotte vertrok ze naar New York omdat de mensen daar haar interessanter leken. Ze ontmoette Andy Warhol en later ook Mick Jagger – de foto's van hun flirt, gulzige, jonge mensen, badend in hun achteloze schoonheid.

Aan *Lilith* had ze slechts drieduizend dollar overgehouden. Gene Howard was vergeten de hoofdsom te verdelen. Er was geen gebrek aan mannen met ideeën voor haar. Het was haar opgevallen dat veel mensen raar lachten, te expressief, de rinkelende lach waarin een belang meeklonk. Rollo Liban lachte niet. Ze had hem ontmoet op een feestje bij een platenbaas van Atlantic Records, die een fabelachtige suite met een daktuin bewoonde in het St. Regis-hotel. Rollo Liban was groot, hij had al zijn haar nog toen. Hij had een agentschap, hij *schoof met meiden* zoals hij zei, maar het was profijtelijk hem jouw zaken te laten behartigen, je kreeg ten minste de helft van de verdiensten. Dat was uitzonderlijk, het was een wonder, je had het gevoel dat hij je beschermde, achter je stond. Rollo Liban kwam de eer toe het verschil tussen erotiek en porno te hebben gedefinieerd.

– Erotiek, zei hij, is het strelen van de kut met een kippenveertje. Porno is met de hele kip.

Marthe Unger wilde iemand in vertrouwen nemen, en Rollo Liban had een Levantijnse neus voor de juiste tijd en plaats. Hij bracht haar onder in films die geld maakten, en zorgde voor secundaire voorwaarden waarin gedempte, koele hotelkamers en wodka en cocaïne een rol speelden. Hij wilde dat zijn handel *classy* zou lijken, de associatie met criminaliteit en misbruik van vrouwen deed de zaken geen goed. Er waren rechtszaken tegen acteurs en producenten in de *adult industry*, de FBI had grote undercoveroperaties lopen tegen producenten van pornografie, maar porno viel niet tegen te houden. De contouren van een industrie ontstonden, de ster van vandaag was morgen vervangen door een nieuwe.

– Een beetje deprimerend is het wel, zei ze tegen Al Goldstein in *Screw*, elke week staan er honderd nieuwe starlets klaar om je plaats in te nemen, vooral in Hollywood.

Maar Rollo Liban was voorzichtig met zijn ster, ze verscheen vooral in meer esthetische producties, de echt rauwe *smut* vond hij meer iets voor Linda Lovelace of C.J. Laing.

Het was *the golden age of porn*, het genre was subversief, hip; syfilis en gonorroe waren goed te behandelen, abortus was legaal sinds Roe vs. Wade en het enige voorbehoedsmiddel was de anticonceptiepil. Het woord *aids* werd pas enkele jaren later gefluisterd, de ziekte verspreidde zich aanvankelijk alleen onder homoseksuele mannen.

Als Eve LeSage speelt ze in zes pornofilms, voordat de donkere vreemdeling uit driestuiverromans opduikt. Het zoveelste feest, scènes van vermoeide overvloed. Soms is er opeens iemand die er niet hoort, hij staat enigszins ter zijde, glimlacht wanneer iemand hem aanspreekt maar bewaart zijn afstand. Misplaatstheid als karaktertrek. Hij houdt zijn jas aan, een vliegeniersjas. Zware laarzen aan zijn voeten. Ze vraagt wie dat is.

– Hmm, bromt Price du Plessix Gray.

Du Plessix Gray is een bejaarde nicht en een theatercriticus, een vriend. Hij zegt

– Hmm hmm, een verdwaalde arbeider?

Een kunstenaar, hoort ze later, een Europeaan als zij. Wil ze worden voorgesteld? Het zal niet nodig zijn. Als een bokser komt hij los uit zijn hoek, recht op haar af, ze voelt hoe de kamer zich verkleint tot zijn aanwezigheid.

– Ik weet wie je bent, zegt hij. Ik heb over je gelezen.

Een Duits accent zo zwaar dat ze zich vrij voelt om te zeggen

– Ach wie gut, dass niemand weiß, dass ich Rumpelstilzchen heiß.

– Sie sprechen Deutsch?

– Mijn grootvader was een Duitser. Ik ben opgegroeid in het grensgebied.

– U bent Nederlandse, schat ik?

Ze knikt, geamuseerd. Hij heet Bodo Schultz, hij komt

uit Oostenrijk, een dorp in Karinthië. Als zoveel Oostenrijkste kunstenaars haat hij zijn vaderland. Het is hem aan te zien dat hij groot geworden is op Knödel en Rostbraten, een uit de kluiten gewassen boer, rotsachtig, zware nek en schouders. Ze heeft zin om door zijn dikke haar te woelen.

Zijn atelier in Manhattan kijkt van onderaf uit op de massieve pijlers van de Brooklyn Bridge. Het gebouw lijkt het wrak van een schip, aangespoeld, wind en regen hebben vrij spel.

Ze komt hem opzoeken. Over zijn werk praat hij moeizaam. Ze dwaalt langs monochrome sculpturen, menselijke figuren in afschuwelijke houdingen, verwrongen, lijdend. Ze denkt aan bevroren slagvelden, de afgietsels van lijken in Pompeji.

Hij is net terug uit Okinawa, waar hij een paviljoen ontwierp voor de wereldtentoonstelling, een ijszuil van veertig meter hoog, een toren dooraderd met vriesroosters. Er waren gangen, trappen en kamers in de ijstoren uitgehakt, wanneer de zon erop scheen bevond je je in het hart van een diamant. Het was door de luchtbogen, arcades en hangende trappen dat zijn toren werd vergeleken met de spookachtige inwendige ruimtes van Piranesi's ontwerpen. Die romantische verwijzing brengt hem buiten zichzelf van woede. Hij bereidt een nieuw ontwerp voor, een nieuwe toren, naar aanleiding van een wedstrijd uitgeschreven door het stadsbestuur van Alexandrië. Marthe Unger vindt hem nurks en hoffelijk, dat laatste ondanks zichzelf. Het ontroert haar dat hij zijn best voor haar doet. Ze slapen met elkaar op een matras in de verre hoek van het atelier.

– Geluk, zegt hij, dit is het.

Ze is er trots op dat ze zulke gevoelens in hem weet te

wekken, een uitverkorenheid, alsof je vriendschap sluit met een dier in het wild.

Southern Belle is haar laatste film, Abby Mayer slaat een gat in de deur, hij schreeuwt
– Ik verlies jou liever aan een auto-ongeluk dan aan... de liefde.
Ze zegt dat seks met een ander onmogelijk is terwijl ze van deze man houdt. Zo simpel is het, en met hetzelfde gemak waarmee ze eraan begonnen is, houdt ze er weer mee op. Tegen Schultz zegt ze
– Dit waren mijn vijftien minuten. Ze zijn een beetje uitgelopen.
Ze trouwden vlug. Er was geen familie bij aanwezig. Price du Plessix Gray was haar getuige, de Griekse winkelier om de hoek van het atelier de zijne.
Schultz werkte aan een beeldengroep die hij *Blind* noemde, tientallen sculpturen op ware grootte van hem en haar in de omhelzingen van de paringsdaad. Iedereen had de behoefte haar naakt, copulerend af te beelden, het leven stelde haar een beperkte vraag. De legende van haar schoonheid werd gevoed door haar plotselinge verdwijnen. Van de fantasie van ontelbaren werd ze nu de muze van één man. Ze verlieten New York voor Alexandrië. Schultz begon aan de voorbereidingen van *Wachturm*, zijn toren in de baai van de stad, de schaduw van de Pharos. Ik kwam ter wereld in het Egyptian British Hospital. Toen ik werd gedoopt vielen haar nepwimpers af. Verder geen bijzonderheden.

De schatkamer van de oudheid, de bibliotheek van Alexandrië, ging bij een brand verloren. Onmetelijke tragedie. In de jaren tachtig van de twintigste eeuw werd er een nieuwe bibliotheek gebouwd, een megaproject. Het moest opnieuw een van de grootste bibliotheken ter wereld worden. Tezelfdertijd vatte men het plan op om ook de Pharos te herbouwen, de legendarische vuurtoren die ons vanuit de oudheid nog altijd in het gezicht schijnt. De Pharos was een van de zeven wereldwonderen, hij werd door aardbevingen verwoest. Op de voet ervan verrees een Arabisch fort, op de zeebodem zoeken archeologen nog altijd naar de resten. Het stadsbestuur schreef een wedstrijd uit onder kunstenaars en architecten om een ontwerp voor de nieuwe toren te maken. Er werden talloze voorstellen ingediend, schitterende reminiscenties, maar uiteindelijk kreeg mijn vader de opdracht. Zijn toren zou in de haven van Alexandrië worden gebouwd, de stad moest erop uitkijken, de antieke glorie zou herleven. Bodo Schultz, de bouwmeester, zou in de voetsporen treden van Sostratus. Maar de toren van Bodo Schultz zou geen licht geven. Zijn toren zou zwart zijn als obsidiaan. Hij zou even hoog worden als de oude Pharos, honderddertig meter. Maar de Pharos was volgens de overlevering van wit marmer, drie verdiepingen hoog, met een groot vuur in de top, dat kilometers ver op zee te zien was. Die toren nodigde uit om aan land te gaan, in Alexandrië, het decor van dat schitterende koningsdrama van de oudheid, met als middelpunt Cleopatra, wier eigen schoot een haven was voor Julius Caesar en Marcus Antonius.

De toren van Bodo Schultz zond een andere boodschap uit. *Mijd deze haven nu het nog kan*, zei hij.

Alexandrië is gebouwd tussen de woestijn en de Middellandse Zee. De oostelijke haven en de baai worden door de stad omsloten als een moederschoot. De baai wordt beschermd door twee forten, en daartussen is een langwerpig kunstmatig eiland opgeworpen dat dient om de golven te breken voor ze de stad bereiken. Het eiland is een paar honderd meter lang, aan weerszijden ervan kunnen schepen de baai binnen varen. Daar, op dat eiland, kwam Schultz zijn toren te staan, *Wachturm*, een schaduwzwarte naald, zijn in pek gedrenkte middelvinger tegen de wereld. De toren was aan alle kanten gesloten, je wist niet of hij de stad beschermde tegen indringers, of haar juist in gijzeling hield.

Schultz was vooral op zijn eiland. Het fundament van zijn bouwwerk kostte vele maanden. Ik zie hem voor me tussen de hijskranen, betonmolens en bulldozers, terwijl er schepen met bouwmateriaal afmeren. Hij trad hier op als de klassieke kunstenaar-bouwmeester, zoals Daedalus dat was, hij bracht eigenhandig zijn duistere visioen tot leven. Vanaf de Corniche, de kilometers lange boulevard van Alexandrië die de baai in een luie kromming omarmt, is het eiland goed te zien. Bij zwaar weer zie je daarachter de zee hoog en donker oprijzen, terwijl de kalme golfslag in de haven er nauwelijks door wordt verstoord.

Mijn vader liet zich na zonsondergang met de laatste arbeiders overzetten naar de stad en kwam pas thuis als ik al sliep. Mijn moeder maakte eens een filmpje in de tuin, misschien om voor kerst te versturen aan zijn familie – kolonistenpost. Ik zit op een oranje fietsje met een laadbak en kijk voortdurend naar mijn moeder die de camera vasthoudt. Ik vergeet te trappen. Een hand in mijn rug duwt mij, dan komt ook de rest van de man in beeld, maar alleen van achteren, een gebogen gestalte. Ik kijk nog eens om naar mijn moeder, en daar stopt deze scène.

Het tweede deel van het filmpje moet wel bijna op dezelfde dag zijn gemaakt, ik heb dezelfde kleren aan. Ik zit op de schommel achter in de tuin, daarachter staat mijn vader. Hij draagt een wit T-shirt, het zit strak rond zijn bovenlijf. Hij is sterk, een Karinthische boer. Hij is gebouwd op weerstand; als de os dood is, dan trekken we de ploeg toch zelf. Picasso had zo'n lichaam.

– Vind je het leuk, Ludwig?

Mijn moeder, vanachter de camera, maar ik antwoord niet want het gaat heel hard en hoog.

– Bodo, hij vindt het eng.

Steeds hoger zwiepen mijn benen, de slappe poppenvoeten eronder.

– Bodo, stop nou, hij is bang!

Het beeld schokt en gaat op zwart. Ongeschikt om aan familie te sturen. Het geheimzinnige van die beelden is dat zijn gezicht nergens is te zien, alleen die hand, die arm, dat bovenlichaam. Zelfs bij de schommel is zijn gezicht in de schaduw.

– Nu je het zegt, zei mijn moeder toen we het filmpje zoveel jaar later bekeken.

Ze vertelde me hoe gefrustreerd hij was, hij had buiten de Egyptische omstandigheden gerekend, die taai waren en een kleverige vertraging opleverden. Ik stel me dat allemaal voor zoals op de *Toren van Babel* van Pieter Bruegel de Oude, mannetjes die steen voor steen bijdragen aan een hoogmoedig, goddeloos werk. Hij vervloekte de inefficiëntie en het gemak waarmee ze naar de hemel wezen als er verkeerde bouwmaterialen werden bezorgd, hij joeg de arbeiders tegen zich in het harnas met zijn grove bejegening, het vele malen daags gehoorde *Scheiß doch auf Allah!*

De winter kwam, een snijdende westenwind vertraagde het werk, en twee stormen kort na elkaar brachten het zelfs geheel tot stilstand. Men zegt dat hij arbeiders sloeg, die kleine fellahin in hun galabia's, van het land gekomen om een paar piaster te verdienen in de stad. In het licht van latere verhalen is dat niet onwaarschijnlijk. Het is een kenmerk van gestoorde, narcistische karakters dat ze elke tegenstand, zelfs die van zielloze omstandigheden als het weer of natuurrampen, opvatten als een persoonlijke belediging. Deze dingen roepen hun diepe, onmachtige woede op, alles is direct tegen hen gericht, daarom ballen zij hun vuisten naar de hemel en geselen zij de Hellespont. Of, zoals kapitein Achab zegt: *Praat me niet van godslastering, kerel, ik zou de zon slaan als ze me te na kwam.*

Ik denk dat mijn moeder zich is doodgeschrokken van de inktzwarte storm die zich boven haar hoofd samentrok. Zo had ze hem nog niet gezien, een woedende, geladen Oostenrijker die een toren wilde bouwen in de haven van Alexandrië, een barbaarse heerser over een voddenlegioen van dagloners, een kruipende menigte, zijn volk.

Wachturm brak uit de ondergrond als een giftige paddenstoel, behangen met een fijn vertakte nervatuur van houten steigerwerk, waarlangs ontelbare mannetjes op en neer kropen. Middeleeuwen! Middeleeuwen in de zin van handwerk, knechting en feodaliteit, de omstandigheden waarin een groot deel van de wereld nog altijd verkeert kortom, zodat *middeleeuwen* misschien niet alleen een historisch tijdvak, maar ook een los van tijd en ruimte door de wereld zwervend pakket van omstandigheden is dat nu eens hier en dan weer daar wordt uitgepakt. Hoe dan ook, op dat moment was die doos van Pandora met het pakketzegel MIDDELEEUWEN erop op die langgerekte golfbreker bezorgd.

De toren is niet afgemaakt. Na drie jaar is mijn vader weggegaan en nooit teruggekomen. Hij liet veel onafgemaakts achter, een toren, een huwelijk, een opvoeding.

(Later, in Alburgh, ik was elf, twaalf jaar, speelde ik met Playmobil. Ik had er een kasteel van. In het kasteel woonden de goeden, in een zwarte toren die niet van Playmobil was, verzamelden zich de slechteriken. Pas veel later realiseerde ik me dat die zwarte toren en *Wachturm* dezelfde waren; het was de maquette van *Wachturm* waarmee ik al die jaren had gespeeld.)

Het was dik twee uur lopen naar La Cienega Boulevard. Galerie Steinson & Freeler bleek gevestigd in een oud, laag bedrijfsgebouw, een feloranje oblong. Voor de ingang, een dubbele deur van zwart glas, hield zich een groepje mensen op. Geen kunstliefhebbers leek me, te veel dreadlocks, op kleding geschreven politieke boodschappen – de mode van linkse activisten. Ze ontrolden een spandoek, een meisje deelde flyers uit aan voorbijgangers, die ze uit een winkelwagentje pakte. Er werd gehannest met een megafoon.

Ik stak over en nam een flyer aan. *Stop this maniac from desecrating holy mountains.* De afgebeelde maniak was Bodo Schultz. Ik wurmde me tussen de activisten door naar de ingang, maar dat was niet de bedoeling – ze stelden zich op tussen mij en de deur en begonnen als in een droom te scanderen.

– IT AIN'T NO ART TO TAKE MOUNTAINS APART. IT AIN'T NO ART TO TAKE MOUNTAINS APART.

Hun blikken waren als bij toverslag strijdvaardig geworden – van een troepje klaplopers waren ze getransformeerd tot militante cel. Ze hadden hun armen in elkaar gehaakt, het leek experimenteel theater met mij als enig publiek. Achter mij hielden twee actievoerders het spandoek in de lucht, je kon de woorden er van achteren doorheen lezen: VIOLENCE AGAINST NATURE IS VIOLENCE AGAINST MANKIND. Een stem naast me zei

– Immorele kunst is een misdaad, vinden wij.

Het was het meisje van de flyers, ze was volkomen ernstig. Ik moest me naar haar vooroverbuigen om haar te kunnen verstaan.

– Dat proberen wij je duidelijk te maken. Als je meer informatie wilt, loop dan even met me mee.

Haar vrienden dreunden almaar dezelfde woorden, IT AIN'T NO ART TO TAKE MOUNTAINS APART. We liepen naar het winkelwagentje.

– Het interesseert me, zei ik, wat hebben jullie precies tegen Schultz?

Het leek of ze met haar ogen zou gaan rollen of *tss* zou zeggen, maar ze hield zich in. Ze vroeg

– Ken je het werk van deze meneer Schultz?

– Niet zo goed. Ik weet er weinig van, bedoel ik.

– Er is iets heel erg mis met die man. En met een wereld die hem als een kunstenaar beschouwt... Zijn werk als kunst.

De woorden smaakten haar als bittere schillen. Achter ons staakte het koor zijn mechanische cadans. Ze zei

– Meneer Schultz leeft zijn vandalistische neigingen uit in de natuur, die niet voor zichzelf kan opkomen.

Uit het wagentje diepte ze fotokopieën op, ik zag een stapel mappen waarop PRESS stond – op zijn eigen manier had dit soort activisme een hoge organisatiegraad. Ik wees op de persmappen.

– Wat zijn dat?

– Ben je van de pers? Buitenlands? Je klinkt buitenlands.

– Engeland, zei ik.

– Schrijf hier alsjeblieft de naam op van het medium waarvoor je werkt, je e-mail, dan kunnen we je op de hoogte houden van onze activiteiten.

De *Norwich Evening News* was de eerste krant die bij me opkwam. Ik kreeg een map van haar, waarin ik solidere informatie over Schultz hoopte te vinden.

– Nu zou ik toch wel naar binnen willen, zei ik.

– O, maar dat kan echt niet. We laten niemand binnen. Normaal wachten we tot de politie komt...

Ze keek naar de anderen, toen op haar felrode Swatch.

– Ze zijn laat vandaag.

– Wie?

– Gisteren waren ze er al om twaalf uur. Kom, ik moet...

– Wie bedoel je? De politie?

– Wat dacht je, dat we uit onszelf weggingen?

Er kwam een man naar buiten. Korte grijze baard, nette verschijning. De galeriehouder. Hij probeerde niet te schreeuwen.

– Weg, zei hij, ga weg jullie.

– U weet dat we dat niet kunnen doen, zei een jongen.

– Jullie belemmeren de vrijheid van expressie. Fascisme. Abject.

– U zou het kunnen beschouwen als gratis publiciteit, zei de jongen.

De natuurlijke leider, knap, slungelachtig, misschien de zoon van een rechter. Op de rug van zijn jasje het portret van Che Guevara.

– Jongens, zei hij, mag ik...

– Dit is kunst verdomme. Geen politiek. Jullie maken er politiek van. Fout! Fout! Ga naar het stadhuis als je politiek wilt. Ga ze daar dwarszitten. Dit is een galerie.

– Alles is politiek, ben ik bang, zei de jongen.

Achter de man, in de deuropening van de galerie, verscheen een jonge vrouw met een zwaar montuur op haar neus. Haar brillenglazen waren vijvers vol minachting.

– Sodemieter op, zei de man. Sodemieteren jullie allemaal op!

Hij was nu toch aan het schreeuwen.

– U hebt ervoor gekozen zijn werk te exposeren, zei de jongen.

Op zijn teken begonnen de anderen weer te scanderen. Hard en dreunend, je zou ze er gemakkelijk om kunnen haten. De man en vrouw verdwenen. Het gezang stopte.

Vanaf de overkant heb ik gekeken hoe de dingen zich ontwikkelden, maar er gebeurde te weinig om mijn aandacht vast te houden. Ze deelden flyers uit, rookten sigaretten, verveelden zich. Het meisje dat me de map had gegeven keek soms naar me, zwaaide een keer. Ik zat met mijn rug tegen een boom. Een sterke positie. Zo had ik ook de kinderen bij het kanaal gadegeslagen, de groepsdynamiek van sterken en zwakken blootgelegd, lang geleden op het platteland van Groningen. Een flesgroene herinnering.

Er kwam een landerige stemming over het gezelschap aan de overkant, nu er niets was om hun activistische identiteit te voeden. Ik sloeg de map open en begon te lezen.

Schultz had een berg gekocht in de Panamese Dariénprovincie, de grens tussen Midden- en Zuid-Amerika – een ondoordringbaar junglegebied, geen wegen, de wereld begon pas weer aan de overkant, in Colombia. Hij benutte indianen van de Emberá-stam als werkkrachten, huurde ze in voor de verwezenlijking van *Abgrund*, de vernietiging van zijn berg. Beetje bij beetje maakte hij die met de grond gelijk. Het rapport vermeldde dat hij ongeveer halverwege was. Er waren protesten, natuurbeschermers en antiglobalisten hadden zich tegen hem verenigd. Ik vond een A4'tje met de opsomming van acties tegen *Abgrund* – petities, protestmarsen in Panama-Stad, bij het Panamese consulaat in Genève, de ambassade in Brasilia, vergezeld van data, namen van comités en geschatte aantallen betogers; volledigheid gaf de inspanningen aanzien. Verder lijsten van bedreigde dier- en plantensoorten in het gebied. Langzaam ontstond het beeld van een rücksichtslose hater die persoonlijk het leven uit al die beestjes kneep, die zeldzame bloemen verpulverde tussen zijn vingers.

Mitchell Rhodes, onderzoeker aan het Smithsonian Tropical Research Institute, had *Abgrund* proberen te bezoeken. Hij was tot aan de grens van het terrein gekomen, en daar tegengehouden door bewakers. FARC-milities, AK-47's om de schouders. Rhodes en zijn gezelschap, twee gidsen en een bioloog van de University of the West Indies, waren gemolesteerd, er was in de lucht geschoten.

In de map waren kopieën van luchtfoto's bijgevoegd van de open plek in het oerwoud, de troosteloze kaalslag van mijnbouw. Een steile, eenzame berg in het midden. Ik dacht transportbanden te zien, shovels, barakken. De rook van vuren. Daar beneden ergens was mijn vader. Over Schultz zelf, zijn beweegredenen, vond ik nauwelijks iets. Speculaties, geen feiten. Woorden als *demonisch* en *fascistoïde* weerspiegelden de opvattingen van de samenstellers maar verhelderden weinig. Dit stelde me teleur. Ik had gehoopt hem tegen te komen, hem in elk geval iets dichter te naderen.

Het meisje stak de weg over.

– Hai, zei ze toen ze voor me stond, je zat zo rustig te lezen...

– Er gebeurt niet zoveel hè?

– Een boycot vraagt veel geduld.

– Heet dat zo, een boycot?

– Dat is wat we doen, een boycot. Met een hoog agitatieniveau.

– Uit het Handboek Actievoeren?

– Zoiets. Maar als je van de pers bent moet ik misschien niet te veel vertellen.

– Ik ben niet van de pers. Ik wilde die map. Sorry.

Ze had iets onbeholpens, een soort schoonheid waarvan ik me kon voorstellen dat alleen ik haar mooi zou vinden.

Twee politiewagens stopten voor de galerie. We liepen naar de overkant, ik bleef op afstand om niet met een actievoerder te worden verward. De lange jongen werd in de boeien geslagen, het meisje van de flyers bleef zich naar voren dringen, het leek of ze gearresteerd *wilde* worden. Vijf betogers werden afgevoerd, de rest werd met de wapenstok uiteen gejaagd.

– Nu kun je naar binnen, zei het meisje toen ze me passeerde.

De wieltjes van haar winkelwagen ratelden op het beton. Het voorval leek geen indruk op haar gemaakt te hebben. Ze glimlachte op een manier die ik niet begreep.

Je zou het de kennismaking met mijn vader kunnen noemen. Fysiek. Langzaam liep ik langs zijn werk, ik probeerde zijn gedachtewereld erin te zien. Het naar buiten gekeerde brein van een man. Een serie schilderijen op grove houten panelen, alle ongelijk van vorm. Het leken donkere landschappen, omgewoeld als door oorlog. Elk had een verdwijnpunt, een donkerte waar de aarde zichzelf leek op te slokken. Had het zwarte gat zich eenmaal in je beeld vastgezet, dan leek alles daarnaartoe te bewegen, als een modderstroom van een heuvel. De catalogus vermeldde dat de werken achter perspex werden getoond, gezien de omstredenheid van de maker was vandalisme niet ondenkbaar.

In de ruimte was een zwart vierkant gemaakt van doeken die van het plafond omlaag hingen tot aan de grond. Daarbinnen werd *Abgrund* vertoond. Ik worstelde met de doeken tot ik een opening vond. Flakkerend beeld op het projectiescherm, trillend blauw licht. Er waren houten banken kort achter elkaar geplaatst, als in een kerk, ik was de enige bezoeker. De film werd vertoond in een *loop*, ik viel zomaar ergens in. Een zwaar dreunen als van mortieren, een stofwolk in de verte. De camera bewoog zich ernaartoe, op de schouder gedragen. Toen die stem, dwalend tussen brokken gesteente

– Het binnenste... de schaal openbreken.

Het was de eerste keer dat ik zijn stem hoorde. Mijn adem sloeg vast. Dag vader. Hij sprak het Engels van ssofficieren in oorlogsfilms. Ik probeerde te begrijpen waar ik naar keek. Een man in zijn zelfgeschapen ruïne. Zijn gemompel.

– Het Westen. Wat hebben we gelachen om het Westen!

Hij richtte de camera van een afstand op de berg, mijn ogen spanden zich in om te kijken of er iets te zien was, ik was erop gericht schutkleuren te ontwaren, tot een explosie de bergwand van zijn plaats rukte; stof, gruis, chaos. De stem leidde de kijker naar de binnenstebuiten gekeerde aarde. Gerommel, het camera-oog richtte zich omhoog, meer gesteente zakte langs de wand naar beneden.

– Hoe je een god wordt, vroeg ik ze. Hoe. Door de oude goden te verslaan. Hoogmoed bezitten. Niet de bezittende slaaf zijn. Verzwakt, aangeslagen door de kleinste inbreuk op zijn slaafs geluk. Laten we slagers zijn. Onze voorkeur voor een universum van bloed en gebeente belijden. Een kosmisch abattoir scheppen...

Tegen het eind van de film: weer die berg, de camera op een vast punt nu, een man die in de verte aan komt lopen, een zware gestalte in de regen. Dan de explosie, te vroeg, de fractie van een seconde die de drukgolf erover doet om de man en de camera omver te werpen. Warrelend beeld, de camera als het open oog van een dode op de hemel gericht. Er vallen regendruppels op de lens. De camera wordt opgepakt en glijdt langs de benen van de man, filmt even zijn gezicht van onderaf – een korte, zware baard, met grijze vlekken. Het flitsend ogenwit, als van een hond die naast je opduikt in het donker. Mediohombre. Mijn vader. Onmetelijke eenzaamheid was zijn opdracht en vervulling. Hij schiep niets dan leegte om zich heen. Het was een *nucleair* verlangen, de dingen zullen zich niet meer oprichten, hij regeert een miljoen jaar over zijn graf. Schultz liep naar de plaats van de explosie, een klim. De camera zwenkte, uitzicht over boomtoppen zover het oog reikte. Hoger ging het. Je hoorde hem hijgen. Soms bleef hij staan en richtte de camera op de vernielingen. Eromheen niets dan jungle, groen en koortsig rond een open wond. Dat hij daar al die jaren was... Ik probeerde me de hoeveelheid steen voor te stellen, de ongelooflijke inspanning om die te verplaatsen. De holle blikken van de indianen ook, dat commentaar op de zinloosheid van weer een aan hallucinaties lijdende gringo die de aarde en de mensen aan zich kwam onderwerpen. Ze waren het gewend, hun geschiedenis was een litanie van nederlagen en onderwerping, hun noodlot was erfelijk.

– Alleen de hoogmoedigen weten wat de val betekent, de afgrond. De afgrond aan je voeten. Dat ene stapje. Dat verlangen.

Het suizen van de wind, soms een dier dat het geluid maakte van een tandartsboor. Zijn snuivende ademhaling. In de diepte bewogen mensen, vormden ketens; brave mieren.

Ik keek de film niet af, dat wil zeggen, niet tot het punt waar ik begonnen was. Ik was misselijk toen ik buiten kwam. Het schroeiende licht – een zonnebril, ik moest een zonnebril. Uit het wit van een overbelichte foto doemde het meisje van daarstraks op. Het verbaasde me niet.

– Nou, overtuigd? vroeg ze.

– Wacht even.

Ik ging op mijn hurken zitten met mijn handen voor mijn tranende ogen.

– Hé, kan ik iets voor je doen?

– Zou ik je zonnebril even mogen? Dat zou helpen, denk ik.

Ik liet licht tussen mijn vingers door om eraan te wennen, en nam de bril van haar aan. Gekleurde brillenglazen, troost voor mijn ogen. Ik kwam overeind. Het meisje in roze licht.

– Ik ging maar even zitten, zei ik, ik zag niks meer.

– Heb je een lichtallergie?

– Niet dat ik weet, nee.

– Je traant heel erg.

– Kwam je nog even demonstreren? vroeg ik.

– Nee. Zomaar.

Een zelfbewuste lach. Kleine tanden, het vochtige roze tandvlees. Met mijn tong te voelen hoe glad dat zou zijn.

Haar winkelwagen stond voor het raam van de diner. Ze dronk thee. Ze wees naar de hechting in mijn wenkbrauw en vroeg hoe ik daaraan kwam. Van de milkshakes die werden rondgedragen wist ze hoeveel suiker, kleurstof en vet ze bevatten, de hamburger die ik at werd becommentarieerd in termen van herkomst van het vlees, de arbeidsomstandigheden in de vleesverwerkende industrie en het afvalprobleem. Het was alsof ik een landmijn in mijn handen hield. Ze zei

– Dat is ook zo, op de lange duur. Daarom kost het ook zoveel moeite om mensen ervan te overtuigen, omdat het geen direct gevaar oplevert. We zijn niet gemaakt voor gevaar op lange termijn. We springen op bij geritsel in de bosjes, daar zijn we voor gemaakt, een ramp over vijftig jaar kan ons weinig schelen. Evolutionair zijn we helemaal niet toe aan de oplossingen voor de problemen die we zelf hebben veroorzaakt. We doen of er niks aan de hand is. Een dag in de zon is belangrijker.

– Je bent goed op de hoogte, zei ik.

– Maak er maar grapjes over. Zolang het nog kan. Wat vond je van het werk van die meneer Schultz?

– *Meneer* Schultz?

– Nou?

– Eenzaam. Het is eenzaam. Ik heb nog nooit zoiets eenzaams gezien.

– Gek woord. Voor zulk misdadig werk, bedoel ik.

– Heb je het gezien?

– Nee.

– Nee?

– Dat hoeft niet.

– Je gaat de straat op voor iets wat niet eens hebt gezien? Dat is belachelijk.

Ze schudde haar hoofd, halsstarrig.

– Je hoeft het riool niet in om te weten dat het er stinkt.

– Leuk gezegd, maar het betekent niks.

– Ik kijk... ja, je kunt ook kijken met je principes, begrijp je.

– Mooie blauwe principes.

– Sorry?

– Grapje.

– Ik ben serieus.

– Ik merk het.

– Je antwoord was nog niet af. Over Schultz.

– Een gesprek is niet mogelijk als je het niet eens hebt gezien.

– Nu ben je boos.

Ik grinnikte om dat vreemde schepsel tegenover me. Het puntje van haar tong tussen haar tanden. We wisten het. Ik kreeg een stijve.

– We gaan een zonnebril voor je kopen, zei ze.

Ze was geboren in Augusta, Montana, dat ze had verlaten toen ze achttien was. Naar Boulder of Seattle wilde ze. Boulder was het verst, ze dacht *laat ik daar eerst naartoe gaan, dan kan ik later altijd nog naar Seattle.* Ik begreep de redenering niet maar moest er wel om lachen. In Boulder had ze niet kunnen aarden, ze was naar het westen getrokken, naar Los Angeles. Ze had een appartementje in Venice. In Seattle was ze nooit geweest.

Ze duwde het winkelwagentje voor zich uit en vertelde met een uitgelatenheid die me goeddeed. Ondanks haar in activisme gedrenkte ziel was er weinig zwaarte aan haar. Ze droeg opvallende kleren, een wijde linnen broek, een zwart hemd dat tot op haar knieën viel, een gehaakt ding daaroverheen dat misschien een stola werd genoemd, paars, soms stond ze stil om het opnieuw om te slaan. Aan haar voeten slippers. Glinsterende ringetjes rond slanke, lange tenen, niet van die hulpeloze uitsteeksels. Dunne, gevoelige polsen.

Haar auto stond op de parkeerplaats van een supermarkt. Ze laadde het foldermateriaal, de persmappen, de flesjes water in de achterbak, en liep weg om het karretje terug te brengen. Ik riep haar na

– Hoe heet je eigenlijk?

– Sarah! riep ze over haar schouder.

Alles aan haar bewoog als ze liep, in een luchtstroom die alleen haar omspoelde om alles in de war te maken, het krullende donkere haar, haar gewaden.

– En jij? vroeg ze toen ze terug was.

Ik noemde mijn naam.

– Duits?

– Ja.

– Waar moet je naartoe, Ludwig?

Ze sprak mijn naam uit zoals je een nieuw gerecht proeft. Ik haalde mijn schouders op. Ze zei

– Ik woon vlak bij het strand.

– Ik heb geen zwembroek bij me.

– Zwembroeken genoeg, zei ze.

Niet dat er met haar autorijden iets mis was, het was meer dat ze niet ophield van alles en nog wat te doen wanneer ze achter het stuur zat. Een stofje in haar oog dat ze probeerde weg te wrijven terwijl ze in de achteruitkijkspiegel keek, iets in haar tas, een kauwgompje, lippenbalsem die plotseling haar volledige aandacht vroeg.

– Je hoeft me niet aan te kijken als we praten, zei ik. Kijk maar op de weg.

– Je bent bang, haha! Ik heb nog nooit een ongeluk gehad, maak je geen zorgen.

– Dat brengt de dag alleen maar dichterbij dat je er wel een zult krijgen.

– Je roept slecht karma over je af, Ludwig.

Bij een benzinestation kocht ik een zonnebril met donkergroene glazen. Brede, uitgebleekte snelwegen gleden onder ons door, een parcours van gebeente. Je voelt het wanneer je naar zee rijdt, een vorm van geruststelling. Soms de schittering van de oceaan tussen wegen en gebouwen door. En verder, aan de horizon, het visioen van Schultz zijn aangevreten berg, afgetekend als de berg Fuji.

De wieldoppen schraapten langs de stoep toen ze parkeerde. We liepen langs de zijkant van een huis, in de achtertuin ging een stalen trap omhoog naar haar appartement. Het was klein, ze mompelde iets over de troep, maar het was onmogelijk er niet op te letten, het innerlijk van een kledingkast had zich uitgespreid over de vloer, de bank, het bed. Ik keek naar haar achterste terwijl ze in een kist groef.

– Zwembroek, hoorde ik, moet hier...

Een geluid van triomf, ze hield een klein zwart broekje op. Het badkamertje was zo klein dat je lichaam het slot op de deur was wanneer je op de wc zat. De man van wie het zwembroekje was geweest had nog smallere heupen dan ik. Ik had een voorkeur voor wijdere badmode, waarin je niet zo *afgetekend* rondliep. Ze zat op bed, een sarong rond haar heupen. De cups van haar bovenstukje sloten als handen rond haar borsten. Er zou geen weerstand zijn. We leefden in een verrukkelijk uitstel.

We lopen naar zee, het is niet ver. Sarah. Haar slippers klepperen. De zon heeft het plaveisel doortrokken van warmte, ze trekt door je zolen op. Haar aanraken, haar een zetje geven – het mag, ze is vrij in haar gedragingen, ze heeft woordeloos laten weten dat jij dat ook mag zijn. Iemand die je nog maar een paar uur kent een zetje geven, je noemt het spel maar de ernst van de begeerte broeit in je keel. Het begin van iets. Een ontmoeting als deze, die kleine, fonkelende tanden, het schitterende donkere haar; het enige wat het van je vraagt is deelname, de bereidheid je modderige levensverhalen achter je te laten.

Ze vraagt ernaar, naar wie je bent, waar je vandaan komt, maar je biografie komt je opeens zo loodachtig voor.

– Ik ga er gauw in, zegt ze. Ik moet plassen.

Schaamteloos wezen, dacht ik, met je lekkere tieten. Ik keek haar na, haar volle kont en dijen. Ik schopte mijn kleren van me af en volgde haar. Ik dacht aan haar urine toen ik kopje-onder ging, in de staat waarin ik verkeerde was alles seksueel geladen. Ze was al waar de golven braken. Boardsurfers lagen op wacht voor grote brekers. Ik haalde haar niet meer in, ze was een betere zwemmer dan ik. Ik dreef maar zo'n beetje rond, wachtend tot ze terugkwam. Het water was koud en prikkelend, ik stelde me de reis van een druppel voor die pas in Sydney of Osaka weer land zou raken. Ook dacht ik aan een liedje van David Bowie, *Space*

Oddity, over de verdwaalde astronaut Major Tom die zijn *tin can* verlaat. *And I'm floating in a most peculiar way.*

De zuiging van een golf kantelde me uit mijn drijvende positie, ik kwam boven en wreef het water uit mijn ogen. Ik keek in haar lach, achter haar verhief zich een golf als een stalen wand. De surfers lagen op hun boards en peddelden op volle snelheid voor de golf uit. Toen sloeg hij om.

We vonden elkaar terug vlak bij het strand, bijtend water in mijn neus, zij rees op uit het borrelende schuim, lachend, proestend. Haakte haar vingers onder de onderkant van haar bovenstukje en trok het goed. Water glansde op haar huid.

– Kom, overeind jij.

Ze ketste met haar vlakke hand op het water zoals jongetjes in het zwembad doen. We liepen naar onze kleren. Ik zag de kuiltjes op haar onderrug. Ze vouwde haar sarong voor ons uit op het zand en zei

– Het water voor de kust is eigenlijk te vervuild om in te zwemmen. Hier is het al iets beter, maar mensen worden vaak ziek. Surfers hebben zweren. Van zeehonden en zeeleeuwen wordt het immuunsysteem aangetast. We proberen er van alles aan te doen, maar het is heel taai.

– We?

– Clean the Bay, een organisatie waar ik bij betrokken ben. We hebben wel iets voor elkaar gekregen, maar het gaat zó langzaam!

Ze rolde met haar ogen.

– Je kunt trouwens wel een beetje zon gebruiken, jij.

Haar vinger prikte in mijn bovenarm en borst. Ik zei

– Je voert actie tegen een kunstenaar en voor schoon water, wat nog meer?

Ze keek vlug opzij, als om mijn ernst te meten.

– O, nog wel een paar dingen. The Venice Beach Tree

Savers... echt belachelijk wat het stadsbestuur daar wil doen. En een organisatie die Save the Holy Peaks heet, waar de acties tegen Schultz eigenlijk een afsplitsing van zijn. Samen met organisaties van native Americans vechten we tegen de commerciële exploitatie, de verminking van heilige bergen in Arizona, Hopi-gebied. Er zijn daar al ski-resorts, maar omdat er zo weinig sneeuw valt de laatste jaren, willen ze vervuild water uit het dal omhoog pompen en met machines tot sneeuw maken.

Sarah schudde haar hoofd.

– Pervers, zei ik.

– Het is niet te geloven wat mensen allemaal bedenken.

– Je bent er maar druk mee, zei ik sullig.

– Over een paar weken is er een mars naar het Hof van Beroep in Pasadena. Ga mee, dan kun je zien wat we doen, en waarvoor.

Met een eenvoudig gebaar opende ze een perspectief voorbij vandaag, over een paar weken zouden we nog eens samen zijn, of nog steeds, het luchtte me op dat er dingen gebeurden die niet met mijn moeder te maken hadden. Met haar naam viel licht binnen. Sarah. Ze lag achterover, haar armen onder haar hoofd gevouwen. Kort zwart haar in haar okselholten. Ik drong door tot de details, de gouden haartjes op haar buik, op haar onderarmen was het donkerder. Ik wist hoe het opgedroogde zout voelde op haar huid, dat het een beetje trok, soms zacht schrijnde.

Het was koel in de schaduw van de straten. Jonge gezinnen achter ramen met traliewerk ervoor, het gekletter van pannen en stemmen die naar elkaar riepen. Ze keek naar me. Er was een expanderende hitte in mijn keel. We stonden stil, ze kwam een stap dichterbij. De warmte van haar lichaam, het ademde zon uit. Ik rook haar haren, ze boog haar hoofd, haar ademhaling bij mijn oksel, bij mijn hals, haar gezicht heel licht tegen het mijne. Onze lichamen sloten aan. Ik geneerde me voor mijn erectie die tegen haar bovenbeen duwde.

– Komt u mee, meneer Ludwig?

Ze trok me mee, ik haalde haar terug en nam haar in een omhelzing. We kusten gretig, kort, ze maakte zich los. Zagen ze het, de mensen in hun huizen, trokken we voorbij in de vurige gloed van een hemellichaam...?

Ze sloot de deur zacht achter zich, schoof de grendel erop. De nadering was tot het uiterste geladen.

– Wil je douchen?

Ongemakkelijke monden die elkaars vorm zoeken, zich die inprenten. Onze handen gingen hun gang. De langzame wals naar het bed, ik voelde haar hand op mijn geslacht. Haar vederlichte giechel.

– Ik zag het al op het strand.

Ze maakte zich los, de sarong gleed van haar af. Ze bracht haar handen op haar rug en haakte het bovenstukje los, schoof de bandjes over haar armen, het ding viel op de grond zoals alles hier op de grond viel. Ze stapte uit haar broekje. Strepen van het elastiek op haar huid. De schaduwen. Ik trok mijn T-shirt uit. Ze ontgespte mijn riem. Ik wrong me uit het zwembroekje en mijn geslacht, die ongemakkelijke derde hier, sprong tevoorschijn. Haar koele hand sloot zich eromheen, leidde me naar het bed. Ze liet zich achterovervallen, ik knielde tussen haar benen, strekte mijn handen om haar borsten te pakken, kwam omhoog en kuste haar harde, koude tepels, het bovenstukje was nog nat geweest. Haar hand tastte naar beneden, bracht me bij haar binnen, haar ogen wijd open.

– O Jezus.

Zuiverder verrukking had ik nooit gekend. Zij had de leiding, de meest ervarene.

– Nu, nu!

Haar bed, waarop we met open ogen lagen te kijken naar de verschillende soorten blauw die de kamer kleurden, en ons afvroegen waarom de meeste tinten geen eigen, zelf-standige naam hadden maar verwezen naar iets anders met die kleur – hemelsblauw, kobaltblauw. De blauwen met Antwerpen en Pruisen in hun naam.

– Ze hebben codes, zei ik. Kleurcodes. B158CC. C378NB.

– Koud, zei ze.

– Exact, zei ik.

Ik gleed weg, de slaap in, mijn gezicht verborgen in haar hals.

– Ludwig?

– Hmm.

– Laat maar. Slaap maar.

Het was donker in de kamer toen ik wakker werd. Uit de geluiden maakte ik op dat het nog avond was, geen nacht. Een televisie, auto's. Ze lag met haar rug naar me toe, haar hand op mijn bekken. Ik gleed uit bed, toen ik van de wc terugkwam lag ze op haar rug naar me te kijken.

– Heb jij ook zo'n honger?

Buiten – de verbazing dat alles was doorgegaan als altijd, het was of wij ons op een onbeweeglijk punt bevonden, een steen in de stroom – daar stonden wij en daar ging alles. Ik dacht: de hemel, dat kan niet anders dan een eeuwig heden zijn.

We aten in een Tibetaans restaurant niet ver van haar huis, foto's van kloosters aan de muren. Koude, harde berglandschappen. Rotsen behangen met kleurige vlaggetjes. Ik nam een gerecht met oogbonen en rijst, zij iets met pompoen. Het eten was er onverwacht vlug, in aardewerken kommen.

– Het is gemakkelijk om vegetariër te zijn hier, zei ze. Deze stad is op vegetarisme ingericht. Maar in de rest van dit land...

Er maalden dingen door mijn hoofd. Vragen.

– Wil je misschien alleen zijn straks, zei ik, ik bedoel, er staat ergens een bed voor me.

Ze boog voorover.

– Wat denk je, Ludwig. Zo gemakkelijk kom je niet van me af.

Ik had een ander antwoord verwacht, schrijnende zinsneden. Ik zag een glimp van de liefde als samenzwering, de aantrekkingskracht ervan. Hoe vlug je je hechtte aan iemand van wie je 's morgens het bestaan nog niet kende. Ik dacht aan het omen van mijn moeder, *Jij hebt eigenlijk al niemand meer nodig*, de tegenstelling met dit ja-zeggende roofdiertje.

Ook in haar bed die nacht, in de zacht flakkerende gloed van de metropool, was haar lichaam een luidkeelse levensbevestiging – afgronden en hemelen openden zich tegelijkertijd, wij klommen en vielen, voor mijn ogen zweefden beelden van Schultz aan zijn afgrond, hij en zijn vrouw, hoe ze elkaar omklemden in hun val.

– Godverdomme Ludwig!

Ik had haar lang niet zo boos gezien.

– Waar wás je? Wat heb je gedáán?

– Hetzelfde als jij, eigenlijk, mompelde ik, maar ze was ongevoelig voor het grapje.

– Ik heb de hele nacht geen oog dichtgedaan. Dat kan ik er niet bij hebben, hoor je? Ik heb mijn slaap nodig. Waar ben je geweest?

Ik haalde mijn schouders op.

– Een meisje?

Sarah had me voor het hotel afgezet. We kusten door het open raam, ze was doorgereden naar haar werk – de kantine van de UCLA. Dienbladen vol voedsel, dienbladen vol afval. Soms dacht ze: dit moet allemaal nog stront worden. Ze omschreef haar werk als een moedeloos makende hoeveelheid verplaatsingen.

Mijn moeder vroeg

– Wie is het?

– Iemand die ik heb ontmoet.

– Dat begrijp ik ook wel. Alsjeblieft Ludwig.

Ik bestelde een dubbele espresso met een kannetje warme melk.

– Heb je al ontbeten? Bestel even iets, ze hebben hier heerlijke dingen.

Ik was vol sensationele herinneringen. Een onoverwinnelijkheid die ik aan haar te danken had. Ik wist niet dat de liefde zo was.

– Ik denk dat we een paar afspraken moeten maken, zei mijn moeder. Ik wil dit niet langer zo. Ik wil weten waar je zit.

Ik schoot uit als een slang.

– Je was een maand weg zonder dat ik wist waar je was.

– En dat voortdurende terugkaatsen van je, daar wil ik het ook over hebben, daar heb...

– Daar heb je het dan bij dezen over gehad. Punt. Tot zover de verhoudingen. En nu, wat ga je vandaag doen? Voor wie ga je vandaag uit de kleren? In ruil voor tienduizend dollar?

– Ludwig...

Ze glimlachte machteloos naar het meisje dat een kopje voor me neerzette.

– Ik weet niet waarvoor je gekomen bent, zei ze even later. Alleen om mij een rotgevoel te bezorgen? Dan had je beter in Engeland kunnen blijven. Op deze manier zitten we elkaar alleen maar in de weg.

– Wil je me weg hebben? Dat kan. Geen probleem, echt.

De hopeloosheid – er was geen uitweg. Ik wist dat ze gelijk had, dat ik een straffend element was en niets meer. Wanneer ik haar zag, wilde ik mijn haat botvieren, haar martelen. Ik liet geen kans voorbijgaan om mijn gal over haar uit te kotsen. De woordenstrijd zou ik altijd winnen, het gevecht met de realiteit waarin ze zich begeven had nooit. Was ze eenmaal uit het zicht, dan maakte de woede plaats voor gevoelens van verlies.

– Ik wil weten wat je plannen zijn. Ludwig?

Ik probeerde Sarah op te roepen, *sarahsarahsarah*, maar ze was me ontsnapt. De ene toekomst had plaatsgemaakt voor de andere. De lichtheid voor de zwaarte. Misschien wist mijn moeder het niet, maar ze had me nodig in dat leven van zeven sloten tegelijk. Eén controlepost in de hele dag. Onze levens waren twee handen vol ongewisse toekomst, en met de andere hielden we elkaar vast. Of ik haar, beter gezegd. De lamme leidt de blinde.

– Dus of je legt je erbij neer, of...

– Of? Of wat.

Met zachte stem

– Dan wil ik echt dat je teruggaat naar Engeland. Je kunt auditie doen op het conservatorium, ik weet zeker dat je wordt aangenomen.

Haar oudste droom omtrent mij: haar zoon de concertpianist, de oude zalen van Europa. De culturele bovenwereld, eindelijk. Caesarion, de fusie van het seksicoon en de kunstenaar, schoonheid en schepping. Zoals de zoon van Julius Caesar en Cleopatra de vereniging had moeten zijn van hun beider talent, hun genie. Maar wat vertelden de geschiedschrijvers over Caesarion? Niet veel, volgens de Alexandrijn Kavafis: *Daar kwam je dan met je onbestemde charme. / In de geschiedschrijving zijn er maar / een paar regels over je te vinden, / en zodoende kon ik je vrijer scheppen in mijn geest.*

Caesarion had eigenlijk maar één in het oog springend talent, en dat was een talent voor het verkeerde moment. Toen Alexandrië belegerd werd door Octavianus en de stad dreigde te vallen, stuurde Cleopatra haar zoon naar India, aan het hoofd van een karavaan vol rijkdommen. Maar om redenen die niemand kent probeerde hij terug te keren naar de stad waar zijn moeder al zelfmoord had gepleegd; de oervertelling van de koningin en de slang, hoe ze zich liet bijten. Ze stierf samen met haar dienaressen Iras en Charmion. Caesarion werd op weg naar Alexandrië vermoord, vermoedelijk door handlangers van Octavianus, zeventien jaar oud.

Een ongelukkige voetnoot bij de geschiedenis van zijn ouders.

Zelf had mijn moeder gefaald op het conservatorium, het was al te goedkope psychologie om te beweren dat ik haar gebroken droom moest lijmen, maar ze maakte in elk geval geen reële inschatting van mijn talent. Middelmaat. Ze had het nooit willen geloven, en ook nu niet, wat ik pijnlijk vond omdat ze altijd naar mijn verrichtingen zou blijven kijken als iets onder mijn kunnen, terwijl het in werkelijkheid het maximaal haalbare was.

– The Royal Academy of Music, je wordt zeker aangenomen.

– Net zo onwaarschijnlijk als dat jij nog eens Mary Poppins speelt op Broadway.

– O Ludwig, je hebt het nog niet eens geprobeerd! Natuurlijk kun je het. Absoluut zeker.

Ik grimaste.

– Jouw zekerheid betekent helaas niets. Ik heb je al eens verteld dat ik het er met meneer Fisk over heb gehad. Hij dacht dat ik nog wel tot het eerste jaar zou worden toegelaten, maar daarna, zei hij, daarna begint het pas. En nee, hij dacht niet dat ik die slachting zou overleven.

– Och, wat weet zo'n man er nou van, die is zelf nooit verder gekomen dan pianoleraartje in de provincie. Iedereen vond altijd dat je zo prachtig speelde, dat telt toch ook?

Ze moest zo geleden hebben onder haar eigen gebrek aan talent, dat ze had moeten compenseren met hard werken. Het halftalent had maar zo weinig bevestiging nodig om voort te gaan op de ingeslagen weg. Een bemoedigend knikje, een applausje dat een fractie te lang duurde – het was genoeg om het zelfinzicht weer voor lange tijd te ontlopen.

Er viel een schaduw over tafel.

– Dag meisje, zei Rollo Liban. Hallo Ludwig.

Ik zweeg, ik had nog geen houding bepaald tegenover hem.

– Ben je er klaar voor? vroeg hij haar.

Ze veegde met het servet langs haar mond en knikte. De bovenste knoopjes van zijn overhemd waren los, er stak grijs borsthaar uit. Hij was gebruind en een kilo of dertig te zwaar. Het overgewicht had zich verzameld rond zijn bovenlichaam, de witte linnen broek wapperde rond zijn benen. Keek hij omlaag, dan rustte zijn hoofd op een sokkeltje van twee, soms drie kinnen. Ze stond op.

– Denk alsjeblieft goed na over wat ik gezegd heb, Ludwig. Maak je keus. Zie ik je vanavond? Ben je er?

– Ik laat wel een berichtje achter.

– Heb je genoeg geld? Hier, ik geef je...

– Dat hoeft niet.

– Neem dit liever. Nu moeten we echt gaan geloof ik. Een interview met, hoe heet hij ook alweer, Rollo?

– Jay Leno.

Ze giechelde.

– Die mogen we niet laten wachten.

Een kus op mijn voorhoofd, Rollo Liban was al halverwege de uitgang. Ze volgde hem, mensen draaiden hun hoofd, keken hen na. Voor me lag een pakketje dollars. Mijn economie zou verweven raken met de hare, met het geld dat ze met haar lichaam had verdiend – ook ik at ervan. Ik stak het in mijn zak, het leek of het warmer was dan de omringende dingen. De dienster kwam met een zwartleren mapje in haar hand.

– Wilt u hier nog even tekenen alstublieft?

Ik ging naar de verdieping erboven, waar ik een piano had zien staan. Mijn vingers gleden over de toetsen, hij was gestemd. Ik hield ervan te spelen, maar de liefde en ambitie waar mijn moeder op hoopte bezat ik niet. Ik zou proberen mijn geld ermee te verdienen, wat me beter leek dan een leven waarin je iemand *baas* noemde, of met vierhonderd mannen en vrouwen in een conferentiezaal zat onder leiding van een pijnlijk vlotte dagvoorzitter.

Er hing een foto van de hotelmanager in de receptie, Berny Suess, hem zou ik opzoeken een dezer dagen, maar eerst ging ik naar buiten, de zon in, op zoek naar de koningin van de vorige nacht.

De reis ging per bus. Mijn medepassagiers waren zwart, een enkele latino daargelaten. Het was zeer warm, ik had het wonderlijke gevoel op een reis te zijn die nooit zou ophouden, dat buschauffeurs vergaten me te waarschuwen en niemand me ooit naar een kaartje vroeg, een vergeten kledingstuk, een handschoen, tussen de zitting in gegleden. Er waren veel files, we stonden lang stil. Zwarten die de bus binnen kwamen keken vreemd op, alsof ik een blanke was die zijn plaats voorin kwam opeisen, een Rosa Parks in het negatief. De laatste bus voerde me de lommerrijke heuvels in, het was er koel, tussen de bomen fragmenten van kleine koninkrijken. Ik werd afgezet bij de ingang van de campus, het eindpunt, van hieruit reed de bus terug de stad in, de hitte en de vuiligheid.

Ik ging het terrein op, het had de voornaamheid van een oud park. Eucalyptusbomen staken hun bleke armen naar de hemel, aan hun voet lagen opeenhopingen van bast. Onder de bomen zaten studenten die hun lunch aten, boeken naast zich, anderen dwaalden over het zachte gras en praatten in zichzelf, misschien dat ze een rol uit het hoofd leerden, het was een uitverkoren plaats waar je alles kon worden wat je wilde, en er de beste in zijn. Er hing een merkwaardige rust over de dingen, de zenuwachtige haast was in de stad achtergebleven, in deze tuinen hadden tijd en bespiegeling het voor het zeggen. Het nam gemakkelijk bezit van je, zoals de neurose van de massamaatschappij daarbuiten dat ook deed. Even voelde ik iets voor de suggestie van mijn moeder om te gaan studeren, ik zou een paar jaar van mijn leven mogen doorbrengen in een besloten ruimte als deze, met haar kalme hartslag. Er renden grijze eekhoorns over het gras, tegen de bomen op, de soort die Selwyn Loyd tijdens de jacht in Bunyans Walk *exoten* had genoemd. De faculteiten werden verbonden door zuilengalerijen en brede paden, ik zag een Moors paleis, iets wat op een imitatie van de Romeinse senaat leek, bibliotheken van de Italiaanse renaissance met cipressen ervoor, en alles zo fris, zo gewassen, alsof het even voor mijn komst was voltooid. Ik volgde het spoor van studenten met voorverpakte broodjes en bekers frisdrank, en ging een overdekte winkelgalerij in. In het restaurant was ik voorbereid op de schok van het weerzien, ik had me voorgesteld hoe ze over een tafeltje gebogen stond, ze veegde kruimels en kringen van het formica met een doek, maar het enige personeel zat achter de kassa of reikte etenswaren aan vanachter de vitrines.

Opnieuw dwaalde ik door de eclectische architectuurtuin, bevolkt met jonge mensen uit alle delen van de wereld, als op de kleurprenten in tijdschriftjes van evangelische christenen, waar leeuwen en lammeren samen aan de voet van een Aziatisch meisje liggen, dat verrukt opkijkt naar een volmaakt symmetrische blanke jongeman met blauwe ogen; het evangelisch arcadië.

Ik vond een volgende kantine, waar men van dienbladen

at die langs een traject van vitrines en warmhoudlampen waren volgeladen. Het was druk. Espressomachines waren in vol bedrijf, het gehamer waarmee filterhouders werden geleegd herinnerde me aan het geluk van Trianon. Toen zag ik haar. Ze droeg een wit kapje als van een zuster, het zat op haar haren vastgespeld. Ze was aardig voor mensen waar ze tafels afruimde. Ze was iemand die geloofde in reciprociteit, ze zou dingen zeggen als *wat je uitzendt, komt bij je terug*, maar het zou me niet ergeren, het zou niet tussen ons in komen te staan.

Ik riep mezelf terug uit het domein van de dagdroom. Ze verdween achter de klapdeur met dienbladen vol bestek en borden. Het meisje uit Augusta. Dat de ene dag demonstreerde voor bergen en bomen, en de dag erop in een wit uniform nummers door de zaal riep als ze weer uit de keuken tevoorschijn kwam.

– Nummer 28!

Ze keek op het dienblad.

– Gehaktbrood en aardappelsalade!

Aan een tafeltje gaan armen omhoog. Twee achteloze jongens, ze vinden hun aanwezigheid hier vanzelfsprekend, het heeft hen nooit aan iets ontbroken – als ze op een dag een smerige ziekte blijken te hebben, zullen ze ongelovig zijn, ze zullen zich verraden voelen. Selwyn was als zij, ik had hem benijd om de voorspoed die hem aangeboren leek. En ook om zijn ouders, hun gastvrijheid, de orde die zij geschapen hadden. Ze hadden offers gebracht om zover te komen. Ingrijpende offers. Ze hadden iets ingeleverd, hun mogelijkheden beperkt. Ze hadden zich weggegeven zonder uitzicht op gewin. Hun kinderen hadden op het vlees van dat offer geparasiteerd en waren er groot van geworden, sterk. Ze leefden in de zekerheid dat het leven in principe goed voor hen was. De tijd en de moeite die ze van hun ouders ontvingen, uitten zich in die fundamentele overtuiging, die niet gemakkelijk geschokt kon worden. Het leven zonder offer is een verzameling scherven, een ruïne. Het was de verdienste van zijn ouders dat Selwyn zo geworden was, een mens die zich niet afvroeg wat zijn plaats in het leven was, maar zijn ruimte kalm en onverzettelijk innam, als een boom.

Verlies was een voorwaarde voor het offer. Met het offer ging je tegen jezelf in, en gaf je het recht om erover te klagen op. Klagen ontheiligde het offer, daarmee nam je terug wat je gegeven had. De dag ervoor, bij de galerie, had Sarah zich willen laten arresteren, de arrestatie was het offer. Pas daarmee werd de verzetsdaad bekroond.

Ik keek naar haar, haar licht chaotische dans tussen de tafels, het landschap van afval, en zwaaide tot ze me zag. Ze schrok. Ze liet haar blad staan en kwam naar me toe.

– Je mág hier niet komen Ludwig! Mij zo zien...

Ze trok haar schouders op en keek omlaag, het witte bedrijfsuniform langs.

– Ik dacht, ik ga eens kijken... of je de dag een beetje doorkomt.

Ze keek op haar horloge.

– Nog vijf uur zeker. Ik ben moe.

Ik knikte.

– Maar het was... het waard, zei ze. Met jou.

We zwegen, gegeneerd opeens – we kenden elkaar nog maar zo kort, wisten nog maar zo weinig van elkaar. Ik stond op.

– Sorry, ik had je niet moeten storen.

– 't Is oké, zei ze.

– Ik moet terug. Ik zie je misschien later nog.

– Ja, zei ze. Wat ga je doen?

– O, dingen, dingetjes. Me als toerist gedragen.

– Ik moet weer aan het werk, zei ze opeens gejaagd. Spitsuur!

Toen ik op weg naar buiten was, opeens een tikje op mijn schouder en een vraag die scheep ging in een nerveuze lach
– Kom je vanavond naar me toe?

Geluk, gutsend als licht.
– Ja, graag, zei ik.

Ik liep terug naar Santa Monica, naar het hotel aan zee, lichter dan ik ooit gelopen had, immuun voor stof en hitte, soms rennend. Hamburgertenten en autowasserettes en samenscholingen van latino's in de schaduw van een tacostalletje, ik balde mijn vuist en smoorde een overwinningskreet achter mijn lippen. Dit was niet de wereld die ik kende. Deze cascade van zintuiglijke verrukkingen die mijn ziel binnen tuimelde. Terug in het hotel, langs de rand van het zwembad, zag ik de schittering van opspattende druppels, hun sensationele schoonheid. Als dit óók de wereld was, naast die van grauwheid en gewoonte, welke van de twee was dan de uitzondering? Waarom werd deze schoonheid gewoonlijk voor onze ogen verborgen? Waarom de sluiers, de moeite die het vroeg om die weg te nemen? Ik dacht aan *Abgrund* – was dat wat hij deed, de voorhang wegrukken? Het heilige der heiligen ontbloten? Was mijn wens om alles te zien, om mysteries terug te brengen tot raadsels en raadsels tot oplossingen, verwant aan die van hem? Was dat de boodschap die in mijn bloed rondspookte? Ik moest terug naar het gefluister bij zijn gewelddaad om te ervaren wat misschien niet te begrijpen viel, maar wel te aanschouwen was.

Ik betaalde de taxichauffeur die me naar mijn vader bracht met dollars die ik van mijn moeder kreeg, zo was ik een kind van beiden. Voor de deur van de galerie lagen bonte flyers op de stoep, restanten van de demonstratie vanmorgen, de dagelijks terugkerende boycot. De donkere doeken hingen bewegingloos, het was of daar binnen de zwarte steen van de islamieten werd bewaard. Het moest ironie zijn, een grap van de galeriehouder, om een werk van uiterste ontheiliging tentoon te stellen als een heiligdom. De vernietiging van de steen. Achter in de galerie was een ruimte onder bijtend kunstlicht, daar hield men kantoor. Aan een bureau zat de man die ik gisteren zag. Aan zijn voeten lag een oude, mottige labrador. Die man wilde ik spreken, maar eerst moest ik voorbij de secretaresse met de bril, die zich getooid had met al het dedain van de wereld.

– Mevrouw, mag ik...

Ze hief haar hand.

– Heel even, zei ze.

Ze kwam half overeind en schoof een map terug in een stellingkast boven haar hoofd. Toen keek ze me aan over haar bril, wat ik een rare gewoonte vond, mensen aankijken over je bril.

– Ik zou graag die meneer daar een vraag stellen, zei ik. Meneer Steinson, of Freeler.

– Geen van beiden, zei ze. Waar bent u van?

– Nergens van, ik wil alleen iets vragen.

De man keek naar ons.

– Wat kan ik voor u doen? riep hij.

De secretaresse hernam haar positie achter de Mac, haar vingers met lange laknagels in de aanslag als een pianist voor aanvang van een concert. De man rolde zijn stoel naar achteren en kwam naar me toe. De hond kwam zuchtend overeind.

– U heeft een vraag over de tentoonstelling?

– Over de maker, eigenlijk.

– U heeft de catalogus gezien?

– Ja. Maar daar stond niet in of hij nog altijd met zijn project bezig is, met *Abgrund*.

– Bij mijn weten is hij daar nog altijd.

– Maar hoe komt u dan aan dit werk? Brengt hij het langs, of gaat u het halen?

De hond kwam achter de man staan, leunde tegen zijn benen. De blik van de galeriehouder veranderde, werd kritisch, afstandelijk. Waarom ik al deze dingen wilde weten, vroeg hij. Misschien zag hij een demonstrant in me, een verstoorder van de orde. Ik vroeg

– Is het mogelijk om Schultz te ontmoeten, dat u weet? Daar gaat het me om.

– U dringt gemakkelijker door tot de president. Ik kan me niet herinneren... nee, geen interviews, niks.

– Ik heb de film gezien, zei ik, gisteren. Ik... Waar ik benieuwd naar ben, is hoe je eigenlijk naar zoiets moet kijken, wat voor soort kunst het is.

Hij knikte.

– Ik herinner me een happening, zei hij, ergens eind jaren zestig. Voor het eerst zag ik een beeldend kunstenaar die zijn eigen werk vernielde. Een grappige kerel, heel zachtaardig eigenlijk. Wolfgang Stoerchle, reed met auto's over zijn werk, schilderijen. Vroeg overleden. Verder... tja. Fuck you-werk is het. Die jongens van het Survival Research Lab deden een show bij Joshua Tree, tien jaar geleden of zo. Ze bliezen dingen op in het landschap, met oorverdovende muziek van Einstürzende Neubauten erbij. Nogal mislukt eigenlijk. Een berg puin deed POOF en dat was het wel. Mark Pauline houdt nog steeds van dingen opblazen, zijn hand is er zelfs afgerukt bij een explosie, maar dat was per ongeluk. Ik weet niet of Schultz die dingen bij Joshua Tree heeft gezien, en daardoor op het idee gekomen is. Nou ja, dan heb je nog de Action Sculptures van Roman Singer...

– De Chinezen, zei het meisje achter hem zonder van haar scherm op te kijken. Die doen ook explosies.

– Ook fuck you-werk, zei de man. Maar zoals Schultz, zoiets was er nog niet, zoiets groots. En boosaardigs.

– U vindt het boosaardig?

– O, absoluut ja. Geen twijfel mogelijk.

Ik bedankte hem voor zijn uitleg en zei dat ik de film nogmaals ging zien.

– Geen probleem.

Weer ging ik tussen de doeken door naar binnen. Op de voorste bank zat een ouder echtpaar in blauw licht. Opnieuw onderging ik zijn profetische woede, raadselachtig als een taal waaruit de klinkers waren weggevallen. De camera richtte zich op de werkers in de diepte die steen afvoerden, de wind schraapte in de microfoon. Hij hoonde ze.

– Geschapen voor de buiging. Voor goden boven zich, niet voor god zelf. De radicale stemming. Ieder mens is een afgrond... maar de durf andermans afgrond te zijn... Niet terug te deinzen. Dat is hart hebben, andermans afgrond zijn...

Hij begon aan de afdaling, grijs de hemel, het uitgeputte, hortende groen daar beneden. Schultz neuriede, je hoorde het gesteente knerpen onder zijn zolen. Hij zong een regel, herhaalde die met tussenpozen. *Denn alle Lust will Ewigkeit, will tiefe, tiefe Ewigkeit.* Hij stond stil, richtte de camera omhoog. Het oog gleed langs de verwondingen.

– Het enige wat blijft is wat verdwenen is. Diepe, diepe

eeuwigheid. Maar ze willen een Schepper. Bevestigd worden in hun bestaan. O, de laffe heiliging van de schepping. De ontroering! De idealen! De schijtlaarzen! Hun mysterium tremendum! Maar alleen de vernietiging heeft een permanent karakter. Alleen de antischepper heeft de toekomst.

De lach van iemand die te lang alleen is geweest. Ik wilde vluchten of huilen, hoe kon deze exercitie tegen goden en mensen anders eindigen dan met zelfvernietiging? Ik ging niet weg, ik bleef zitten tot het moment in de film waarop ik een dag eerder was binnengekomen, bij de ontploffing van de bergwand, en verliet de Ka'aba pas toen.

De straat verschafte me geen lucht. Van hem was ik de zoon. *Abgrund* sloot je op in de binnenwereld van een man en drukte het leven uit je weg. Nu had ik twee ouders die gered moesten worden.

Mijn leven van nachten begon. De symbiose. Nachten waarin haar gezicht onder mij op het witte laken tot andere, al te bekende gezichten vervloeide. Misschien was het de vermoeidheid, misschien de roes, maar vaak heb ik gezien hoe die gezichten als luchtbellen in het hare opstegen – wanneer we de liefde bedreven, of daarna, als ik als een grafsteen op haar lag en haar hartslag langzaam voelde vertragen. Voor mijn ogen, die houvast zochten in het schemerdonker, zag ik de tekenlerares Eve Prescott verschijnen, en eens tot mijn verrassing ook Daisy Farnsworth, een onooglijk meisje uit mijn klas. Ik sloot mijn ogen voor Paula Loyd die uit de melk van de nacht op me kwam toezwemmen; toen ik ze weer opendeed was het Sarah die me aankeek. Laat ik niet verzwijgen dat het soms ook het gezicht van mijn moeder was, en dat ik machteloos stond tegenover die nachtelijke projecties van mijn hersenen.

Zo verdronken we in elkaar, en spoelden in het eerste licht van de dag aan in die kleine kamer ergens in de wereld.

– Ik moet weg, zei ze. Blijf jij zo lang je wilt.

Ze zat rechtop in bed. Ze keek naar me, de glimlach van iemand die nog half in de droom staat. Ik was een stamelaar geworden, iemand die zei

– Je rug. Mooi.

Mijn vingertoppen gleden langs de welvingen van spieren onder haar huid.

– Waar ga je vandaag tegen demonstreren?

Een geluidje van protest.

– Sommige mensen moeten ook nog werken, Ludwig.

Een paar ochtenden per week ging ze naar La Cienega Boulevard om haar stem te verheffen tegen het werk van Schultz. Ik had op een geschikt moment gewacht om het haar te vertellen, maar naarmate ik het langer uitstelde kreeg het steeds meer het karakter van een geheim. Ik vreesde de mogelijke consequentie. Euforie en angst waren nooit ver bij elkaar vandaan, losten elkaar af als estafettelopers. Ik zou het haar vertellen. Binnenkort. Ze zou begrijpen dat ik hem niet was, dat zijn hatende, lichtloze visioenen niet erfelijk waren. Ik stelde mezelf de vraag waarom ik het niet meteen vertelde. Was ik er misschien toch niet geheel zeker van hoe zij in mij tot uiting kwamen, Schultz en mijn moeder? Smeulden de perversie en het gewelddadige ook niet in mij, Caesarion, de samenloop van die twee ego's die vermenigvuldiging hadden gezocht?

Met een zucht verliet Sarah het bed, en koos uit de dingen op de vloer wat ze zou dragen die dag.

De middag nadat ik *Abgrund* voor de tweede keer had bezocht, ben ik naar Venice gegaan om de avond af te wachten. Een bar bij het strand, een hamburger en een cola alstublieft (ik ben verdomme in Amerika, ik zal zelf weten wat ik eet), en in mij de zekerheid dat ik hem zal gaan zoeken. Niet nu, niet meteen, maar zodra mijn moeder en ik weer vaste grond onder de voeten hebben zal ik hem vinden. Waarom denk ik dat hij naar mij verlangt zoals ik naar hem? Waarom denk ik dat ik hem kan troosten? Dat ik als enige de kooi kan binnen gaan zonder dat hij me opvreet? In mijn gedachten is hij *Schultz*, nooit *vader*, of *papa*. *Papa* klinkt zot, alsof je bij de eerste ontmoeting je tong in iemands oor steekt. *Papa* fluister ik een paar keer achter elkaar tegen hem, *papapapa*, en kan mijn lachen niet houden omdat het eerder provocatief klinkt dan intiem.

– Uw cola, meneer. Hamburger komt eraan.

Schultz heeft gelijk, wat weg is heeft de eeuwigheid. Zoals ook hij, zijn vlucht, de richting van onze levens heeft bepaald. Wij leefden rondom zijn afwezigheid. En dan, zo helder als wat, het inzicht dat zij, Marthe Unger, opnieuw het licht heeft gezocht om opnieuw door hem gezien te worden. Ze toont zich aan de wereld in de hoop dat ergens in de wereld zijn oog op haar zal vallen. De luister van haar lichaam, dat ze voor hem heeft bewaard, en dat ze nu aan de markt heeft teruggeven. De markt die ze verlaten had omdat ze hem liefhad – een offer dat hij niet had gevraagd en misschien niet had gewild. Had het hem opgewonden dat hij de vrouw bezat die onmetelijke begeerte opriep? Was zijn belangstelling, zijn vuur gedoofd toen ze die rol voor hem had opgegeven? Er waren geen grote crises geweest tussen hen, geen slepende ruzies die de verhouding vergiftigden, er was niets voorgevallen wat zijn vertrek rechtvaardigde. Misschien had hij, toen hij zich aan haar was komen voorstellen in New York, de begeerte van anderen overgenomen, had die zijn liefde gevoed, en bemerkte hij zijn fout aan de Rue Mahmoud Abou El Ela, toen de anderen er niet meer waren; ze waren alleen nu, en op elkaar aangewezen.

Een onregelmatige stoet hardlopers, fietsers, skaters trok voor het terras langs. Ik las gratis kranten tot de middag voorbij was. Opeens was er de omsingeling van mist. De temperatuur daalde scherp. Ik rekende af en liep de mist in, die licht leek te druppelen, een bedauwd spinnenweb. Ik volgde het spoor terug. Ik was een man die zijn prijs ging ophalen. De sensatie dat ik door de muren heen kon kijken, hun kleine levens zag. Ik liep op lichte voeten door

hun straten, langs de huizen gleed de schaduw van een on-
feilbaar roofdier.

Het autootje stond met een wiel op de stoep voor haar
huis. Met treden tegelijk steeg ik op naar haar luchtkasteel
en viel met een klap haar wereld binnen.

– Jezus, Ludwig!

Kaarsen. Wierook.

– Ik heb de hele dag gerend, zei ik. Ik kan alleen nog
maar rennen. Ik weet niet wat het is.

Ze zat in kleermakerszit op bed, een wit hemdje met
wijde armsgaten aan.

Ze zei

– Ik heb anderhalf uur in de file gestaan en heel hard
met Lenny Kravitz meegezongen. Krijg ik geen kus?

Ja, dat, en meer. We rolden als jonge katten over het
bed, het centrum van dat kleine zonnestelsel. Boven het
hoofdeinde brandde een waxinelichtje voor een foto, die
me nog niet eerder was opgevallen, ik maakte me los uit
de omhelzing en steunde met mijn armen op de matras
om hem beter te kunnen zien. Twee handen samenge-
vouwen tot een ondiepe kom, erin lag iets ongevormds,
een slijmerige prop, zwart, teerachtig. Ik blies lucht uit
en zei

– Wat is dát voor iets smerigs?

Ik zag onmiddellijk mijn vergissing, hoe ze mijn walging
beantwoordde met nog meer walging. Ze rolde onder me
vandaan en stond in dezelfde beweging naast het bed. Voor
het kleine raam sloeg ze haar armen rond haar borst en
stond daar zwaar, zwijgend. Hiervoor was ik bang geweest,
het verkeerde woord, de kwade spreuk waarmee de ver-
nieling werd ingezet. Ik hapte naar lucht, naar woorden.
Ik moest iets ongedaan maken, maar wist niet wat ik had
gedaan.

– Sarah, wat is er?

– Niets zeggen.

Op grote vleugels daverde het onheil aan, de schrapende boodschap van de onbestendigheid van alle geluk. Eén verkeerde beweging en je staat onherroepelijk buiten de liefde. Ik stamelde excuses en kwam van het bed. Aan het andere eind van de schemerblauwe kamer zag ik de hardheid langzaam, als droge schillen van haar afvallen. De foto met het lichtje had het aanzien van een huisaltaar, zag ik nu. Op het plankje lag wierook, een zilveren speeldoosje, iets wat op een hoopje kruiden leek.

– Dat, zei ze ten slotte met een stem die niet de hare leek, is Dylan.

Ze haalde diep adem. Haar schouders zakten.

– Dylan werd vier maanden te vroeg geboren.

Onder mij opende zich de aarde.

– Daarna is Denzel bij me weggegaan.

– Zijn zwembroek, mompelde ik. Het spijt me. Ik wist het niet.

Dankbaarheid toen ze kort naar me keek. Het leven dat misschien weer begon.

– Denzel, zei ik, hij was zwart?

– Afro-Amerikaan, ja.

Niets wist ik van de wereld, een beginneling. Ze was een leven verder dan ik.

Dagen later, toen ze 's morgens vroeg de deur achter zich dichttrok en mij alleen achterliet, schoot het bloed me weer naar de kaken toen ik aan het voorval terugdacht. Ik draaide me half om in bed en keek naar de zwarte foetus in zijn kleed van bloed en slijm.

– Dag Dylan, zei ik.

Ik wist niet wiens handen het waren die hem vasthielden.

Blanke handen, misschien de hare. Na een tijd was ze weer uitgegaan met mannen, een enkeling werd een minnaar, met geen van hen was het meer geworden.

's Nachts zei ze
– Je hebt een zachte huid. Als van een meisje.
– Jij ook.
Een man en een vrouw lachen zacht in het donker. De woorden: *We were together. I have forgotten about the rest.* Ze nam mijn hand en schoof hem tussen haar benen. Het stugge haar, de gladheid van haar kut.
– Nog een, hijgde ze, en wrikte met haar onderlichaam tot er vier vingers in haar zaten.
Langzaam bewogen ze in haar, ik hoefde bijna niets te doen. Zij, haar bekken, bepaalde het tempo en de mate van binnendringing. Ze snoof en maakte geluidjes, en stiet luid adem uit toen ze klaarkwam. Ik was nog nooit zo hard geweest en gleed meteen in haar – naast haar gezicht rook ik aan mijn vingers, het lichte zuur, zweem van ijzer.
We sliepen onder dunne lakens. Onze lichamen schoven droog en koel langs elkaar, soms half wakker, het verrukkelijke besef te leven, vreugde te voelen over het bestaan van een ander, om dan weer weg te zinken in het donker van de slaap.

Ik belde naar het hotel om te vragen of mijn moeder er was, en werd doorverbonden. Ze nam op. Ik zei dat ik er over een uur zou zijn.
– O, en Ludwig, neem je broodjes voor ons mee?
Ik liep naar het Loews en kocht onderweg broodjes en frisdrank. Ze wist nu dat ik de tijd bij een meisje doorbracht en vroeg er niet meer naar. Een paar keer per week bezocht ik haar. Ze hield zich op de vlakte over haar doen en laten, ik

had de indruk dat de publiciteitscampagne van Rollo Liban effectief was: ik zag haar in kranten en soms, wanneer ik ergens een broodje stond te eten, was ze opeens te zien op de televisie boven de kassa, in een of andere talkshow met een uitbundige host die haar ondervroeg over dingen waarvoor ik mijn oren sloot. Ze ging haar goddeloze gang maar.

Ze zat op het balkon, een grote zonnebril op, met haar hoofd achterover in de zon.

– Daar ben ik, zei ik.

Het was bedoeld als aansporing voor haar om zich te bedekken, want ze droeg niets dan een zwart slipje en een ochtendjas van het hotel, waarvan de panden waren opengeslagen. Ik zag haar borsten, en schaamde me. Ze glimlachte.

– Ah, de roomservice. Pak je een flesje chardonnay uit de koelkast, lieverd?

Ze riep me na

– Ik heb de bedden weer aan elkaar laten schuiven, je slaapt hier toch nooit meer.

De kamer vertoonde tekenen van langdurige bewoning, er was een waterkoker gekomen, op het dienblad verschillende soorten thee. In het raam lag een houten plankje, ingelegd met stukjes parelmoer – witte as eromheen, ze brandde er stokjes wierook op. Het rookverbod in het Loews negeerde ze. De afbeeldingen van de mannen met de baarden waren uit het huis op Kings Ness meegekomen; ze had ze naast de spiegel neergezet, zodat ze, elke keer als ze naar zichzelf keek, ook hen zag, en misschien aan hun filosofie herinnerd werd. Ik vond een klein flesje witte wijn met een schroefdop in de minibar en haalde glazen uit de badkamer.

Ze lag nog altijd even aanstootgevend te zonnen, die schitterende borsten en alles. De laatste keer dat ik haar borsten zag, was in *Lilith*, bij Selwyn thuis. Ik stond op de drempel van het balkon, mijn ogen tastten haar lichaam af. Ik keek naar haar zoals ooit oom Gerard langs het kanaal naar haar gekeken had, de verrukkelijke glans van haar huid, haar slanke, gracieuze ledematen.

– Doe iets aan, zei ik bars. Zo lunch ik niet met je.

Ze draaide haar gezicht naar me toe, ik zag haar ogen niet achter de donkere glazen.

– Waarom? Ik ben je moeder, ik hoef me nergens voor te schamen.

– Ik heb geen zin om naar je tieten te moeten kijken terwijl ik eet.

– Dan kijk je toch ergens anders naar?

Ze knikte naar de zee. Ik had het verontrustende gevoel dat ze me aan het uitdagen was. Dat ze er niet van zou opkijken als ik een hand op haar borsten legde, haar streelde.

– Gedraag je niet als een verdomde hippie, zei ik.

– O god, ik wist niet dat je zó preuts was, Ludwig.

Met een zucht sloeg ze haar badjas dicht.

– Kaas, zei ik, ik hoop dat je daarvan houdt.

– Ik wil eigenlijk niet zoveel zuivelproducten meer eten.

Ze pakte de sandwich uit.

– Ik ben een huisje wezen kijken, niet zo ver hiervandaan. Ik kan hier niet eindeloos blijven, helaas. Een schattig huisje, precies goed voor ons tweeën.

– Waar?

– Venice.

– Daar woont Sarah.

Ze wiebelde met haar tenen. Lichtroze nagellak.

– Sarah heet ze?

– Sarah Martin.

– Wat grappig.

– Wat is daar grappig aan?

– Nou gewoon. Ja, zo gewoon. Zo kan iedereen heten, bedoel ik. Is ze spionne?

Zelf vond ze het wel geestig. Ze vroeg

– Wanneer krijg ik haar eens te zien? Ik heb je nog nooit zo onder de indruk gezien van een meisje. Ben je verliefd? Neem haar eens mee nu ik hier nog zit. Ja, vraag haar morgen voor een high tea. Heerlijke scones, bonbons, van die minicakejes. Of mag ze geen zoetigheid?

– Ik weet niet of dit hier wel iets voor haar is.

– Een van de mooiste hotels van de stad! Natuurlijk vindt ze dat leuk.

Ze had het huis gehuurd voor de resterende tijd in Los Angeles, de eerste van de volgende maand kon ze erin. Het had twee slaapkamers, vertelde ze, en een kleine tuin voor en achter. Je kon de tuindeuren tegen elkaar openzetten. Ze had zich laten verzekeren dat het een rustige buurt was, dat de gewelddadige criminaliteit van andere delen van Venice er niet voorkwam.

Na de broodjes ging ik op zoek naar Berny Suess, de hotelmanager, om te vragen of hij geen pianist nodig had, eentje die ook kon zingen, een jukebox met vingers. Ik vond hem in zijn kantoor aan het einde van een donkere gang op de eerste verdieping. Zijn gezicht sprong op service-mindedness toen ik in de deuropening verscheen. Ik vertelde wie ik was en wat ik kwam doen. Energiek kwam hij achter zijn bureau vandaan.

– Laat maar horen wat je kunt, zei hij. Er is wel eens iemand nodig, maar onregelmatig.

Hij liep met vlugge pasjes voor me uit. Een pluk haar was losgesprongen van de bovenkant van zijn kalende schedel en veerde ter zijde van zijn hoofd. Ik probeerde naast hem te lopen maar hij bleef me telkens een stap voor.

– In de bar hebben we 's avonds een zanger-gitarist, die heb je misschien gezien, voor een pianist is eigenlijk alleen plaats bij speciale gelegenheden, privéfeestjes, presentaties, snap je.

De kruk ontbrak. Ik haalde een kuipstoel uit de conferentiezaal en ging achter de piano zitten.

– Wat wilt u horen?

– *Bridge over Troubled Water*, zei Suess zonder een moment na te denken. Het allermooiste dat ik ken.

Ik had het gelukkig paraat, en mijn stem was er geschikt voor.

– Ja, mompelde Suess een paar keer terwijl ik speelde.

Het nummer leek verbonden aan een herinnering, een die hem zichtbaar aangreep. Toen het afgelopen was deed ik er meteen het andante van Mozarts elfde sonate achteraan om hem te overtuigen van mijn brede inzetbaarheid.

– Jongen, zei Suess, waar kan ik je bereiken.

Ik grijnsde.

– Kamer 304.

– Die situatie, zei hij. Twee mensen op een eenpersoonskamer. De gast van mevrouw LeSage. Ik wilde er nog niks van zeggen. Heerlijke vrouw, zo aardig bedoel ik, geen sterallures, niks. Echt schitterend.

– Mijn moeder, zei ik. Een paar nachten was het maar, nu slaap ik meestal ergens anders.

– Zeg, heb je een beetje kleren voor zoiets? Das, overhemd? Jasje?

De slapeloosheid van geliefden. Fluisterend nemen we hapjes van elkaars levensloop. Ik luister naar de jeugd van een onbekende, een meisje dat bergen met besneeuwde toppen zag in het westen, en hevig onweer boven de prairie, met bliksemschichten die vanuit de wolken tot aan de grond reikten. Het woord *niets* voor Augusta, een vlek. Lage huizen, pick-ups ervoor. Het radeloze verlangen naar iets anders. Eens per jaar was er een grote rodeo, mannen met lederen beenkappen, het gruwzame *yie-ha!* in de straten. Ze herinnert zich de scheut van opwinding toen er op een dag een lichaam werd gevonden langs de weg, doorzeefd met kogels. Later las haar vader voor uit de krant, over een getrouwde vrouw die het had aangelegd met een Hell's Angel, ze had zich tegenover hem beklaagd over haar echtgenoot, hoe ze onder hem leed. Het plan hem te vermoorden was uit haar jammerklacht voortgekomen. De Hell's Angel had twee vrienden gevraagd hem te helpen, ze hadden de echtgenoot meegelokt naar een stripclub, 's nachts hadden ze hem langs de kant van de weg in zijn borst en gezicht geschoten. Haar vader las zulke verhalen voor als waarschuwing, vrees de wereld, maar in haar ontstak het juist een verlangen naar die wereld, de romantiek van de ontsporing.

Sarah probeert tweemaal per jaar naar huis te gaan, naar Augusta, met Thanksgiving en voor het jaarlijkse familiefeest.

– Mijn moeder wil je ontmoeten, zeg ik.

– Zo snel al?

Sarah weet niet wat een high tea is maar zal proberen er op tijd te zijn, na haar werk. Het moment dat ik almaar heb uitgesteld. Ze zal het moeten weten voordat ze haar ontmoet.

– Je vroeg laatst waarom mijn moeder en ik hier zijn.

Ik rol een rafelig levensverhaal voor haar uit, steekwoorden, halve zinnen, samengeperst tot er geen druppel leven meer in zit. Moederskant, vaderskant negeer ik. Koud vertellen. Haar verbijstering negeren.

– O mijn god, arme Ludwig.

Ze herinnert zich er iets over gehoord te hebben, of gelezen.

– Krankzinnig, zegt ze, krankzinnig.

Dat klinkt al veel beter. Dan slaapt ze. Ze heeft nog iets meer dan drie uur voor haar dag begint. Ze ademt diep en kalm. Ik waak over een wonder.

's Middags na vijven, later die dag. Of meneer Suess al heeft gebeld, vraag ik mijn moeder. Ze schudt haar hoofd. Ik zou willen weten of ze al aan de opnames begonnen is, of de ironie en de propaganda al zijn overgegaan in de ernst van seks voor geld – zijn de troepen al plunderend over haar heen getrokken?

Ze zegt dat ze vast zal bestellen. Haar stem in mijn rug

– Ze zijn er wel een tijdje mee bezig. Ik hoop dat je meisje er op tijd is.

Alles wat ze zegt boezemt me afkeer in. Meer. Een haat die zich hoog in mijn borst ophoudt. Als ik haar keel zou dichtknijpen ben ik bang dat ik niet meer loslaat. Ik wil weten wie het zijn die haar neuken, ik wil hun gezicht zien als ze in haar gaan. Soms ontwaak ik uit dagdromen: orgieën van misdaad en verkrachting – het is klaarlichte dag, ik loop over straat, de gebeurtenissen in mijn hoofd zijn haarscherp, de wereld om me heen staat in zwak licht.

Sarah is laat. Ik weet dat er daar binnen een teller loopt. Eigenlijk hoor je hier altijd sirenes. Altijd. Alsof men hier elke slechte gedachte meteen ten uitvoer brengt. De thee en de scones zullen er wel zo'n beetje zijn. Misschien moet ik een parkeerplaats voor haar vrijhouden langs de stoep, de valet-parking van het hotel kost een godsvermogen. Straks niet vergeten schoon ondergoed uit mijn koffer te pakken.

Ze kwam iets na zessen. Ik was geïrriteerd en opgelucht. Mijn moeder zat achter een zilveren toren vol geur- en smaakstoffen.

– Hallo Sarah, zei ze. Ik ben Marthe.

En tegen mij, zachter

– We hadden beter kunnen dineren.

Ze schonk thee in.

– Voor mij geen suiker, Marthe, dank je, zei Sarah.

Ze nam een sandwich met eiersalade. Mijn moeder rinkelde in haar kopje. Sarah vertelde dat ze vandaag een bord pasta over zich heen gekregen had. De vrouw had niet eens sorry gezegd.

– Mensen, zei mijn moeder. Je mag niet oordelen, maar soms...

– Je bent erg mooi, zei Sarah. Het is moeilijk te geloven dat jullie moeder en zoon zijn. Qua leeftijd bedoel ik.

– Gelukkige genen, zei mijn moeder. Alleen onze halzen, we hebben ongelukkige halzen in onze familie.

– Ik zie er niks raars aan.

– Maar zo wel.

Mijn moeder boog haar hoofd voorover zodat er diepe plooien in haar ongelukkige hals ontstonden.

– O, maar dat heb ik ook, zei Sarah.

Zij boog nu ook haar hoofd zodat er een onderkin verscheen.

– Jullie hebben nog wel een paar gemeenschappelijke interesses, mompelde ik.

– O ja? zei mijn moeder.

– Wierook, zei ik. Kaarsen. Dat soort dingen.

– Bedoel je spiritualiteit, Ludwig? vroeg Sarah met een onbetrouwbaar soort aardigheid.

Ik lachte naar haar om onze band te bevestigen, maar was er opeens niet zeker van dat we deel uitmaakten van dezelfde samenzwering.

– Hij maakt daar altijd grapjes over, zei mijn moeder. Je lijkt zó bang om iets te geloven, liever. Terwijl... het leven wordt zoveel rijker als je niet zo cynisch zou zijn. Aan je vader kun je zien...

– Ander onderwerp, zei ik.

Ik had haar van tevoren gezegd dat alles omtrent Schultz verboden terrein was in Sarahs aanwezigheid. Of ik die uitgang daarmee voldoende afgesloten had, wist ik nu niet meer zeker.

– Wordt het cynisme van vader op zoon doorgegeven bij jullie? vroeg Sarah. Het lijkt me zoiets typisch mannelijks. Alsof jullie ongeloof met kracht verwarren.

Een zweem van goedkeuring rond mijn moeders lippen. Toen vertelde ze over mijn geboorte, hoe ze in het hospitaal in Alexandrië om de paar minuten aan mijn wiegje had geschud om te horen of ik nog leefde. Ze legde een hand op Sarahs onderarm.

– Ik was toen al zó jaloers op het meisje dat hij ooit zou krijgen!

Het gesprek waaierde uit naar praktisch idealisme, ik schrok op toen ik Sarah later hoorde zeggen

– Daarbij heb ik Ludwig ontmoet.

– O? zei mijn moeder.

Sarah keek naar mij.

– Heb je niet verteld hoe we elkaar hebben ontmoet?

– Zulke dingen interesseren haar niet zo.

– Oh, Ludwig! Dat is vals, ik vind dat juist heel leuk om te horen!

– Ik wil zo weg, zei ik.

De gedachte uit haar gekomen te zijn – te kokhalzen met een mond vol vruchtwater.

– Nog één kopje thee, zei Sarah. Ik ben er net.

– Heel goed hoor, zei mijn moeder. Hij kan zo dwingend zijn. Kom maar voor jezelf op. Maar waar hebben jullie elkaar nou ontmoet?

Het liep uit de hand. Ik zei

– Waarom heb je me dat dan nooit gevraagd, als je er zo benieuwd naar bent?

– O, nou, je bent altijd zo vlug weer weg.

– Ik wil het wel vertellen hoor, zei Sarah, er is niks geheimzinnigs aan.

Ik zag hoe ik haar zou kunnen haten.

– Ik wil het liever over iets anders hebben, zei ik. Porno of zo. Neuken voor geld. Prostitutie voor de camera.

De stilte rondom die zilveren cilinder vol zoetigheid was heel aangenaam.

– Dat was niet zo... aardig, Ludwig, zei Sarah na een tijdje.

Ik was sprakeloos. Ze moest naast me staan, naast me! Niet tegenover me! Achter de overwinning kwam direct de nederlaag tevoorschijn; mijn moeder zat met afgewend gezicht, haar ogen vol tranen. Tranen godverdomme. O klootzak, je hebt alles verziekt. En Sarah kijkt naar je met de allerpijnlijkste afstand in haar ogen en gaat nu naast haar zitten om een hand op haar schouder te leggen en die verdorven hoer te troosten. Ander woord. De bedeltjes rond haar pols rinkelen zacht terwijl ze mijn moeder over haar rug strijkt. Die glimlacht naar haar en dept de hoekjes van haar ogen met haar vingertoppen – een en al *female bonding* daar, het is niet om aan te zien, wat een louche tafereel. En is het niet wonderlijk dat ik, die de schakel ben tussen die twee, uit de hele situatie verdwenen ben? Een chemisch proces is het, de katalysator keert na de reactie onveranderd terug, en ik ben weer alleen.

– Het geeft niet, zegt mijn moeder. Moeders zijn toch een soort boksbal hè. Bijna alle mannen zijn moederhaters. Dat is nu eenmaal zo.

Sarah schuift over de bank terug naar haar plaats. Ze blaast in haar kopje alsof de thee erg heet is.

We reden door Santa Monica, het was vroeg in de avond.

– Ik vond haar heel aardig, zei Sarah.

– Je kent haar niet, zei ik voor me uit.

Vruchteloos. Je kunt de wereld niet meedelen aan een ander. Ik ademde door een haag van weerzin. Ze had haar kant gekozen. Neutraliteit had ik begrepen, partijdigheid in de verkeerde richting was onvergeeflijk. Ik was er niet op verdacht geweest, mijn verdediging lag open. Mijn moeder had Sarah verleid en zich simpel tussen ons gewrongen. Ze was mijn concurrent geworden om Sarahs aandacht en loyaliteit.

Sarahs kamer was te klein om zwijgend bijeen te zitten. Ik ging naar buiten met mijn teleurstelling onder de ene arm en mijn ziel onder de andere. Het gemis van een huis om naartoe te gaan deed zich voelen, ik zou te gast zijn waarheen ik ook ging. Langs de straten stonden lage, stoffige bomen met kleine bladeren die waren opgekruld door de droogte. Toen het ultramarijn de hemel overrompelde slenterde ik terug naar haar huis en kwam binnen met de achteloosheid van een kat die een paar dagen is zoek geweest. Opnieuw de kaarsen, de wierook die opsteeg in een beverige kolom, de mystiek van een sjamanengrot. Ik probeerde niet naar het dode kind te kijken, het brandpunt van de kamer.

– Je praat niet, zei ze. Je bent blijkbaar ergens heel boos over, maar hoe kan ik iets doen als je niks zegt?

De lusteloze mantra die de mislukking begeleidt. Ze zei

– Ik weet niet hoor, maar wat doe je hier als je niet wilt praten?

Ik draaide me om en liep de stalen trap weer af, terug de straat op. Een hoge, schroeiende trots sneed me de adem af. Zo vlug was dan de onvoorwaardelijkheid geëindigd, zo vlug werd je van geliefde een ongewenste gast. In zekere zin genoot ik van het vreugdevuur van de zelfvernietiging. Achter me klonken vlugge, lichte voetstappen.

– Deze keer loop ik je nog achterna, zei ze, volgende keer zoek je het maar uit. Wat wil je, Ludwig? Ik weet niet waarom je zo doet.

Even overwoog ik haar te negeren en door te lopen, maar ik begreep dat ik daarmee mijn hand zou overspelen.

– Ik wilde je niet wegsturen, zei ze, ik vroeg wat je bij me wilde als je zo doet. Het was een vraag, oké, een vraag!

Ik liet me met een zwaar lichaam mee terugnemen naar haar huis. Later nam ze mijn geslacht in haar mond, haar mondholte was heet van de thee. Een schreeuw steeg in me op toen ik klaarkwam. Later hoorde ik een spuugge-luid in de wc: ze had het zaad minutenlang in haar mond bewaard.

De indianen, een coalitie van stammen, waren met bussen uit de bergen gekomen voor een mars naar het Hof van Beroep in Pasadena. Net als bij de demonstratie voor de galerie was er een jongeman die de operatie leek te leiden. Hij beheerde de megafoon en ging voor in gebed voordat de stoet zich in beweging zette. Het was even na het middaguur, er scheen een felle zon. In het midden van de kring brandde een oude, blinde indiaan takjes gedroogde salie en mimede afwisselend toverspreuken naar hemel en aarde. Een spandoek schreef NO DESECRATION FOR RECREATION. Er ging een rokende stok rond die ieder boven het eigen hoofd ronddraaide alvorens hem door te geven. De stok kwam bij Sarah en mij.

– Reiniging, zei ze zacht. Wacht...

Ze zwaaide de stok eerst boven mijn hoofd en toen boven het hare, en gaf hem door aan de viltharige jongen naast haar. Iemand schreeuwde in de megafoon

– *Voor de rechten van de natuur! Van de aarde! De mensheid!*

De megafoon ging van hand tot hand. Niet iedereen wist waar het goede knopje zat. We werden opgeroepen onszelf te bevrijden van de ziekte van hebzucht en begeerte. De slogans vlogen richtingloos heen en weer. Het leek erop dat een groep antiglobalisten aansluiting had gezocht bij de indianen. De stoet kwam in beweging. Trommels dreunden.

– Stamoudsten voorop! riep de leider.

Hij had een scherpe neus, zijn huid had de kleur van hazelnoten. Ik begreep waarom mensen hem wilden volgen, zijn charisma leek te kunnen worden uitgedrukt in een wattage. Sarah duwde de winkelwagen. Er lagen gefotokopieerde vlugschriften in. Ze deelde bananen en water uit aan de hongerigen en de dorstigen. Ze was onze moeder. Achter ons danste een groepje indianen – een knappe grijze man met een rode schaamlap gaf de maat aan met rinkelende banden rond zijn enkels. Hij danste de hele weg lang, zijn lichaam glanzend van het zweet. Ik verschrompelde bij zijn heilige ernst. Wat was ik anders dan een indringer en een krachteloze ironicus? Sarah schreeuwde leuzen mee, wanneer ze haar vuist in de lucht stak kroop haar hemdje op. Ik zag haar blanke buik. Ik wist hoe ze rook, ik kende haar smaak.

De stoet werd gadegeslagen door sceptische zwarten op de stoep. De afstand tussen die ernstige indianen en de negers die maar zo'n beetje stonden te grijnzen, kon niet groter zijn. Wat stonden ze anders tegenover de grond! De indianen die hier betoogden voor het behoud van hun heilige grond, de negers die hem juist associeerden met de gedwongen arbeid van hun voorouders, en zich er radicaal van hadden afgekeerd. Sarah vroeg me de winkelwagen te duwen en ging een vestiging van Hooters in om daar A4'tjes uit te delen aan grinnikende mannen. Ik kon niet blijven staan in de stroom, werd voortgestuwd door druk van achteren en liep nu achter een winkelwagen in een stoet van indianen en antiglobalisten naar het gerechtshof waar een uitspraak werd aangevochten. Nooit zag je eens gewone, verstandige mensen op zulke bijeenkomsten, altijd waren het de halve zolen met een ring door de neus, die met hun dumpuniformen en het doffe rijm van hun slogans vooral uitdrukking gaven aan het begrip stagnatie.

Sarah kwam me achterop, ik gaf de winkelwagen aan haar terug. Ik vroeg me af of ik me ooit ergens mee zou kunnen verbinden zoals zij, of dat voor altijd de laffe scepsis zou regeren in die dorre, vroeg oude ziel van mij. Op Colorado Boulevard zei ik

– Ik ga er even tussenuit. Een hamburger eten.

– Nu? Dat meen je niet.

Ik gaf haar een vlugge kus en viel uit de rij. Op enige afstand liet ik de optocht aan me voorbijtrekken, en huiverde door het droeve geluid dat een indiaan voortbracht op een helmschelp – een walvisjong dat zijn moeder verloor.

Ik liep terug naar Hooters en liet me in die profane omgeving een hamburger bezorgen door een meisje dat borsten voor zich uit duwde als ijsbergen. Daarna belde ik met een openbare telefoon naar Loews om te vragen of er al werk voor me was, en werd doorverbonden met Berny Suess.

– Jongen, goed dat je belt. Heb je zaterdag tijd?

Of ik kon spelen tijdens een receptie, iets voor een goed doel, er werden beroemdheden verwacht.

Ik vroeg de weg naar het gerechtshof en voegde me weer bij de betogers. Sarah stond in een kring voor de ingang van een victoriaans gebouw tussen hoge bomen. Er was, begreep ik, al een delegatie binnen, de achterblijvers zeiden gebeden op en dansten en zongen. Ook de leider was achtergebleven. Hij stapte in de kring en zei dat het nu tijd was om te bidden en offers te brengen. Hij legde een schelp in het midden neer.

– Waar is het oosten? vroeg hij zacht aan zijn secondant.

Onder het aanroepen van de geesten van de vier windrichtingen en de kosmos zelf bracht hij een rookoffer. De geur van rozemarijn.

– Broeders en zusters, zei hij, laten we bidden voor de misleide geesten daar binnen, die ook onze broeders en zusters zijn, maar verblind werden door hebzucht. Laten we hun liefde sturen.

Sarah knikte. Er lag een devote glans in haar ogen. De indiaan legde gedroogde salie in de schelp en wapperde met een witte vleugel boven de rokende offergaven. Het werd stil. Ik keek opzij, Sarah stond met gesloten ogen naast me, ik wist zeker dat ze liefde naar de rechtszaal stond te zenden, of in elk geval geloofde dat ze dat deed. Ik dacht aan andere dingen, aan hoeveel geschikter ze zou zijn voor die jongen die nu in het hart van de cirkel voorging in gebed, hoe die twee een leven van actie en holistische overtuigingen zouden leiden en neukten dat de vonken er vanaf vlogen – een scheut zoete jaloezie. Ik legde mijn hand op haar onderrug, licht, om haar niet te storen in haar concentratie. De indiaan stond op en nodigde de anderen uit om hun offergaven in de schelp te leggen. Een neger met veren in zijn haar kwam naar voren. Hij ging op zijn knieën zitten en maakte een paar karateachtige gebaren. Zijn stem was die van een gospelzanger. De geur van een schroeiende veer beet in mijn neus.

– O Heer, riep hij uit, het is tijd om Babylon te vernietigen! Is het niet de hoogste tijd, Heer? Breng alstublieft Babylon ten val. Neer met Babylon! Neer met Babylon!

Hij stond op, boog en trad terug in de kring. Er volgde een stoet van zonderlingen. Toen ik geeuwde stootte Sarah me aan.

– Gedraag je, carnivoor, zei ze.

De gebeden doofden, de leider zette de megafoon aan zijn mond.

– Over de toiletsituatie, zei hij. Als je naar de wc wilt, kan dat in het gebouw, maar dan moet je je ID laten zien, oké? Ga niet dwarsliggen, we krijgen het meest voor elkaar als we coöperatief zijn.

Ik begreep de coöperatieve houding als de uitkomst van de onafzienbare rij nederlagen van zijn volk – er restte hun niets dan coöperatie.

– Ik bewonder het, ik bewonder het echt, zei ik later die dag tegen Sarah.

– Maar?

– Geen maar. Jullie, jij hebt iets wat je hoger stelt dan jezelf. Daar is iets voor nodig wat ik niet bezit. Jezelf kunnen weggooien, als een sannyasin.

– O, doe niet alsof we een soort freaks zijn, een sekte van idioten. Geloof jij dan helemaal nergens in? Is er dan niets heilig voor je? Zelfs de liefde niet, Ludwig? Jezelf weggeven voor een ander?

Ik wist dat mijn antwoord van belang was voor alles wat zou volgen. Ik peilde mijn innerlijk, en zei naar waarheid

– Ik weet het niet. Ik weet het echt niet.

Toen mijn moeder het Loews verliet, speelde ik er voor het eerst. De beroemdheden in de zaal manifesteerden zich als verdichtingen in de menigte, mensenklonteringen rond een kern. Het was iets voor een goed doel, soms vroeg men mij het spelen even te laten en riep een man enthousiast getallen in een microfoon: zoveel dollar voor dit, zoveel voor dat. De beroemdheden veilden zichzelf, je kon met ze op de foto voor geld. Berny Suess was twee keer de zaal binnen gekomen en trommelde met zijn vingers op de piano terwijl hij het feest overzag. Na afloop meldde ik me op zijn kantoor.

– Goed gedaan, zei hij. Of ze er iets van hebben meegekregen betwijfel ik, maar het was beter dan niets.

Dat vond ik grappig, beter dan niets. Maandag kon ik mijn geld halen, nu zat de kluis op het tijdslot. Het moest contant want een werkvergunning had ik niet.

Sarah was bij de indianen – ze was de karavaan gevolgd naar San Francisco, ze zou er zondagavond weer zijn.

Ik ging de zachte avond in. Op de kaart vond ik Washington Way op de grens tussen Santa Monica en Venice, daar had mijn moeder dat huisje gevonden. Ze had mijn koffer er mee naartoe genomen.

Ik vond het in de schaduw van lage bomen. In de takken fluisteringen over verlorenheid. In een schuur in Suffolk stonden onze bezittingen opgeslagen, ik had niet meer aan ze gedacht sinds ik weken geleden de reis aanvaardde – nu wilde ik niets liever dan ze om me heen verzamelen en *thuis* zeggen.

Ik klopte aan. Nog eens. Een raampje in de deur ging open als in een sprookje.

– Wie is daar?

Ze droeg een ochtendjas van het Loews. Of ik thee wilde. We zaten aan tafel, een paar kaarsen, daaromheen schaduwen. Ik keek rond in het kleine huis, dat minimaal was ingericht. Tralies voor de ramen, in de keuken hingen blinkende pannen aan de muur.

– Suiker in je thee? vroeg ze.

Ik keek naar haar.

– Suiker ja. En een wolkje melk alsjeblieft.

– Al die suiker is slecht voor je.

– Je gebruikt het zelf ook.

– Héél weinig. Meestal zoetjes trouwens.

Er was iets aan haar wat ik niet goed kon thuisbrengen. Ik speurde haar gezicht af. Ze leek ouder. Misschien door het kaarslicht, maar er waren lijntjes rond haar mond, haar ogen, de plaatsen waar het leven zich ophoudt in een gezicht. De slaap had haar weerloos gemaakt, en het masker van de eeuwige jeugd afgenomen.

– Ik heb gespeeld vanavond, zei ik, in het Loews. Maandag kan ik mijn geld halen. Mijn eerste zelfverdiende dollars.

– Op naar de top, zei ze.

– Het ging best goed. Ik hoorde dat Tom Cruise er was.

– Was je alleen?

– Tom Cruise was er ook, zeg ik net.

– Was Sarah bij je?

Ik schudde mijn hoofd.

– Waar is ze dan?

– Demonstreren met indianen.

– Dus nu heb je weer even tijd voor mij.

– In San Francisco. Ze komt morgen terug.

– Het was leuk haar te ontmoeten.

Ze dacht even na. Toen

– Ze is niet speciaal mooi of zo. Is ze joods?

Ik keek haar aan, van mijn stuk gebracht. Waarom zegt ze zoiets? Waarom verjaagt ze de schuchtere geest van vrede die boven tafel hangt?

– Ik vind haar mooi, zei ik. Wat jij ervan vindt... Ach, weet je, laat maar.

Ze zuchtte.

– Je denkt altijd meteen het slechtste, Ludwig. Ik vond haar aardig, zei ik toch, ze leek me heel bijzonder.

– Heb je iets te eten in huis. Ik heb nog niks gegeten.

– Nu nog? Zo laat eten is niet goed voor je.

– Ook al niet.

Ze kwam terug met crackers en een tube smeerkaas.

– Fruit, zei ze. Wil je fruit?

Ze legde een appel voor me neer. Als ik me niet vergiste had ik dezelfde appel een tijdje geleden in de vensterbank van de hotelkamer zien liggen. Ik trok een glanzende worm smeerkaas over de lengterichting van een cracker en smeerde hem met het mondje van de tube naar weerszijden uit. Ik hield mijn ogen op het werkje gericht terwijl ik vroeg

– Wat doe je allemaal, overdag bedoel ik. Globaal.

– Globaal?

– Geen details.

– Ik heb niet zo'n zin om het daar nu met je over te hebben. Liever een andere keer, oké?

– Wanneer komt de tweede *Lilith*-film uit? Dat kun je toch wel zeggen?

– In oktober geloof ik. Dat wacht ik af. In december beginnen de nieuwe opnames in Wenen. Dan ga ik hier ook weer weg.

– Mis je je spullen, je spulletjes niet? Denk je niet aan ze? Wil je niet weer een huis? Een echt huis? Niet... dit.

Ze schudde haar hoofd.

– Materie, Ludwig, ik verbind me er niet mee. Ik heb het nog geen seconde gemist. Je hebt niks, gisteren niet, morgen niet, alleen nu is er – en zelfs dat heb je niet. Ook ons huis... ik vond het verschrikkelijk hoor, een ramp, maar of ik het mis? Nee. We hebben heerlijke jaren gehad in Alburgh, blijkbaar was het tijd voor iets nieuws.

Haar voeten schoven over de plavuizen. Ze stond op.

– Blijf je slapen?

Ik schudde mijn hoofd. Ze zei

– Ik ga namelijk weer naar bed.

Ik had nog willen zeggen dat ik Kings Ness wel miste, en me soms met een schok realiseerde dat het huis weg was, definitief weg, dat we uit ons leven waren gevallen en er geen terugkeer mogelijk was. Ook over de tentoonstelling van Bodo Schultz had ik nog willen vertellen, over zijn afgrond – dat hij op dit moment ergens op dit halfrond in een stikdonker oerwoud aan zijn insectenbeten lag te krabben, maar dat zou ik tot later bewaren, ze zou veinzen niet geïnteresseerd te zijn maar elk woord dat ik zei indrinken, en dan zeggen

– Wat maakt-ie het zichzelf toch moeilijk, die zielige man.

Maar dat is voor later. Eerst ga ik naar haar huis, slapen in het bed dat ruikt naar Sarah en mij. Morgen komt ze terug. Eigenlijk vandaag al, het is al lang na twaalven.

In juli en augustus zijn er branden geweest rond de stad. Sigarettenpeuken, de vonken van een slijptol, alles zette de heuvels in lichterlaaie.

Sarah heeft me een zilveren pinkring gegeven, zo dun dat hij telkens verbuigt. Ze zegt

– Als iemand nou vraagt wat wij hebben, niet dat iemand dat doet, maar stel, hoe moet ik het dan noemen?

Ze is energiek en vrolijk, als we ruziemaken komt dat door de kleine ruimte die we delen, en door het temperamentverschil. Ze kan opvliegend zijn. Ze begint met ruzie en stelt dan pas vragen.

Haar lichaam stelt me doorlopend voor verrassingen. Ze heeft korte, explosieve orgasmes, ze heeft seriële orgasmes, een snoer van kleine ontladingen waar geen eind aan lijkt te komen, ze heeft orgasmes waarvan ze zegt

– Ik weet niet, het begon heel heftig maar toen was het opeens weg.

Het rugby heeft me een lichaam gegeven dat geschikt is voor harde confrontaties, pas in de liefde leer ik het kennen en beheersen als een instrument voor het genot.

Ik lag met open ogen, verzadigd, de wereld kon er zijn of niet – we waren weggedreven op een van de aarde afgebroken scherf. Ik keek van bovenaf naar mezelf, een jongen op zijn rug, niemand die zich afvroeg waar hij was, hij kende niemand en niemand kende hem; anonimiteit tot aan de grens van het niet-bestaan.

Wanneer ik 's morgens opstond, later dan zij, vond ik briefjes.

Je wordt nú gemist, op het moment dat je dit leest. Nú en nú en nú ook

Of

Mijn hart is daar ergens bij jou achtergebleven (zoek in het bed)

Onder het vrijen dacht ik soms aan de foetus boven ons hoofd en was dan bang dat ze zwanger zou worden, nieuw leven tegen de zwarte dood die uit haar was gekomen. Ik droomde dat ze op me zat, me bereed; toen ik wilde dat ze van me afging, was ze aan me vastgegroeid, onze huid was die van één organisme geworden, alsof we op elkaar geënt waren – het gevoel van afgrijzen achtervolgde me tot lang na het wakker worden.

Ik las een boekje dat ik had gevonden tussen de esoterische titels op haar boekenplank. Over een veertienjarige jongen die scheep gaat in Napels, hij kijkt de Vesuvius na tot zij uit het zicht is, nu is hij voor het eerst van zijn leven alleen. De reis gaat naar Amerika. Zijn broer Ricardo is daar al, hij werkt in Pennsylvania. Sabato Rodilla reist zijn broer achterna, in het nieuwe land gebruikt hij de naam Dick Sullivan om gemakkelijk werk te krijgen van de Ierse voormannen. Zijn broer komt om het leven bij een ontploffing in een mijn. Sabato, die zich nu Sam laat noemen, Sam Rodia, reist door naar Seattle. In 1902 trouwt hij met Lucia Ucci, samen reizen ze naar de westkust. Ze krijgen twee kinderen. Rodia is een problematische drinker, in 1912 laat zijn vrouw zich van hem scheiden. Rodia's zware Italiaanse accent is in de transcriptie van de citaten bewaard gebleven. *I was one of the bad men of the United States. I was drunken. All the time drinking.* Maar dan gaat plotseling de kurk op de fles. *I quit the drinking in 1919. I don't drink wine, beer, if you give me a hundred dollars. No touch it.*

Voor een paar honderd dollar koopt hij een driehoekje grond in Watts, een suburb ten zuiden van Los Angeles. Met eenvoudige gereedschappen, hamer, troffel, nijptang, begint hij de bouw van een aantal torens, open constructies van draadstaal, kippengaas en mortel. De natte mortel versiert hij met kleurige scherven en schelpen die hij op het strand vindt, met flessenbodems, gebroken kopjes, handvatten van kannen, alles wat hij opraapt langs de kant van de weg en in de tas stopt die hij altijd bij zich draagt.

Op foto's in het boekje zag ik de knokige structuren in de zon, de uitbundige kleuren – ik wilde er meteen naartoe.

Rodia is aan de bouw van zijn torens begonnen als man van middelbare leeftijd, tweeënveertig is hij dan, hij houdt er pas weer mee op als hij vijfenzeventig jaar oud is. Crisis, oorlog, herstel, al die tijd zit hij boven in die torens te zingen en in zichzelf te praten. *I work in the night, midnight, sleep five hours a night. Work two hours in the morning, Sunday, Christmas Day.*

Ik las dat het hele complex een geabstraheerd schip voorstelde, de muren die het driehoekige perceel begrensden vormden de romp, en de drie torens daarbinnen waren de masten. Er stond niet bij in welke windrichting de boeg wees.

Het was een banale maar wezenlijke vraag waarom hij drieëndertig jaar aan die torens werkte. Rodia zei: *Why I built it, I can't tell you. Why-a man make the pants? Why-a man make the shoes?* Het leek erop dat de schoonheid hem voldoende was, en de aandacht van mensen. *I built the tower the people like... everybody come.*

Toen Rodia vijfenzeventig was schonk hij zijn land en de torens aan een buurman en vertrok naar zijn zuster in

Martinez. Gebaar van eenvoudige, aangrijpende drama-
tiek. De kunsthistorische waarde van zijn werk werd nog
tijdens zijn leven erkend. Toen men hem eens afbeeldingen liet zien van Gaudí's *Sagrada Familia*, vroeg Rodia (ik
moest lachen toen ik het las): *Did he have helpers?*

Men antwoordde: *Of course he had helpers.*

Rodia: *I had no helpers.*

Ik vroeg Sarah of we de torens konden gaan zien. Zij was
al eens geweest, ze zei

– Dan rijden we daarna de Mojave in. Daar realiseer je
je pas dat we hier eigenlijk in de woestijn zitten.

Watts. Een troostelozer landschap kende ik niet. Lage huizen, alles van goedkope materialen. Alleen zwarten en latino's, de enige blanken waren wij.

– Na zonsondergang, zei Sarah. Brr...

Er waren veel kerken, eenvoudige gebouwen van hout en steen met borden tegen de gevel waarop je kon lezen dat Jezus voor onze zonden gestorven was, en dat er redding was in Hem. Tweemaal vroegen we de weg, we werden naar het spoor gewezen dat we moesten oversteken. En toen waren we er opeens, zonder waarschuwing stonden daar de Watts Towers – kleiner dan ik me had voorgesteld, en ook minder kleurrijk. Sarah parkeerde de auto, ik stapte uit en stak de weg over. Eerst de stoep, dan de buitenmuur van Rodia's perceel – ik keek omhoog langs de cirkelende structuur van de middelste toren, die van dichtbij veel meer kleur had. Het was te veel voor een oogopslag, ik stapte terug. In zo'n illusieloze omgeving opeens zoiets vitaals, zoveel gestolde scheppingsdrift – iets in mij was aangeraakt, ik had het bestaan ervan niet vermoed.

– De zon weer, liefje?

Sarahs hand streek over mijn rug. Ik knikte en wreef de tranen uit over mijn gezicht.

– Kom, zei ze.

Ik verborg mijn ogen achter de zonnebril toen we entreekaartjes kochten bij het naastgelegen kunstencentrum. Een vrouw ging ons voor naar het hek dat toegang gaf tot het complex en haalde het slot eraf.

Groot was het terrein niet waarop het was verrezen. Zodra je ogen op de details waren ingesteld, verdubbelde de ruimte zich, er ging een wereld aan speelse vormen open. Hier was *de versierende mens* bij uitnemendheid aan het werk geweest, iemand die werkte zonder voorbeeld, zonder voorganger, die slechts toegaf aan een diepe drang om iets groots en onherhaalbaars te maken.

Op veel plaatsen had hij zijn initialen aangebracht, ik zag tableaus waarin hij afdrukken van zijn gereedschap had gemaakt, een handtekening: hiermee bouwde ik, Sam Rodia, deze torens. Met deze hamer, dit houweel, deze rasp, deze spijkers en deze tang heb ik dit wonder verricht.

We liepen over de bewerkte cementen vloeren, keken met het hoofd in de nek en raakten verstrikt in de eindeloos spiralende structuren, ontelbare ringen omhoog. De torens waren verbonden door luchtbogen, ook weer belegd met zongebleekte schelpen. Rodia decoreerde zoals de natuur de aarde overwoekert als je haar haar gang laat gaan. Het zou gepast zijn luid te juichen. Zo ging je een geloof binnen, met de schok van een openbaring.

Sarah wees me op een groepje hardstenen miniatuurdieren in het portaal. Ik knikte en verwijderde me enigszins van haar. Dit was een plaats om alleen te zijn, niet één ander mens in je blikveld, je zou het vierentwintig uur voor jezelf moeten hebben om het te kunnen zien zoals hij het had gezien, bij zonsopgang, in de middag, in de avond, mompelend van *welaan, laten wij ons een stad bouwen met een toren waarvan de top tot in de hemel reikt, en laten wij ons een naam maken, opdat wij niet over de gehele aarde worden verstrooid.* En je realiseren dat hij het maar kort in de huidige, min of meer voltooide staat had gezien. Was hij er bedroefd over, omdat elke voltooiing nu eenmaal een einde betekent? Of overzag hij tevreden het rijk van torens dat onder zijn han-

den was verrezen? Wat riep hij als hij op zijn duim sloeg?
Je had hem aan het werk willen zien daar boven, hangend
aan een trans. Er waren foto's van, ik had ze in het boek
gezien, een verweerde man boven in de kleine toren, hoed
op, een overall met scheuren over zijn goeie goed.

Zijn werkplaats had zich achter het complex bevonden,
ze was verdwenen, in brand gevlogen nadat er vuurwerk
op het dak terechtgekomen was. In een oven daarbinnen
smolt hij glas en ijzer, uit de wanden van het complex
groeiden gesmolten flesjes 7up en Canada Dry. Er staken
aardewerken handgrepen uit de muren, het plafond van het
voorportaal was belegd met spiegelscherven. Onder mijn
voeten zette de decoratiedrift zich voort, het natte beton
was beschreven met eindeloos repeterende geometrische
patronen van bloemen en harten. In de muren ontcijferde
ik scherven van borden, schalen, potten, kannen. Op een
informatiebord stond dat hij elfduizend potscherven had
gebruikt, tienduizend schelpen, zesduizend stukken gekleurd glas en vijftienduizend tegels; in totaal meer dan
honderdduizend ornamentele fragmenten. Ik brandde de
details in mijn geheugen, de gemetselde vogelbadjes, de
fonteinen, de woorden *I had in my mind I'm gonna do something, something big, and I did.*

Langzaam raakte ik uit de betovering, er drongen weer
signalen van buiten door, het onnozele, repetitieve deuntje
van een ijscowagen, heel luid, heel eenzaam, alsof je eigen
dood werd aangekondigd.

We verlieten de stad. Ik keek naar het afgesleten gebergte,
lichtloos, dor, met hier en daar plukjes pezig struikgewas.

– Dat daar mensen wonen... zei Sarah.

Aan de voet van het gebergte strekte zich een lint van
tienduizenden min of meer identieke huizen uit, in schut-

kleur, bedekt met stof en de schaduw van de bergen. De
mensen deden boodschappen en vonden vertier in winkel-
centra aan weerszijden van de snelweg.

– Wat is er, zei Sarah ten slotte. Je hebt al heel lang niks
gezegd.

De afgrond van Schultz en de torens van Rodia, ze tuimelden dooreen in mijn hoofd. Door te praten had ik er
misschien structuur in aan kunnen brengen, door de hui-
veringen over het sublieme een naam te geven had ik verband kunnen aanbrengen tussen het heilige en de heilig-
schenner, tussen de een die een jakobsladder maakte en de
ander die de goden uit de hemel ranselde, maar ik durfde
niet, en zei

– Is dit al de Mojave?

We waren met luie slingerbewegingen tussen de bergen
vandaan gekomen, voor ons opende zich een leegte. De
temperatuur was plotseling gezakt, zag ik op het dashboard. Groepjes wolken snelden boven de vlakte, soms
werd de monotonie doorbroken door een eenzame, stompe bergtop. Plastic vuilnis spoelde aan in de lage struiken.
In het oosten hoopte zich bewolking op.

– We gaan naar Europa, zei ik, mijn moeder en ik. Volgende maand misschien al. Of anders december.

Ze keek niet om, hield haar blik op de weg. Ik dacht aan
de woorden van mijn moeder. Misschien was ze inderdaad
niet zo mooi als ik dacht.

– Hoe lang, zei ze. Hebben we het over weken of maanden?

– Het ligt eraan waar ze werk heeft, en hoe lang dat
duurt.

– En jij gaat met haar mee.

– Moet.

– Van haar?

Ik schudde mijn hoofd.

– Van mezelf.

– Maar waarom? Kun je vertellen waarom?

Tussen de wolken door vielen eilanden van zonlicht op de aarde. In de verte doemden stacaravans op die lukraak, als door een orkaan, in de woestijn waren neergesmeten. Er streden een paar antwoorden om voorrang, maar een ervan stond in een helderder licht dan de andere. Ik zei

– Ze is de enige die ik heb.

De stacaravans waren omgeven met autowrakken, pogingen tot afscheiding met hekken en prikkeldraad, er lagen honden op de koude aarde.

– Ze is de enige die je hebt...

– Ik kan haar niet alleen laten, nu. Onder deze omstandigheden bedoel ik, nu ze weer films maakt.

– En jij moet op haar passen? Denk je niet dat ze oud genoeg is...

– Ik ben bang van niet. Soms raakt ze in zo'n staat... Dan vergeet ze wie ze is, wie ik ook alweer ben.

– Op mij komt ze heel verstandig over.

– Je kent haar niet. Je hebt geen idee.

Ik keek opzij. Sarah staarde. Haar neus stond groot en gebogen in haar gezicht, het deed me denken aan een stripje in MAD waarin een prins en een herderinnetje, beiden heel mooi, de hele strip lang en face worden afgebeeld, pas op het laatste plaatje zien we ze en profil en wordt duidelijk dat ze afzichtelijk grote neuzen hebben. Ik wist: het gif van mijn moeder dat langzaam binnendruppelde.

– Ik vroeg me alleen af of je je niet te afhankelijk van haar maakt, zei Sarah met kleine stem. Dat was alles.

Je hart, Ludwig, je hart. Waar is het? Waar heb je het verstopt? Ik keek naar het landschap rechts van mij, en herinnerde me hoe we Alexandrië verlaten hadden en ik

mijn schat vergeten was op te graven; er was iets wezen-
lijks van mij achtergebleven – zoals het ook nu zou zijn.
Het leven kwam me voor als een onophoudelijk proces van
reductie. Pas nu begreep ik meer van mijn eigen antwoord
van zo-even, want hoewel ik haar meerdere malen verloor,
was ze inderdaad de enige die ik had. Er kon geen ander
zijn, van elkaars leven waren wij de enige getuigen.

Ik zag een vrachttrein in de verte, die achter bleke rots-
formaties verdween. Kleine wervelingen van stof in de
vlakte. Men voelde zich vrij om matrassen en wasmachines
langs de kant van de weg te dumpen. Op heuvels stonden
zendmasten.

Toen de bebouwing langs de weg langzaam dichter werd,
de vooraankondiging van Barstow, vroeg ze
– En wij, Ludwig?
Ik lachte ongemakkelijk.
– Je moet mee, denk ik.
Maar dat overtuigde niet. De vraag bleef staan.
– God, ik weet het niet, zei ik toen. Ik kan mezelf toch
niet doormidden hakken.
– Maar dat je gaat is zeker?
We reden Barstow binnen, een buitenwijk met golvende
straten. Het vermoeden van troosteloze levens. Het einde
van weer een dag, we reden zwijgend, stapvoets, alsof we
iets verloren hadden.
Op een blinde muur bij het spoor was het ontstaan van
Barstow in woord en beeld geschilderd. Het woestijnstad-
je heette eerst Waterman Junction, en was ontstaan toen
twee spoorwegmaatschappijen bij de Mojave-rivier op elkaar aansloten. In 1886 werd op dat knooppunt een post-
kantoor geopend.
Een vrachttrein reed voorbij, de hoorn loeide. Daarach-

ter trokken de oude heuvels zich terug in laat, karmozijn-rood licht. Ze werden geheiligd in die kleur. Langs het emplacement sprongen schijnwerpers aan, toen pas kwam de laatste wagon van de vrachttrein voorbij. De lage zon viel onder een duifgrijs wolkenbed door.

We reden verder. Een bord langs de kant van de weg schreef BRINGING THE LIGHT OF JESUS CHRIST TO A DYING WORLD. De weg ging omhoog, het stoplicht stond op rood, en toen zagen we het, hoe de hemel brandde boven Barstow. Sarah zette de auto op de parkeerplaats van een garage, we keken in de zekerheid dat een zonsondergang als deze zich aan onze uitdrukkingsmogelijkheden onttrok. Een smalle streep tussen het wolkenbed en het San Bernardino-gebergte in het westen, daar concentreerde zich het licht. Het schroeide de onderkant van de wolken, werd in stralen uitgeworpen en vonkte op de daken van de auto's in Barstow. Ze zette de motor af, haar gezicht was overgoten met rood licht. Ik legde mijn hand op haar been.

– Hé hallo, iemand thuis?

Ze schudde haar hoofd. Haar krullen van gesmolten koper. Ze zei

– Ik heb altijd geweten dat je weg zou gaan.

– Dat kon je niet weten. Ik wist het zelf niet eens.

Ze knikte halsstarrig.

– Ik wist het. Sommige mensen hebben dingen om voor te blijven. Jij niet. Jij hebt dingen om voor weg te gaan.

In december verhuisden mijn moeder en ik van de ruimte van de Grote Oceaan naar de afgeslotenheid van een land dat aan niet één zee grensde, Oostenrijk. Het geboorteland van mijn vader. We waren soldaten in zomertenue die door de winter werden overvallen. We kochten mutsen, sjaals, handschoenen, alsook thermisch ondergoed voor mij want ik heb nooit goed tegen kou gekund. In Wenen viel enige sneeuw, tegen kerst was het weer gesmolten. We logeerden in Hotel Imperial, een marmergroeve. De kamer was met salondeuren in twee slaapgedeelten te verdelen, als ik 's nachts naar de wc moest sloop ik door haar afdeling naar de badkamer. Wanneer ik aan Sarah dacht, werd ik fysiek onwel van het gemis. Het schrijnde, een onophoudelijke heimwee. Elke dag overwoog ik terug te gaan, ze riep me over zeeën en bergen, maar ik stopte mijn oren dicht vanwege een belofte. Een ketting en een bal, het dode gewicht van een overtuiging.

Wenen onderging ik in een helder soort verdoving. De uitzinnige kerstsfeer bedrukte me. En ook de obsessie met Mozart, Sissi en De kus van Klimt. In de Innere Stadt schuifelde ik tussen drommen Aziaten en Arabieren door, toeristen behangen met papieren tassen en schoenendozen. In de straten ter zijde van het gewemel rezen de gebouwen aan weerszijden op. Je was neergelaten in de ravijnen en keek langs steile wanden van huizenblokken omhoog, naar de in rechthoeken gesneden hemel daarboven. Achter de muren bevond zich nog een binnenstad, een oneindig gangenstelsel dat naar miljoenen afgesloten ruimtes leidde, naar slaapkamers, kelders, salons en zolders, in al die ruimtes leefde de mens met zijn bacteriën. Eeuw na eeuw werd er daarbinnen geademd, bemind, gelachen, gestorven en gehuild, en geen mens die zich rekenschap gaf van de levens voor of na hem op precies dezelfde plaats.

Het was vroeg donker. Om negen uur zou ik dineren met mijn moeder. Misschien dat Rollo Liban er ook zou zijn, hij produceerde de film over de Weense *Edelhure* Josephine Mutzenbacher. Het levensverhaal *Josefine Mutzenbacher. Die Geschichte einer Wienerischen Dirne. Von ihr selbst erzählt* was lang voor echt gehouden, toen werd het toegeschreven aan Arthur Schnitzler en weer later aan Felix Salten. Het verhaal hield niet op tot de verbeelding te spreken. Dit was niet de eerste film over haar, maar zou wel de grootst opgezette en de duurste zijn.

Steeds verder droegen mijn voeten me. Uit het open raam van een smalle, hoge Grieks-katholieke kerk, ingeklemd tussen twee woonhuizen, kwam koorgezang. Het regende hemelen.

De tafel in Restaurant Imperial was gedekt voor twee. Rollo Liban was die ochtend in Wenen aangekomen, zei mijn moeder, maar had veel te doen. We zaten onder een portret van de oude keizer, de vierde icoon van de stad.

– Adolf Hitler heeft hier ook gelogeerd, zei ik. Na de Anschluss.

Mijn moeder keek op van de menukaart.

– Je kunt zeggen van Hitler wat je wilt, maar hij was wel een vegetariër.

– Ik las dat hij ondanks de goede keuken hier vasthield aan zijn karige dieet.

– De vegetarische kaart stelt in elk geval niks voor, zei mijn moeder. Ik denk dat ik voor deze ene keer maar vis neem.

– Gisteren had je ook vis.

– Dat was maar zo'n klein hapje.

– En in het vliegtuig.

– Dat was kip. Omdat ze alle vegetarische maaltijden al hadden uitgedeeld.

– Je had pasta kunnen nemen, dat was alleen maar met stukjes ham en room.

– Je weet hoe ik over varkensvlees denk, Ludwig.

– De prosciutto bij de meloen is toch ook varkensvlees?

Ze haalde haar schouders op, geërgerd.

– Een voortje, wat zou dat. Weet jij al wat je neemt?

Later kwam Rollo Liban binnen, zijn grote lichaam onder het lage plafond manoeuvrerend als een wandmeubel. Ik stond op om hem de hand te schudden zodat niemand zou denken dat wij een gezin vormden. Hij bestelde een hamburger met kaas en uienringen. De kelner schudde licht zijn hoofd en zei met de glimlach van vergeving dat dat niet op de kaart stond.

– Ik kan een hamburger eten in Mekka, in Havana en in Hanoi, en in Wenen zou ik geen hamburger kunnen krijgen?

Als hij praatte, dacht je dat er soms een vliegje uit zijn mond kwam.

– In Wenen wel, zei de jonge ober, maar... Wacht u even, ik zal het de kok vragen.

Zo kwam Rollo Liban aan zijn hamburger met kaas en uienringen, waar ik niet weinig jaloers op was. Hij nam de hamburger in beide handen en zweeg tot hij het ding ophad. Wij zwegen mee. Het was een klassiek restaurant, gelambriseerd, de tafels dicht opeen. Men sprak op gedempte toon met elkaar, je deed alsof je de anderen niet opmerkte maar hoorde alles. Liban moest mijn aanwezigheid hinderlijk vinden, hinderlijk en kostbaar, maar daarvan was in zijn gedrag niets terug te vinden. Hij was onverschillig als een landbouwmachine. Hij leek me te beschouwen als een secundaire arbeidsvoorwaarde van mijn moeder, en richtte slechts zelden het woord tot me. Wel vroeg hij

– En, wat voer jij hier de hele dag uit?

Waarop ik naar waarheid antwoordde

– Niets.

Uit het gesprek dat volgde tussen hen, maakte ik op dat de volgende halte Praag zou zijn. Mijn positie verschilde niet wezenlijk van die van het huisdier, ik ging waar zij gingen, mij werd niets gevraagd. Hij sprak over de ontvangst van de tweede *Lilith*-film, die zeer positief was geweest. Het was een gesprek met witte plekken, de codetaal van ouders. Ik verontschuldigde me en ging van tafel.

De Maria Theresia-bar naast het restaurant was een schemerige ruimte, bordeelachtig door het rode pluche en de zware gordijnen, het stoffen behang. De barman stond in een schelp van licht glazen te poleren. De pianist had mijn bijzondere aandacht. Uitdrukkingloos marcheerde hij van melodie naar melodie. Je kon hem met een aktetas in zijn hand zien staan bij een tramhalte, onderweg naar een verzekeringskantoor op een dertiende verdieping. Zijn onbewogenheid was indrukwekkend. Ik dronk een glas bier en voerde een gesprekje met de barkeeper over de afwezigheid van clientèle – een onderwerp dat dicteerde dat het gesprek kort zou zijn. De woorden vielen dood tussen ons in. Vanaf de muren staarden vergeelde Habsburgers ons met afgrijzen aan. We keken nog een klein halfuur langs elkaar heen, de barman, de pianist en ik, ieder vanuit zijn eigen aquarium, toen ging ik naar boven. Ik liep de trap op langs de stenen Donau-nimf in een nis, en keek terug het trapgat in. De trap was zo breed, je kon er met twee koetsen over op en neer. Het was een trap die je niet kon afdalen zonder te denken aan een publiek dat je daar beneden opwachtte met stormachtig gejuich of een guillotine.

Boven de nimf een staatsieportret van Franz Joseph in uniform, hand aan het gevest, zijn blik gericht op een punt buiten de lijst. Het hoge plafond bestond uit met verguldsel versierde cassettes. De kroonluchter brandde niet.

Bij de royal suite ging ik de hoek om naar onze kamer. Mijn moeder lag in bed, ze bladerde door een folder van het hotel. Ik verdween in de badkamer en hoorde haar zeggen

– Ik begrijp niet dat ze ons in deze kamer hebben gestopt. Moet je zien wat ze hier allemaal nog meer hebben. Volgens mij zitten wij maar in een Deluxe Junior...

Even later schoof ik de tussendeuren dicht en kroop in het opgemaakte bed. Met het kussen onder mijn buik begon ik aan de derde brief aan Sarah, op briefpapier van het hotel.

Het afscheid was een kwelling geweest. Ze zei dat ze me nooit terug zou zien. Ik hield me op de vlakte over de belangrijke dingen.

– Dan is het voorbij, Ludwig. Je kunt niet zomaar terugkomen op een dag en verwachten dat alles is gebleven zoals het was. Dat kan niet. Dat is oneerlijk.

Ik proefde tranen in een kus, maar kon mezelf geen gevoel toestaan omdat anders mijn hele plan in het honderd zou lopen. Ik had me uit de gebeurtenissen teruggetrokken.

– Komt je meisje niet? vroeg mijn moeder op het vliegveld van Los Angeles.

– Ze moest werken.

– Da's ook wat. Had ze geen vrij kunnen krijgen?

– Wie weet.

– Gaat het wel goed tussen jullie?

– Het is uit.

Van haar zogenaamde medeleven kon je nog geen klein lampje brandend houden. Op mijn aanhoudende zwijgzaamheid zei ze ten slotte

– Bedenk maar wat mijn vader altijd zei: geen hand vol maar een land vol.

Ik schreef Sarah mijn liefde, het gemis. Dat ik het afscheid snel en pijnloos had willen laten zijn maar dat het snel noch pijnloos was geweest. Dat ik haar smeekte op me te wachten tot ik zou terugkeren van mijn missie. Als er dan geen land is waar je hoort, dan zou ik thuishoren in de liefde. Ik ondertekende met *Odysseus* en knipte het bedlampje uit. Aan de andere kant van de deur snurkte Calypso.

Bij het ontbijt vroeg ze naar mijn plannen. Niet voor vandaag maar voor de komende tijd. Ze vermeed het woord *toekomst*. Er was een ochtend geweest in Los Angeles waarop ik haar had verteld dat ik mee zou gaan naar Wenen.

– Als jij dat wilt, zei ze, en stelde verder geen vragen.

Nu was dan de tijd gekomen om dat wel te doen, op een vroege morgen aan de Ringstraße in Wenen, onze ogen nog dik van slaap en met een dag voor ons die volgens de voorspelling regen en een temperatuur van twee graden zou brengen.

– Begin januari gaan we naar Praag, zei ze. Wat ben jij van plan?

Ik keek langs haar heen naar het meisje dat het buffet

bijvulde. Ze had *we* gezegd en mij daar niet toe gerekend. Ik had haar mijn gedachten over mijn leven als offer niet meegedeeld. Mijn moeder wist niet dat ik haar thuiskomst was. Ik haperde, uit mijn evenwicht gebracht door haar vraag, de noodzaak tot positiebepaling.

– Op jou passen, zei ik toen.

– Het moet prettig zijn om bij elkaar te zijn, Ludwig, je moet aan elkaars levensvreugde bijdragen...

Ik zette mijn lege ei op zijn kop terug in het eierdopje.

– Maar dat gevoel geef je me helemaal niet. Luister je?

Ik tikte met de lepel op het ei. Er verscheen een interessant web van breuklijnen.

– Ik ga vandaag naar de Kapucijner Crypte, zei ik. Daar liggen geloof ik bijna alle Habsburgers begraven, de hele santenkraam. Een grafkelder. Een trekpleister. Levende mensen die naar dode mensen kijken.

– Wat moet ik, Ludwig, met jou zo...

– Hoe laat ben je terug van je activiteiten? Eten we samen?

– Waarom wil je dat? Plezier lijk je er niet aan te beleven. Je zegt bijna niks tegen me, je lacht nooit. Ik vind het...

Ze huilde. De valsspelerij. Ik voelde de aandrang hetzelfde te doen. Voor ik de ontbijtzaal verliet, legde ik mijn hand op haar schouder.

– Sterk zijn, zei ik.

Ze keek naar me op.

– Ga toch weg jij. Jij walgelijke... cynicus.

Ik liep over de ring naar de Heldenplatz, toen onder de bogen door naar de Hofburg. Met stomheid geslagen dwaalde ik langs de ongeschonden, morsdode restanten van een keizerrijk, versteend en onder eigen gewicht gezonken. De uitgestrektheid van dat alles! De ontelbare tonnen steen!

De aanstichters van die aanstootgevende zelfoverschatting lagen allemaal in de Kapucijner Crypte, keldergewelven onder een kerk aan de Neue Markt, sedert 1633 rustplaats van de Oostenrijkse Habsburgers. Na betaling van entreegeld daalde ik in die onderwereld af. Sobere kruisgewelven, de wanden bleek gestuukt. Bijna honderdvijftig gestorvenen waren in evenzovele sarcofagen bijgezet, van pasgeboren kinderen tot stokoude keizers. Aartshertogen, graven, gravinnen. Prinsen, prinsessen, keizers, keizerinnen. Ik stelde me voor hoe ze onder klaaglijk gemompel, het geschuifel van de monniken en het bevende licht van toortsen werden binnengedragen. Een boekje dat ik bij de ingang kocht, beschreef de gang van zaken. De ceremoniemeester slaat met zijn stok op de deur van de crypte en vraagt om toegang. De monnik achter de deur vraagt wie naar binnen wil. De ceremoniemeester roept de naam en de belangrijkste titels van de overledene af, opsommingen die even konden duren, aartshertog van zus en zo, heer van hier en daar, ridder in die en die orde, enzovoort. Maar de deur blijft dicht, de stem zegt: *Die kennen we niet.*

Opnieuw klopt de ceremoniemeester op de deur. De vraag wordt herhaald, nu volgt een opsomming van de secundaire titels van de gestorvene, de resttitulatuur.

Die kennen we niet.

Nog eenmaal herhaalt zich het ritueel, nogmaals noemt de ceremoniemeester de naam van de overledene, gevolgd door *een arme zondaar*. De poort tot de crypte gaat open.

Tussen de sarcofagen was een route uitgezet. Uit de kisten van lood, tin, brons of koper stegen adelaars op, gekroonde doodshoofden grijnsden je aan. In haut-reliëfs werden scènes uit het leven van de overledene uitgebeeld, een huwelijk, een kroning, een veldslag. Ze waren ten onder gegaan aan inteelt, kindersterfte, epidemieën, geslachtsziekten, koortsen en jachtongelukken. Hun harten waren verwijderd en werden elders bewaard. De ogen, hersenen en ingewanden waren in weer een andere kapel ondergebracht.

De vanitassymboliek van schedels en gebeente werd mettertijd minder, de sarcofagen werden eenvoudiger naarmate het keizerrijk zijn einde naderde. Ik zag kisten waarin Ludwigs begraven lagen, ene Ludwig Joseph over wie in het boekje alleen stond dat hij de zoon was van keizer Leopold ii, en een Karl Ludwig, vader van troonopvolger Franz Ferdinand en broer van Franz Joseph i. De samenstellers hadden geen reden gevonden om iets bijzonders over hen te vertellen.

In een koffiehuis las ik over de verlichte keizer Joseph ii, die de koninklijke tuinen van Schönbrunn en het Prater openstelde voor het publiek. Een adellijke dame zei ontsteld

– Maar majesteit, als u het volk toelaat in de koninklijke tuinen, dan kan ons soort mensen nooit meer onder elkaar zijn!

– Beste mevrouw, antwoordde Joseph, als ik altijd onder mijn soort mensen wilde zijn, dan zou ik mijn dagen moeten slijten in de Kapucijner Crypte.

De lucht buiten was koud en prikkelend, er hing een sterke geur van paardenmest. Ik liep door een donkere galerij langs de Augustinerstraße toen met grote snelheid een fiaker langsreed. De koetsier droeg een breedgerande hoed, een regencape hing zwaar en donker rond zijn lichaam. De zwarte koets was leeg, het gekletter van de paardenhoeven galmde tussen de muren. Dat is meneer Dood, die in Wenen door de straten rijdt.

In de avond liep ik langs de Ring en ging binnen bij de grote hotels. Overal zat wel een pianist in de lobby of in de bar, omgeven door hoteldynamiek, geesten in de machine. Er zou werk voor me zijn, wist ik, ik voelde wel iets voor een leven als onschadelijke parasiet die bestond van de rijken, scherfjes afsloeg van die monolithische kapitalen. Ik voorvoelde wat mijn rol zou worden – ik zou de indruk wekken een verdwaalde prins te zijn, hen prikkelen tot ontferming.

In de lobby van het voormalige paleis waar wij ons kamp hadden opgeslagen, zat een Arabische vrouw met een hoofddoek op wacht te midden van tientallen boodschappentassen, die waren bedrukt met de nieuw-rijke sterrenhemel van Gucci, Prada, DKNY – maar haar pose was die van een beweginloze marktvrouw tussen piramides kleurige kruiden in de soek van Aleppo. Een Arabier snelde langs op weg naar de lift, met aan zijn ene hand een monsterlijk dik jongetje in trainingspak en in zijn andere maaltijden van McDonald's. Hij bevoorraadde het nest. De vorstenhuizen, de adel, ze kwijnden of waren al uitgestorven, nu waren anderen aan de beurt om de paleizen te bewonen: pornosterren en Arabieren die hun woestijngewoonten meebrachten. Maar wij zouden ons dit leven niet eigen maken, altijd zouden we de vreugde en de opwinding voelen van een geslaagde inbraak; de manieren en de aangeboren achteloosheid die de oorspronkelijke bewoners van deze huizen bezaten, waren voor ons niet imiteerbaar. Het volk was toegelaten tot de paleistuinen, neergestreken als een sprinkhanenplaag, en de oorspronkelijke bewoners waren verjaagd naar steeds kleinere reservaten.

Op de kamer draaide ik Sarahs nummer. Haar vrolijke stem, de oproep *iets leuks* achter te laten in de voicemailbox. Het was daar vroeg in de middag, we leefden in andere werelden, in andere tijden. Het was de zoveelste keer dat ik haar belde, ze had niet één keer opgenomen. In stilte groeien de grootste rampen. Ik drukte op nummerherhaling en sprak het telefoonnummer van het hotel en het kamernummer in. Het was niet de eerste keer dat ik dat deed. Misschien had ze de eerdere boodschap per ongeluk gewist. Mijn brieven kon ze nog niet hebben ontvangen. Ik was zo lichtvaardig vertrokken, zo zonder enig idee van de gevolgen. Dit had ik niet voorvoeld. Het was te bedenken geweest, maar daar wist het hart nog niets vanaf. Ik zat op de rand van mijn moeders bed en wachtte tot de telefoon zou overgaan.

Tegen middernacht ging ik naar bed. Het was twee uur 's nachts toen mijn moeder binnenkwam. Zacht schoof ze de tussendeuren dicht, na een tijdje doofde ook het licht dat door de kieren scheen.

Het toneel verplaatst zich. De trage geleidelijkheid van Praag nu. De kennismaking met een volk van moedeloze drinkers. Vrouwen met de mooiste benen die ik ooit heb gezien. In Praag wordt elke dag wel een pornofilm opgenomen, het is het centrum van de Europese pornografie. Het is een paar dagen na Nieuwjaar, van Sarah heb ik nog altijd niets gehoord. Elke dag maak ik plannen om terug te gaan. Ik ben bang voor wat ik zal aantreffen. Ik mag er niet op hopen dat ik de dingen terugvind zoals ik ze heb achtergelaten, heeft ze gezegd. Het kan van alles betekenen, maar niet veel goeds.

We reizen van het ene schitterende decor naar het andere. Maar deze keer zit de mot erin. Hotel Europe staat op instorten.

– Die drie sterren hebben ze zelf verzonnen, zegt mijn moeder. Ik heb niet eens tv op mijn kamer. Wat een vieze troep.

Ik zie er onze eigen, onafwendbare ondergang in, in die troep. Ik geloof niet dat het gezond is dat ik daarvan geniet.

Onze kamers grenzen aan elkaar, we logeren op de eerste verdieping. Het rumoer van het Wencesclasplein komt dag en nacht binnen. Vlakbij staat een stalletje waar ze worst en hamburgers bakken, het heersende geurprofiel in onze kamers. Ik voel me in Hotel Europe beter op mijn gemak dan in het Imperial, maar mijn moeder gedraagt zich alsof ze bestolen is. Rollo Liban logeert een hotel verderop. Ze weet zeker dat het daar veel beter is. Hier zijn de bedden even hard als de gezichten van de schoonmaaksters. Mijn moeder slaapt slecht. Er zijn verticale streepjes boven haar mond, plooitjes die niet kunnen worden verhuld door poeder, tenzij in volkomen bewegingloosheid. Ik zie een paar rimpels die vanuit haar decolleté naar haar hals uitvloeien als een delta. Dit is wat ik denk: dat voor haar de tijd heeft stilgestaan toen ze het leven in de schijnwerpers verliet, en dat, toen ze daarin terugkeerde, de klok weer is gaan lopen – vlugger dan tevoren. Ik fantaseer over vampierachtigen die onder gruwelijk gekrijs tot stof vergaan zodra ze aan daglicht worden blootgesteld. Bij het inchecken heb ik haar horen vragen op welke verdieping de gym was, wat door de Tsjechische achter de receptiebalie niet begrepen werd.

– Sport, zei mijn moeder. Fysieke oefening.

In bewonderenswaardig tempo deed ze iemand na die achtereenvolgens fietste, roeide en hardliep. Dit werd begrepen, en met handgebaren uitgebeeld als niet aanwezig in het hotel. Het was een mooi meisje. Ze glimlachte naar me toen we wachtten op de lift.

Ik verveel me in Praag, ik tel de uren van de dag. Op mijn nachtkastje staat een oranje telefoon met draaischijf. In het café beneden helpt de pianist het oeuvre van The Beatles om zeep. De grijze muzikant heeft iets professoraals. Soms wandelt hij heen en weer tussen de vleugel en het gangetje van de wc's om de stijfheid uit zijn ledematen te verdrijven. Een enkele keer vergeet je dat hij er is. Pas wanneer hij ophoudt met spelen, word je overvallen door een gevoel van diepe vermoeidheid omdat hij al die tijd je oren heeft dichtgestopt met klanktapijten. Het lijkt of hij uit zijn herinnering speelt, liedjes die hij hoorde toen hij een jongetje was en die hij nu probeert te reproduceren. Er is altijd wel iemand die meezingt met *Yesterday*.

Hoewel mijn emotionele huishouding wordt geregeerd door een vrouw met donkere krullen die niet terugbelt, staan mijn zintuigen wijd open voor de droeve schoonheid van Hotel Europe. Over de omstandigheden waaronder het in 1889 zijn deuren opende, kan ik alleen maar dromen. Het moet een juweel zijn geweest. Nu ruikt het naar huizen van oude mensen. Ik houd van lambrisering en houten plafonds. Op de balustrades staan kunststof mandjes met nepplanten – alleen op de vijfde verdieping, waar de arme mensen en studenten wonen, zijn de planten echt; ze slingeren zich bleek, naar adem snakkend tussen de balusters door. Op de potgrond ligt een wit waas van schimmel.

De verdiepingen zijn gecentreerd rond een daklicht. Je kijkt omlaag naar de eerste verdieping, waar onze kamers zijn. Het licht van boven is daar zwak geworden, als op de bodem van een put.

Iemand heeft gemeend dat rood en fluorescerend groen de beste kleuren zijn voor het trappenhuis. De zuilen op de verdiepingen zijn omgord met guirlandes van stuc, uitlopend in kransen. Langs de muren sijpelt nicotinekleurig vocht. Het is een botsing van stijlen en invloeden, de goede oude Louis-de-Hotel-stijl, jugendstil, de armoedige mode van het socialisme en de stagnatie van een hotel dat tekortschiet voor de moderne tijd. De tapijten zijn smoezelig, de sierlijsten gebarsten, we kijken naar een monumentale ondergang. Het hotel is zo *moe*, het snakt naar aandacht, naar een renaissance.

Op onze verdieping is een trap, zes, zeven treden, die dan opeens in de wand verdwijnt – daar komen 's nachts de geesten uit de muur. Het is schitterend en verdrietig, dit hotel, een niet leeggeroofd koningsgraf.

We zitten in het Titan-restaurant. Uit de luidsprekers klinken liedjes van sterren die in de rest van de wereld vergeten zijn. Joe Cocker. Barbra Streisand. In het midden van het restaurant is een tafel gedekt voor veertig mensen, maar er zit niemand.

– Alsof iemand een feestje heeft afgezegd, zegt mijn moeder.

Ze is er een beetje giechelig van geworden. De ober geeft ons de menukaart. In een plastic mapje zit een A4'tje gestoken waarop JULIMENU staat. Mijn moeder vraagt naar het menu van januari. De man zegt dat dat hetzelfde is. Ik bestel het. Terwijl zij het Engels op de kaart probeert te ontcijferen, vraagt ze

– Heb je je meisje nou al eens gesproken?

– Ze is mijn meisje niet meer. Je weet dat het uit is.

– Zo definitief hoeft dat toch helemaal niet te zijn? Jullie zijn nog zo dramatisch.

– Ik kan haar niet bereiken. Al sinds we weg zijn niet. Ik heb zo vaak ingesproken dat haar antwoordapparaat vol is. Het nummer in Wenen, dat van hier, heel langzaam zodat ze kon meeschrijven. Maar ze heeft niet teruggebeld of een boodschap achtergelaten.

– Er kan iets zijn misgegaan wat jij nu niet kunt bedenken, schat. Dat kan.

– Ze mag chaotisch zijn, maar haar principes zijn van beton. Ik ben weggegaan, dit is de consequentie. Dat wil ze me zeggen.

Mijn moeder trekt afkeurend haar neus op.

– Liefde is geen principe. De liefde hoort meegaand en mededogend te zijn. Je kunt de loop van de liefde niet bepalen, zegt Kahlil Gibran. De liefde bepaalt juist de loop der gebeurtenissen voor jou, als ze denkt dat jij het waard bent. Niet andersom.

- Het spirituele duizenddingendoekje Gibran.
- Misschien is het geen meisje dat je alleen kunt laten.
- Je bedoelt?
- Die heb je. Die kun je niet alleen laten.
- Wat zeg je precies?
- Dan gebeuren er dingen.
- Wat voor dingen?
- Dat kun je zelf wel bedenken.
- En bedankt.
- Ze zat de hele tijd aan d'r haar te plukken. Dat zegt ook wel wat.
- Wát dan?! Wat in godsnaam...

De ober komt kauwend uit de keuken. Mijn julimenu wordt bezorgd. Een hele eend. Daaronder verstopt rode-kool, wittekool en, het grote misverstand van de Tsjechische keuken, een bergje noedels. Gekookte deegstrengen. Soms van aardappelmeel, soms van tarwe. Gelaten scharrelt mijn vork rond tussen de eend, de kolen en de meel-spijs.

- Ik weet niet of dit wel kaas is, hoor ik aan de overkant van de tafel.

De maaltijdsalade, altijd een hachelijke bestelling. Je wilt schuilen maar het felle licht van de elektrische kaarsen boven je hoofd laat je alles in zijn naaktheid zien.

- Wanneer heb je eigenlijk voor het laatst gelachen? vraagt ze.

Ik kijk op.

- Of iets aardigs tegen me gezegd?
- Daar heb jij toch journalisten voor? Talkshowhosts?
- Ik word hier zo moe van, Ludwig. Echt zo moe. Ik hoef dit niet langer te pikken. Ik ben gek dat ik dit al zo lang laat gebeuren. Dat je me mijn leven kwalijk neemt moet je zelf weten, maar ik wil er niet langer naar hoeven

luisteren. Doe het maar ergens waar ik er niet bij ben.

Het eten is tot stilstand gekomen. Het duurt even voor mijn moeder zich hernomen heeft.

– Ik heb er lang over nagedacht, Ludwig, maar ik denk dat het beter is dat je weggaat. Je eigen leven leiden. Je bent twintig jaar, je...

– Eenentwintig, mompel ik.

– Je bent oud genoeg om op eigen benen te staan. Ik zal je geld geven om een begin te maken met je eigen leven, maar dit wil ik niet meer. Die zure oude man die overal commentaar op heeft, op alles wat ik doe. Ik voel het als een bal in mijn maag zodra ik jou zie. Maagpijn.

Ik hoor nauwelijks meer wat ze allemaal zegt, tot ze vraagt

– Wat doe je hier in godsnaam? Je loopt als een vals hondje achter me aan. Waarom, Ludwig?

– Om jou te redden, zeg ik. Zodat je niet in zeven sloten tegelijk loopt.

Haar schrille lach, hatelijk bijna.

– Mij redden? Heb je een soort Jezuscomplex of zo? Hou toch op. Mij redden. Ik ben lang niet meer zo down geweest als sinds jij... Ga jij jezelf maar redden, jongen.

En zo komt er toch nog onverwacht een einde aan mijn Europese tournee met haar. Ze huilt, alweer, en ik herinner me de woorden uit de stukgescheurde Bijbelboeken die ik op straat gevonden had: *Daarom zal een man zijn vader en zijn moeder verlaten en zijn vrouw aankleven; en zij zullen tot een vlees zijn*; hoe ik precies het tegenovergestelde heb gedaan. Ze klettert haar bestek in de kom met de maaltijdsalade en schuift haar stoel met een ruk naar achteren. Aan een tafel verderop kijkt men toe hoe ze gebogen, getooid met haar verdriet, het restaurant verlaat. Dan kijken ze naar mij. Door mijn schuld, door mijn schuld, door mijn grote schuld.

Ik ging terug naar Los Angeles. Van de ene nederlaag naar de andere. Tussen het vliegveld en haar huis ben ik van ellende gestorven. Het was een geluk dat ik haar sleutel niet had ingeleverd bij vertrek. Het appartement was niet ontruimd, zoals ik had gevreesd, maar leek ook nauwelijks meer bewoond.

– Dag Dylan, zei ik tegen de foetus.

Ik stond bewegingloos te midden van de chaos. Ik had dit paradijs eigener beweging verlaten, mijn terugkomst was een clandestiene binnendringing, een insluiping. Het appartement leek inderhaast verlaten, maar die indruk had het altijd gegeven.

– Waar is je moeder, Dylan?

Op het antwoordapparaat knipperde het getal 20. Ik legde er een T-shirt overheen. Het licht van buiten doofde langzaam, ik zat op de rand van het bed en overdacht de toestand van stilstand waarin ik was terechtgekomen. Uit de voorwerpen in de kamer kropen schaduwen tevoorschijn. Zelfs zoiets als water koken voor thee leek me een inspanning die je niet te boven kwam. Na een tijdje liet ik me achterovervallen op bed, mijn handen onder mijn hoofd. Als ik mijn nek kromde kon ik de foto van de foetus zien. Soms sliep ik bijna.

– Ik was in Wenen, Dylan, zei ik. Niks voor jou. Een door en door racistisch land, Oostenrijk. In Praag was ik ook. Ik kan me eigenlijk niet herinneren één neger gezien te hebben. Misschien als ik erop had gelet.

De zwarte koets in Wenen, het klaterende geluid van paardenhoeven. *Der Tod, das muss ein Wiener sein.*

– Het is een raar leven, Dylan. Ik probeer te reconstrueren wat de gedachte was achter die grote stommiteit om jouw moeder te verlaten, om de mijne te volgen – wat was de gedachte?! Wat is het voor een gedachte die sterk genoeg is om het heiligdom van de liefde te verlaten? Ik zou een offer brengen, weet ik nog. Een zelfopoffering, misschien om haar te laten zien wat dat is. Het voorbeeld geven. We zijn beiden zoon, we weten hoe moeilijk het is allemaal. Onze eerste behoefte is een moeder die zich voor ons weggeeft. Maar het weggeven zit mijn familie niet in het bloed. Ik kan het weten want ik heb het geprobeerd. Het offer werd niet geaccepteerd, zoals ik eigenlijk al had voorspeld. Ik dacht dat het ons misschien bij elkaar zou brengen, dat we weer bij elkaar zouden horen als een van beiden de moed zou hebben zijn eigenbelang te vergeten, zonder restricties, zonder voorwaarden, al die dingen die het offer het aanzien geven van een transactie. De orde die ik zocht, is niet uit het offer tevoorschijn gekomen. Alleen maar meer verwijdering en chaos heeft het gebracht. Het was er niet de tijd en de plaats voor, en, fundamenteler, wij zijn er niet de mensen voor. Mij valt aan te rekenen dat ik een resultaat verlangde. Ik heb het naar de markt gebracht en er een prijs voor gevraagd. Ik wilde de verdeeldheid oplossen. Dat vraagt toewijding, waar het haar ten enenmale aan ontbreekt. Ik zou haar laten zien hoe het moest. Ik rekende buiten mezelf. Door bij jouw moeder weg te gaan, ging ik tegen mezelf in. Maar tegen jezelf in gaan is nog niet genoeg. Dat is nog geen offer, dat is zelfkastijding.

Of ik een Jezuscomplex had vroeg ze, toevallig of niet tijdens ons laatste avondmaal. Misschien zag ik mezelf wel in een soort heilig licht, terwijl ik in werkelijkheid haar kleine valse hond was. Ik schaam me voor de hoogmoedige gedachte dat ik andermans redding zou kunnen zijn. In het vliegtuig hiernaartoe had ik alle tijd om daarover na te denken. Het is knap hoe je in één beweging de twee mensen die er werkelijk toe doen bij je vandaan jaagt. Eerst vochten ze om me, als de vrouwen om het kind in tegenwoordigheid van koning Salomo – nu willen ze me geen van beiden meer zien. Wees blij dat jou al deze dingen bespaard blijven, Dylan, wees blij. Vooral de eenzaamheid. Soms is die glorieus, je zweeft op papieren vleugels boven de wereld, boven alles en iedereen uit, dat is het soort eenzaamheid waarvan het jammer is dat er geen publiek bij is, geen oh! en ah! Maar die andere is er ook, wanneer je als een steen ligt ingegraven in de aarde, geheel in jezelf besloten, en niemand die je opgraaft. Je kunt er zijn, of niet, je bent als dood voor de wereld. Mijn optimisme, als je dat zo mag noemen, bestaat erin dat ik er geen drama van maak. Dat ik niet buig voor de zwaarte en niet voor de lichtheid.

Het ontembare licht van de ochtend, je was de zuivere kwaliteit al haast vergeten. De dag ligt als een rimpelloos zwembad voor je, je bent de eerste bezoeker. Langzaam raakt het bevolkt met de dingen die door de slaap onderbroken zijn.

Waar Sarah is.

Mijn knieën worden slap als ik aan de mogelijkheden denk.

Ik verlaat het huis alleen voor boodschappen, afhaalmaaltijden, een macchiato op Rose Avenue. Dat licht, de schelle, open hemel, ik verdraag het nauwelijks. Ik haast me terug naar de schaduwen van het appartement, mijn wachtkamer. Ze kan elk moment terugkomen, en weer vertrokken zijn voordat ik er ben.

De dagen gingen zonder onderscheid in elkaar over. Ik vouwde haar kleren op en legde ze in nette stapeltjes in de houten kist. Mijn vingertoppen gleden langs het textiel dat haar tot tweede huid gediend had. Ik ging naar een wasserette voor de vuile was en keek in het kruis van slipjes alsof ik in haar dagboek las. Haar ondergoed, de bleke vegen in het kruis vaak zichtbaar, had overal gelegen, ongeacht mijn commentaar. Haar verongelijkte stem

– Maar wij zijn ópen daar, Ludwig...

– Je moeder is een vies meisje, Dylan, zei ik. Het lekkerste vieze meisje dat ik ken.

Soms sloeg mijn hart over van een geluid in de achtertuinen, maar er kwam nooit iemand. Ik stak het kaarsje aan voor Dylans foto. Iemand moet de rituelen levend houden. Het moesten haar handen zijn die hem vasthielden, het was een dramatisch gebaar, ik zag het haar doen, en ook de weerzin van de vader om het theatrale van die daad.

Eén middag ging ik ertussenuit naar de UCLA, om te vragen of ze daar wisten waar ze was. Het meisje dat de chef ging halen was vagelijk geamuseerd, alsof ik niet de eerste was die naar Sarah kwam vragen. De chef kwam, hij zag eruit als een man die zijn academische graad nooit had weten te kapitaliseren. Ze had weken geleden ontslag genomen, hij had haar verzekerd dat ze altijd kon terugkomen.

– Ze is een goed iemand om erbij te hebben, altijd vrolijk, ook als het tegenzit.

– Weet u waar ze naartoe is gegaan? Waarom ze ontslag nam?

Hij hief zijn handen.

– Een vriendje misschien? Ze heeft er niks over gezegd verder, ik weet eigenlijk ook weinig van haar, nu je het me zo vraagt.

Dat ze naar huis was gegaan, naar haar ouders, leek me onwaarschijnlijk, toch zocht ik hun nummer in Augusta op.

Een vrouw zei *hallo?* Ik zei *hallo* terug.

– Hallo?

– Met Ludwig Unger spreekt u, ik...

– Hallo?

Ik hing op en probeerde het opnieuw.

– Er ging zeker iets mis, zei de vrouw. Het heeft hier gesneeuwd.

Ze wist niet waar haar dochter was.

– Gisteren kwam ik nog een foto van haar tegen, zó'n lief kind. Nog steeds natuurlijk, maar toen, zo... Dat kun je je niet voorstellen, dat je hart breekt als je soms ziet hoe ze waren.

Het kind, een doorgeschoten gewas, het had moeten blijven zoals het was, nu is het voorbij.

– U klinkt te jong voor kinderen. Heeft u kinderen?

Sarah was vaker een tijdje zoek geweest, dan vergat ze eenvoudigweg te vertellen waar ze was.

– Maakt u zich maar geen zorgen, zei ze, wij moeders doen dat al genoeg. Wij maken ons zoveel zorgen dat het genoeg is voor alles en iedereen. Daarvoor zijn we hier, om de zorgen van de wereld op ons te nemen. Sarah is heel sterk, ze past zich vlug aan. Een echte overlever.

Ik had verbinding gemaakt met een ver, wit land, een vrouw schreef haar angsten in de sneeuw.

Ik heb Sarah niet teruggezien. Ze zal zich hebben afgevraagd wie haar kleren zo netjes heeft opgevouwen. Wanneer er op televisie beelden zijn van betogers die te hoop lopen tegen G8-bijeenkomsten of Olympische Spelen in een fout land, speur ik nog altijd de massa af. Een winkelwagentje misschien, Sarah daarachter, haar vuist in de lucht. Wanneer ik van haar droom, lacht ze me uit. *Gekke Ludwig, dat denk je maar, dat je me mist.* Schaamte vlekt mijn huid als een ziekte, in haar ben ik voorbijgegaan terwijl zij nog altijd in mij is. Je krijgt één kans, en het is beter om niet in de positie te belanden waarin je een vrouw om vergeving moet vragen.

Het liefst had ik gezegd: ik heb geleerd om overal thuis te zijn. Misschien dat dit de werkelijkheid beter benadert: ik heb geleerd om nergens een thuis te verlangen. Zo is het bestaan van muzikant in het ene hotel na het andere het best te verdragen. Er geen eisen aan te stellen die de mogelijkheden van die plaats en tijd te boven gaan.

– De taal van de muziek, die spreken mensen overal, hè?

Een zinnetje waarmee mensen vaak de conversatie openen aan de bar. De gemeenplaats is onze natuurlijke omgeving, het cliché onze levenssfeer. Soms volgt een verhaal dat je niet verwachtte, het drama of de glorie van een mensenleven.

Ik leer hoe je moet drinken zonder over je tong te struikelen. De dronkenschap eronder houden. Ze buigen steeds verder naar je over, gras in de wind, het is zaak rechtop te blijven al spoelt de alcohol plunderend door je aderen. Ik ben voorzichtig met mijn baantjes. Het is een gevoelig evenwicht, ik doe er moeite voor om het precies zo te krijgen als ik het hebben wil, dat wil zeggen dat ik soms inwoning beding en dat het hotel, als het even kan, in een gunstige klimaatzone gelegen moet zijn. Portugal, de Cariben, Monaco, de Côte d'Azur, steden met Dior en Chanel in het stadswapen. De paleizen waarin zich na de adel het hotelwezen gevestigd heeft.

Cannes, het Majestic Barrière – het omfloerste bestaan, de geluiden gedempt in de zware kleden. Fluisterend ontglipt ons de tijd.

Biarritz, Hotel du Palais. Het verbijsterende Atlantische licht, het leven dat als een karavaan in woestijnzand aan je voorbijtrekt.

Ik woon in kamertjes onder de nok, op verdiepingen waar de lift niet komt, waar het personeel schoenen en koper poetst. Soms krijg ik een hotelkamer, als de bezettingsgraad laag is.

Op het strand groet ik mensen die ik 's avonds in de bar zie. De vrouwen, ouder dan ik, ogen die flitsen als sterren. Ze tellen het gekrompen kapitaal van hun schoonheid. Ik ben de belegger die het voor ze vermeerdert. Ongelovig nemen ze mij in hun bed. Met de aanhoudende hardheid van mijn geslacht neem ik hun schaamte weg. Het vervult ze met trots. Zíj hebben die beroering veroorzaakt, die kolking van de bloedstroom, en zij zullen me er weer vanaf helpen ook. Dat is de deal.

In Biarritz wacht Abijail Falcón de rechterlijke uitspraak over haar scheiding af. Ze komt uit de gym, ze draagt een glimmende, witte stretchbroek, ze ziet er gezond en hongerig uit. Ik weet zeker dat ze haar borsten heeft laten doen. Voor ik in haar kom, zegt ze

– Is dit wel normaal? Heb jij niet een of andere afwijking of zo?

De Argentijnse gebruikt zichzelf tegen mij, ze gelooft niet in altruïsme maar in ziektebeelden.

Ik protesteer niet wanneer ze erop staat me in het nieuw te steken in de winkels aan de Avenue Edouard vii.

– Je bent gemaakt voor Italiaanse couture, zegt ze, gezeten op een hocker, haar gladde bruine benen over elkaar geslagen.

Ze is vierentwintig jaar deugdzaam geweest – al citeert ze met een malicieus lachje Leonard Cohen, *give or take a night or two* –, nu laat ze zich leiden door haar verlangens.

– Het leven is kort, liefje, zegt ze, korter dan jij denkt.

Ik draag lichte, linnen jasjes van Corneliani, een lichtgrijs wollen colbert van Zegna; ik twijfel over smal toelopende broekspijpen maar Abijail vindt dat mijn kont goed uitkomt in die broek. Ik vind het prettig haar het gevoel te geven dat ik erotisch speelgoed ben. Daar betaalt ze voor – of haar nu-nog-echtgenoot, de autofabrikant uit Córdoba, de goldcard staat op zijn naam.

Na een paar dagen openbaart zich haar voorkeur om schrijlings boven mijn gezicht te zitten, zo te rijden, haar kut over mijn mond en neus te wrijven. Daarna neemt ze bezit van mijn geslacht. Ze heeft weinig te verliezen, de oudere vrouw, gerestaureerd als een herenhuis, haar ogen vol spel en nederlaag.

Ik vermijd het bij hen te slapen. Naast ze wakker te worden is een intimiteit die ik niet verdraag. Het overkomt me twee of drie keer dat ik per ongeluk in slaap val; de onttakeling in het vroege licht is niet om aan te zien. Alle lust verkeert dan onmiddelijk in zijn tegendeel.

– Blijf toch, zegt de erfgename van het Krause-kapitaal in Karlovy Vary. Ik betaal je ervoor.

Het blijkt onderhandelbaar. Het onderdrukken van weerzin valt uit te drukken in geld; het begin van alle prostitutie. Maar in Karlovy Vary blijf ik niet lang, het poenige, harde milieu van Russische maffiamannen, daar neergestreken na de val van de Muur, bevalt me slecht.

Op het vulkaaneiland Nevis blijf ik zes maanden. Ik huur een lichte kamer aan de rand van Charlestown, boven een eethuis waar ze uitstekend creools voedsel bereiden – bonen, rijst, geitenvlees. Het oerwoud begint waar de huizen ophouden, mijn balkon is er maar een paar meter van verwijderd. 's Nachts hoor je soms iets zwaars vallen, een vrucht misschien, een tak. Boven het bed, dat kraakt als een schip in nood, hangt een muskietennet in ruime plooien omlaag. Ik lig er graag onder, starend naar het houten plafond, de ventilator, en overdenk de kronkelwegen die me hier hebben gebracht.

Ik speel in het Four Seasons Resort, een oord van uitzinnige luxe. Het heeft me enige moeite gekost een betrekking te vinden in de Cariben. Ik heb een promo-cd rondgestuurd, met een cv en representatieve foto's waarop je me aan het werk ziet achter een vleugel in de spiegelzaal van Grandhotel Pupp. De vaste man van het Four Seasons is voor zes maanden naar Miami, in die ruimte pas ik. Bij het zwembad speelt 's avonds een steelband, ik zit achter een vlug ontstemde piano aan de rand van het terras. De zee spoelt zuchtend aan, mensen lopen hand in hand langs de branding, die oplicht door het plankton – je kunt een goede tijd hebben daar.

Ik ontmoet Tate Bloom uit New York. Ze is publicrelationsmanager van de Four Seasons-keten, ze zit op kantoor in New York en reist om de paar weken naar Nevis, de Bahama's en Costa Rica om *de contacten ter plaatse te onderhouden*, zoals ze het formuleert tijdens een etentje ter kennismaking in The Dining Room. Ze geeft me haar kaartje. Ik geef haar het mijne. Ik ben balorig en eet mee van haar bord.

– Please, Ludwig, zegt ze, try to respect the process.

Dat is genoeg om de toekomst te kunnen voorspellen.

Ze heeft rood haar, een joods gezicht, een Iers-Amerikaanse achtergrond. Tate is dertig, maar een paar jaar ouder dan ik, het zal prettig zijn om gangbaar gedrag te vertonen. We gaan naar Eddy's Bar in mijn kleine, gehuurde fourwheeldrive. De muziek staat hard, we verstaan elkaar nauwelijks. Er komt een zwarte man aan ons tafeltje zitten, hij praat met Tate en brengt een paar keer nieuwe flesjes bier. Hij zet Tates glas op een servetje en schenkt haar langzaam in. Zijn toewijding is buitensporig. Hij is vriendelijk tegen mij. De begeerte van twee mannen doet haar goed, ze lacht en straalt. Haar lichte, open hakschoentjes glanzen zijdeachtig. De nagellak op haar tenen is pas aangebracht. Ik zeg tegen de man dat het aardig was om bier te brengen, maar dat ik nu graag mijn conversatie met haar wil hervatten, zonder hem. Hij staat op, wil iets zeggen, maar vertrekt dan zonder protest. Tates mond staat open, ze zegt

– Weet je wie dat wás? De eigenaar!

– Hij was je aan het versieren. Twee is te veel.

Ze vergeet haar representativiteit voor even, ze moet erg lachen. In de auto kussen we. Ze ruikt zoet, haar tanden zijn perfect. Amerikaans. Als nieuw.

– Ik moet terug naar het hotel, zegt ze, ik kan niet...

De hemel is open, zijn koele adem stroomt over ons uit. Ik parkeer voor het restaurant en ze gaat mee naar boven.

Haar verzet is eindig. Ze fluistert geile dingen in mijn oor, woordjes die ik nog nooit zo heb gehoord. Ik dring een klein eindje in haar, dan is er een hindernis.

– Sorry, zegt ze.

Ik ben dronken en grenzeloos maar ze weigert, de tampon blijft in. Ze bezit een opwindend gedragspatroon van overgave en afwijzing. Ze zit op haar knieën voor me, haar lichaam drijft als een bleke vlek in het satijn van de nacht. Ik wrijf mijn geslacht in met speeksel en breng het met korte, zekere stoten bij haar naar binnen. Haar kleine kreten breken in het kussen. Ze duwt met haar naar achteren gestoken hand tegen mijn bekken, een rem. Ik ben duizelig van genot. Het oerwoud begint te gonzen. Er klinkt een kreet daar, en nog een, dan keert de gespannen stilte terug, de ingehouden adem.

Ze kreunt.

– O fuck. O godverdomme.

We ondergaan het ritme van stuiptrekkingen. De blauwe nevel in de kamer omsluit ons als een schil.

Ze schudt me wakker, geschrokken.

– Wat is dat? fluistert ze.

– Apen, fluister ik terug.

Ze bewegen zich in kleine troepjes langs de bosrand. Soms waagt er een de sprong naar het dak. Ze hebben flaporen en zwarte, ernstige gezichtjes. Ik loop naar het raam en zie ze in het zwakke, perzikachtige licht behoedzaam van boom tot boom bewegen.

– Ik moet terug, zegt Tate gejaagd. Je moet me brengen.

Ik zet haar af langs de laan van palmbomen die naar het Four Seasons voert, ze wil niet dat het personeel haar nu ziet, en weet dat wij samen waren. Ze kiest een sluiproute over de golfbaan, haar hakken zakken weg in het mossige gras. Met haar schoenen in de hand loopt ze naar de eerste rij appartementen, dan verdwijnt ze uit het zicht.

Die eerste nacht bepaalt onze routine. We slapen met elkaar, we wachten de ochtend af, het geritsel van de apen in de bosrand, dan breng ik haar terug naar het hotel. Tijdens mijn verblijf op het eiland komt ze vier keer voor een paar dagen over uit New York. De laatste keer brengt ze een derde speler in het spel: Todd Greene, een ontwerper, een New Yorker net als zij, ze gaan in december trouwen. De sloepen van de vissers zijn aan land getrokken, je weet dat er een geraamte van oeroude spanten en planken onder de dikke lagen verf zit, het groen, het blauw, het geel, de namen *Praise Him*, *Morning Star*, *Light of My Eyes*.

– Het spijt me, zegt ze. Ik had het misschien eerder moeten vertellen.

Ik vraag me af of je naar St. Kitts kunt zwemmen, hoe lang je daarover doet. Of dat je misschien halverwege ondergaat, in vrede, wiegend als zeewier.

– Ik wilde eerlijk zijn, zegt ze, ik wilde niks voor je achterhouden, maar je bent een risico. Merk je dat niet? Dat vrouwen je willen redden? Ik denk – ik weet dat je je niet laat redden. Je vindt de aandacht fijn, de zorg om je, maar je wilt niet gered worden. Dit is jouw leven. Ik heb erover nagedacht, over een leven met jou, maar ik had de hele tijd het beeld voor ogen van mensen die verdrinken terwijl ze de ander proberen te redden.

Een stilte. Toen

– Dat is niet aardig. Sorry.

– Ik had... Het had iets kunnen betekenen.

– Wat dan, Ludwig? Hoe zie je het voor je?

– Een mogelijkheid.

– Dat is niet erg geruststellend, een mogelijkheid. Een vrouw verwacht een beetje meer dan dat, snap je. Wat voor mogelijkheid bedoel je?

Het duurde lang voor ik op het antwoord kwam. Toen zei ik

– De mogelijkheid van een huis.

Ik zette mijn leven als risico voort. Veel dingen raakten op de achtergrond. Ik was in die jaren de minnaar van echtgenotes, weduwen, vrouwen die zeiden *Ik ben oud genoeg om je moeder te kunnen zijn*. Hiertoe spoorde ik ze aan, zich over mij te ontfermen, mij te voeden en te kleden, mijn moeder te zijn. Dit kon langs geen andere weg dan die van de seksualiteit. Ik verdroeg hen niet als beverige meisjes of wanneer ik ze buitensporig veel aandacht aan hun uiterlijk zag besteden voordat we naar een restaurant gingen. Liever had ik dat ze een beetje onverschillig stonden tegenover mijn wezen, maar zich dwingend meester maakten van mijn lichaam.

Er viel over het algemeen weinig van ze te duchten, zoals zij ook van mij niets te vrezen hadden: we maakten ons geen illusies. Over onze wederzijdse posities mocht geen twijfel bestaan. Openlijk beleden verliefdheden beantwoordde ik met beëindiging van de betrekkingen. Gevoelens verstoorden de gang van zaken. Een oudere vrouw die vraagt *mag ik je hand vasthouden?* en daarna om je liefde smeekt, is niet om aan te zien. Het is walgelijk. Ik schaamde me dat ik die misvorming had teweeggebracht, dat ik onderdeel van die misvorming was.

Het was een evenwicht dat veel vroeg van beide deelnemers. De vrouw die er het beste in was, was de Duitse Lotte Augustin. Ik ontmoette haar op het schiereiland Lagonissi, vlakbij Athene. Ze had een leven om naar terug te keren, dat hielp. Ze was de ironische schoonheid uit televisiese-ries, wanneer er een moord is gepleegd op een rijke indu-strieel – de rechercheurs onderdrukken hun ontzag voor kristal en Japans behang wanneer ze de salon binnen ko-men. Op het moment dat de weduwe in beeld verschijnt, geblondeerd, rood mantelpakje, ringen die glinsteren om haar vingers en een uiterlijk waar professionals aan wer-ken, weet je wie de moord heeft begaan.

Dat Lotte Augustin in dit resort logeert, zegt veel maar niet alles. De uitgave van duizend euro per nacht voor een Junior Waterfront Suite met privézwembad mag niet voe-len als een amputatie. Ook niet als je je verblijf twee keer met een week verlengt. Dan keert ze terug naar haar le-ven, haar werk, naar haar huwelijk met een deelstaatminis-ter van de CDU dat eerst standhield vanwege zijn carrière, toen vanwege de kinderen en intussen omdat het al zo lang standgehouden heeft. Op de gebruinde huid boven haar borsten, glanzend en geurend van zonnebrandolie, hangt een klein gouden kruis. Ze is niet belijdend maar bidt soms voor het zielenheil van haar kinderen.

Ik voel het tasten van haar ogen in de pianobar. Ze glim-lacht afstandelijk naar me boven een tijdschrift. Later zegt ze

– Ik dacht dat u een Duitser was.

– Mijn grootvader was Duits. Ik ben half Nederlands, half Oostenrijks. Tweemaal bijna een Duitser. Telt dat ook?

Ze schudt haar hoofd.

– Broedervolken.

Er is een fluïde droefheid om haar heen. De aandelen in het door haar opgerichte detacheringsbedrijf in de zorg, heeft ze voor drieënhalf miljoen euro verkocht, ze bekleedt nog een commissariaat maar heeft de dagelijkse leiding overgedaan aan een vrouw van begin veertig – ze vindt dat vrouwen elkaar hogerop moeten helpen. Ze telefoneert veel op het ligbed naast de infinity-pool. Ik drijf in het zwembad en probeer bewegingloos te zijn. Vanuit deze positie gaat het water van het zwembad zonder onderbreking over in dat van de Saronische Golf. Geen van de mensen met wie ze praat, weet dat ze bijna naakt is. Haar zware borsten hangen enigszins ter zijde van haar borstkas, als je ze optilt is de huid in de plooien daaronder blank. Haar tepelhoven zijn bijna zwart van de zon, de pinkdikke tepels altijd stijf. Naast de stretcher staat een asbak met een laagje zand erin; een skyline van rood belippenstifte Dunhill-filters. In het Duits is ze krachtig en trefzeker – wanneer ze van taal wisselt verandert haar persoonlijkheid mee. In het Engels is ze minder op haar gemak. Ze aarzelt over bepaalde uitdrukkingen en woorden, soms maakt ze een zin af in het Duits, geërgerd. Ze zwemt zonder dat haar haren nat worden. Ik lig als een alligator te wachten. Haar blauwe ogen schitteren. Haar schaamhaar is dun en kortgeknipt, ze houdt de mode in de bladen bij. We paren op de brede marmeren treden van de zwembadtrap. Het water maakt haar geslacht schraal, later wordt ze gladder. Haar hoofd ligt achterover op het van zonnewarmte doortrokken marmer. Ze draagt watervaste mascara. Het licht dringt door in haar open mond, ik zie gouden kiezen, uitgelopen vullingen, ik vermijd de luchtstroom van haar adem. Alle geuren van de ouderdom zijn te camoufleren, behalve deze. Het water klotst tegen de badrand, fonkelende druppels glijden van haar geoliede huid.

De obsceniteit van deze geslachtsdaad windt me op en stoot me af. Hoe langer ik het orgasme uitstel, hoe langer ik ook de acute weerzin buitensluit – de confrontatie met vermoedens over mijn perversie, oorzaken van de dingen die iemand van mijn leeftijd niet hoort te doen. De schaamte daarover duurt tot ik terug in mijn eigen kamer ben, tot na de slaap. De dag erna zijn de lustgevoelens onveranderd teruggekeerd: de klim naar de duikplank, de angst en de verrukking voorafgaand aan de afsprong, de val, met een exploderend hart.

Lotte Augustin heeft vrede met dit patroon van troost, extase en vlucht. Ze zegt

– Voor jou moet dit veel raarder zijn dan voor mij.

Het is een pijnlijke, interessante waarneming. Haar verlangen naar mij, zoveel jonger dan zij, in de kracht en de overmoed van mijn jeugd, is *gezond*. Iedereen wil de jeugd bezitten, het is een respectabel verlangen. Dat ik de liefde bedrijf met een vrouw van tegen de zestig is daarentegen *ziek*. Maar alle vormen van menselijke omgang, hoe ongelijksoortig ook, streven naar een zeker evenwicht, en dus strepen we haar leeftijd tegen mijn ziekte weg. Biologie tegen pathologie.

De preutsheid van het begin heeft haar verlaten, ze neemt haar borsten in haar handen en biedt ze me aan, ik ben licht in mijn hoofd door de sensatie van haar zachte, geurige vlees. Tijdens de daad is haar mond altijd geopend, met haar aanhoudende jammerklacht brengt ze een trance-achtige staat bij zichzelf teweeg, tot plotseling haar ogen wijd opengaan als bij het ontwaken uit een nachtmerrie, ze haar gemanicuurde nagels in mijn vlees slaat en Duitse dingen kermt.

We gaan per taxi naar Kaap Sounion, de chauffeur wacht op de parkeerplaats op ons. In het reservaat dat het hotel op het schiereiland Lagonissi is, vergeet je gemakkelijk dat je je in een land met een aride klimaat bevindt, dat de zon hier stenen splijt. In het bleekblauwe waas boven zee zijn zeilschepen en eilanden van gelijk gewicht.

In de tempel van Poseidon, glorieus gelegen boven op de kaap, wijst Lotte me waar Byron zijn naam in de zuil heeft gekerfd, met sierlijke letters. Ze draagt een gouddoorweven hemdje en een rok tot iets boven haar knie, alles wit, net als de espadrilles aan haar voeten. Haar tepels, de afdrukken ervan, dringen zich aan me op. Ze buigt voorover om meer namen te lezen die in de zuil zijn gekrast, en schuift haar zonnebril met de in elkaar gevlochten C's op haar hoofd om het beter te kunnen zien. Haar borsten drijven zwaar in het textiel. Ik voel een erectie opkomen.

Aan de rand van de kaap verkondigt een gids op sandalen met luider stemme dat op deze rots koning Aegeus wachtte op de terugkeer van zijn zoon Theseus, die op Kreta de strijd aanbond met de Minotaurus. Theseus was uitgevaren met zwarte zeilen, en zou, als hij zijn missie overleefde, met witte zeilen terugkeren. Maar door de tragische liefdesverwikkelingen rond Ariadne, die hij moest achterlaten op Naxus, vergat Theseus zijn belofte en voer met zwarte zeilen op Athene aan. Zijn vader, op wacht op Kaap Sounion, zag van verre de zwarte zeilen naderen. Overmand door verdriet stortte hij zich van de rots in zee.

Ik herinner me de contouren van het verhaal, ook in een klaslokaal in Suffolk was het indrukwekkend. Een aantal toeristen maakt zich los van de groep en loopt dichter naar de rand, iemand zegt

– Echt steil is het niet. 't Is eerder rollen dan vallen.

Lotte komt naast me staan. Ik weet in welke stemming ze verkeert.

– In Duitsland vergeet je soms hoe mooi de wereld is, zegt ze.

Ik vertel het verhaal dat ik zojuist heb gehoord. We kijken uit over de mythische zee, de grens tussen water en

lucht is opgeheven, witte zeilen drijven in de hemel, zonen
die het beest verslagen hebben en nu huiswaarts keren.

Het toestel landt vroeg in de morgen. De passagiers verlaten het vliegtuig en dalen de trap af naar de bus op de landingsbaan. Het is koud, over de woestijn ligt een paarse sluier. Tussen de koude luchtlagen deinen de scherpe, opwindende geuren van een andere wereld.

In de aankomsthal de flits van herkenning – ook al is de afstand groot en bevindt ze zich in de massa, aan hoe ze beweegt, haar silhouet tussen de anderen, zie ik dat zij het is. Imprint. Lorenz. En ook radeloze liefde. Die trilling, opgestegen uit de diepten waar het kind opgerold ligt te slapen, nu zijn ogen opent en zijn moeder ziet.

Mijn lach is onbedorven, er knarst niets tussen.

Ze heeft een kobaltblauwe mantilla rond haar schouders geslagen. Ze huilt een beetje. Ze slaat haar armen om me heen, ik voel haar buik tegen mijn lichaam, haar borsten. De afschuw, fel als zenuwpijn. Nooit meer zal ik me normaal tot dat lichaam verhouden. Ook niet nu we aan het einde gekomen zijn, nu haar dagen zijn geteld.

– Ik heb een taxi, zegt ze. Kom.

We telefoneerden soms. Ze had ten langen leste een mobiele telefoon aangeschaft, wat ze altijd had vermeden vanwege een niet gespecificeerde angst voor *straling*.

– Tunesië, zei ze toen ik vroeg waar ter wereld ze zich bevond.

– Jezus.

– Een eilandje is dit geloof ik. Ik ben het hotel nog nauwelijks uit geweest.

– En hoe heet dat eilandje? vroeg ik, alsof ik haar probeerde weg te leiden uit een verdwaling.

– Djerba.

Ik hield een schelp aan mijn oor en luisterde naar het ruisen van de zee.

– Ben je daar nog?

– Ja, ik ben er nog. Wat doe je daarginds?

– Waar?

– Op Djerba.

– O. Uitrusten. Heel veel lezen.

– Waarom je daar bent, bedoel ik.

– O, nou, ze hoefden me niet meer. Daar komt het eigenlijk wel op neer.

– Wie?

– Er zat een vlekje op m'n borst. Met een beetje schmink zag je er niks van, maar toen wilden ze al niet meer. De acteurs zouden er niet tegen kunnen. Zo'n plekje maar.

Ik werd licht in mijn hoofd. Het moment waarvan je wist dat het zou komen, waar je in je zwartste uur naar had verlangd. Dat je ten diepste had gevreesd. Mijn stem was vlak, toonloos, toen ik vroeg

– Wat voor plekje?

– Een vorm van kanker is het. Een voorstadium. Op de tepel dus, rechts.

Uit de heilige ruimtes van het verleden klonken de requiems op die ik voor haar gezongen had. Het moment was daar. Ik vloekte zacht.

– Ja, dat kun je wel zeggen ja.

– Wat nu? vroeg ik.

– Maak je maar geen zorgen, schat. Het is alleen nog maar dat vlekje. Soms is het ook weer een tijdje dicht.

– Het is open?

– Daar begon het mee. Een ontsteking. Een beetje een

schilferig wondje waar wat bloed uit kwam. Soms een beetje pus. Dat ging weer eventjes dicht maar nu alweer een
tijdje niet. Ik snap het niet. Ik eet zoveel goede dingen, veel
vitamine c, kiemen. Ik heb een heel goede zalf die ik erop
smeer. Ik heb het behoorlijk onder controle.
  – Vitamine c? Tegen de kanker?
  – Dat is zo goed, veel meer mensen...
  – En medisch? Waar ga je je laten behandelen?
  – Ik heb gehoord over een heel goede orthomoleculaire
arts, daar wil ik een afspraak mee. En in Keulen zit een arts
die een speciale methode heeft ontwikkeld...
  En zo werd het me langzaam duidelijk dat ze niet van
plan was zich te laten behandelen in een ziekenhuis, dat
ze niet aan een operatie wilde denken. Ze legde haar lot
in handen van mensen die zichzelf genezer noemden. De
grootste daad die op deze aarde te verrichten was, het genezen van een ander mens. Jezus zijn.
  Ze was aan de overkant van de zee waar ik naar keek. Ik
verliet Lagonissi zo vlug ik kon.

Op de achterbank van de taxi, met de ontwakende woestijn
rondom, was het of we terug snelden de tijd in, terug naar
Alexandrië.
  Het onderwerp stond stil tussen ons in, zwart water.
  – Waar kom jij nu vandaan? vroeg ze.
  Ik wees door de voorruit, de lange asfaltweg langs, naar
de nu nog onzichtbare zee daarachter.
  – De overkant. Athene.
  – Toen je kwam aanlopen zag ik dat je dezelfde statige
houding hebt als mijn vader. Die komt van hem. Zo recht-
op. Niet dat kromme van je vader.
  Ik zag oleanders en gebogen olijfbomen met blauwglan-
zende blaadjes, en soms, langs de kant van de weg, vrouwen

met lange, zware rokken aan en brede rieten hoeden op.

– Dit is ons plaatsje, zei mijn moeder. Nu is het vlakbij.

Midoun heette het dorp. De huizen van Midoun gingen weer over in olijfboomgaarden, hier en daar een stofkleurig huis, soms een paar bij elkaar.

Evenwijdig aan de kust verrezen de hotels, het ene na het andere, ontelbare chartervluchten stroomden erin leeg. In de perkjes voor de ingang bloeide bougainville. Een man met een smaragdgroen vestje nam de koffer van me aan om hem naar mijn kamer te brengen. Op de receptiebalie stond een mededelingenbord. *Zeer geëerde gast, de algen op het strand zijn een natuurverschijnsel, wij zijn niet in staat ze geheel te verwijderen. Ze behoren tot het ecosysteem. De zee neemt de algen ook weer mee terug. De directie dankt u voor uw begrip.*

We daalden af naar de ontbijtzaal. Er hing een lage mist in de ruimte, afkomstig van gebakken eieren, spek, de waterdamp uit bakken waarin gerechten au bain-marie werden opgewarmd. We vonden een tafeltje bij het raam. Het voedsel was verspreid over een paar eilanden, daartussendoor zwierven mensen met een bord in hun handen. De conveyor toaster had mijn belangstelling. Je legde een boterham op een lopende band, die vanonder en vanboven werd geroosterd door gloeispiralen – bij het eind van de band aangekomen, viel de boterham op een glijbaantje en werd geroosterd en wel uit de machine geworpen. Een industrieel, efficiënt proces, verwant aan het massatoerisme langs deze kust.

– Vooral Duitsers hier, zei mijn moeder. Het is heel goedkoop. Ik kan hier de rest van mijn leven blijven als ik wil.

Ontroering die me als een graat in de keel steekt. De rest van haar leven, het kan kort duren of lang, vaststaat dat de dood haar aan hun afspraak heeft herinnerd. Is ze altijd al zo onhandig geweest met mes en vork? Ik kijk naar haar als een verzamelaar. Ik verzamel herinneringen.

Om vier uur 's middags ontwaakte ik uit een diepe slaap en begon voor de tweede keer aan de dag. Vanuit het raam zag ik op het strand de algenwoekering waar ik beneden over gelezen had. Donkerbruin, in een dikke, metersbrede laag door de zee aan land geschoven. Daarachter, op de resterende strook zand, stonden rieten parasols.

De gangen waren lang en donker, achter deuren klonken mensenlevens. De wind floot door de gangen. Ik viel bijna voorover in de lift, die dertig centimeter lager gestopt was dan ik had verwacht.

Ik vond haar op een van de ligbedden op de smalle zandstrook.

– Uitgerust, lieverd? vroeg ze.

Ze droeg geen bovenstukje. Ik vroeg me af of dat aanvaardbaar was in dit deel van de wereld, met zijn Arabische preutsheid, maar zag dat andere vrouwen het ook deden. Op haar rechtertepel zat een felrode plek. Schilferig zag het eruit, ontstoken.

– Wat nu, zei ik na een tijdje, met dat.

Ik knikte naar haar borst. Ze keek ernaar.

– Dat, zei ze, dat is geen kanker, dat is een uitdaging.

Traag schudde ik mijn hoofd, ongelovig.

– Zei de dokter dat, *mevrouw Unger, u heeft een uitdaging?* Het ziet er eng uit vind ik. Agressief.

– Zo erg toch niet? Alsof ik ben gebeten door een insect, zoiets.

– De kreeft, moeder, die heeft je gebeten.

Ze haalde haar schouders op.

– Dat zijn allemaal maar beelden.

– Wat ben je ermee van plan? Héb je een plan?

– In december heb ik een afspraak in Keulen. Dat is heel ingrijpend hoor, je wordt er heel ziek van, maar ik hoor er zulke goede dingen over.

– Zoals?

– Hij verhit de kanker als het ware, die cellen kunnen daar niet tegen en gaan dood.

– Alleen die? Andere cellen kunnen er wel tegen?

– Je moet me niet precies vragen hoe dat allemaal zit. Als je het wilt weten zoek je het maar op op internet.

– Dat heb ik gedaan.

– Niet goed genoeg blijkbaar.

We dronken een groot glas vruchtensap op het dichtstbijzijnde terras, onder een wit lattenwerk waardoorheen de afnemende zon rechthoeken van licht wierp. Het droevige uur. Gezinnen aan kleine tafels aten gefrituurde gerechten. Van de obers lachten alleen de negers. De Arabieren minachtten ons met enige nadruk.

– Je gaat er niet mee naar een ziekenhuis? vroeg ik. Geen chemo of bestraling?

– Ik denk er niet aan, zei ze. Als je weet dat artsen dat zelfs hun eigen vrouw ontraden.

Ze wierp een dam van oncontroleerbare gegevens op die haar bevestigden in de juistheid van haar keuze, die ik roekeloos vond, en waar ik bang voor was.

– Ik heb je zo lang niet gezien, Ludwig, zullen we het ergens anders over hebben?

Ze was van plan zich voor de duur van de alternatieve behandelingen in Nederland te vestigen, misschien zelfs voorgoed. De zwerftocht sinds het verlies van ons huis had acht jaar geduurd, ze wist niet eens of Warren en Catherine ons huisraad niet allang naar de vlooienmarkt hadden gebracht.

– Je gaat dood als je niks aan die borst doet, zei ik. Realiseer je je dat?

– Niks doen? Ik doe juist hartstikke veel! Hoe kun je dat nou zeggen? Ik heb me heel goed geïnformeerd, vergis je niet.

– Wanneer wist je het?

– In januari ging ik er voor het eerst mee naar een dokter. Het ging maar niet dicht.

– Het is nu november.

We zwegen. Met het rietje zoog ik ijswater tussen de ijsblokjes op.

– De ziekte van Paget, zei ik. Die heb je.

– Dat weet ik.

– Een voorstadium van kanker, goed behandelbaar.

– Als ze snijden kan dat uitzaaiingen veroorzaken, dat zeggen ze er niet bij.

– Ze.

– Artsen ja. In dienst van de farmaceutische industrie.

– Ze hebben wel een eed afgelegd.

– Nou doe je wel heel naïef, alsjeblieft Ludwig.

Ik had gehoopt dat we door tussenkomst van tijd een beetje milder tegenover elkaar waren komen te staan, maar het enige wat de tijd leerde was dat deze dingen onveranderlijk waren, dat deze eerste dag in alles aansloot op de laatste dag lang geleden, zodat de stemming opnieuw vergiftigd raakte met tegenstellingen en onverzoenlijkheden. Wij waren dezelfden gebleven, we waren niet aan onszelf en aan de ander ontsnapt, zelfs niet nu de ziekte in haar had postgevat.

Om acht uur ontmoetten we elkaar in de eetzaal. Koks met hoge mutsen op bakten visjes en dunne entrecotes aan de rand van het zwembad. Het lichtgevende turquoise van het bad leek zoet en eetbaar. Van de gloed van zwembaden in het donker gaat iets betoverends uit, als ik ooit een huis heb wil ik er een zwembad bij vanwege dat eetbare licht.

Het hotel was ingericht als een groot schip, een mast doorkliefde de centrale hal, touwen slingerden door de ruimte. Tussen het personeel en de toeristen bestond een strikt economisch contact, aan het eind van het verhaal ging iedereen terug naar huis en er bestond geen herinnering aan deze ontmoeting van volken. Men gleed zonder aanraking langs elkaar heen, als je er een tijdje naar zat te kijken op een bankje in de hal kreeg je het gevoel dat het schip kon los-slaan van zijn ankers en dat bemanning en passagiers voor eeuwig in dit vacuüm zouden verblijven, met de Buena Vista Social Club op een duizendjarige herhaalstand.

Soortgelijke gevoelens van oneindigheid overvielen me in de gangen die ik doorkruiste op weg naar mijn kamer. Tussen de kamers en gangen bestond over- en onderdruk, een afgrijselijk fluiten en zoemen wrong zich onder de deuren door, het perste zich door de kieren, deuren sloegen met geweld dicht. Eens stapte ik per ongeluk een verdieping te vroeg uit en dwaalde door identieke gangen op zoek naar mijn kamer, waar de magneetkaart niet paste – verdwaald in het labyrint, geen liefdesdraad die me naar buiten leidt. Ik volg de zanderige kindervoetjes die achterbleven op de hemelsblauwe loper, sporen van kleine, prehistorische roofdiertjes.

De vlakke kust beschreef een lome bocht, 's nachts zag je de lichtjes van Zarzis in de verte. Van zee af gezien begon Afrika twijfelend, zonder enige nadruk, het land stak maar net boven water uit. Er groeide weinig op de verzilte bo-dem. Een dode, vlakke kust, zonder kenmerkende eigen-schappen.

Het begon te waaien. Ik sloot 's nachts de balkondeuren. Toen ik 's morgens uit het raam keek, was de zee woelig. Ze had in de nacht parasols weggespoeld, op het volleybalveldje stond het water in de kuilen. Nog meer algen had de zee aan land gebracht. Tonnen organisch materiaal waren tot aan het terras opgestuwd, het strand was er geheel onder verdwenen. Alles schuim, chaos. In de prut stonden vier mannen met opgerolde broekspijpen. Twee van hen droegen een schep. Voor wie de vijftien meter brede strook wier overzag die zich over de hele kustlijn uitstrekte, was de schep een lachwekkend voorwerp. Later kwam er een kleine rode trekker met een kar erachter, de mannen begonnen hun sisyphusarbeid. Schep voor schep lepelden ze het materiaal op. De parasols bleven ondersteboven liggen, niemand leek nog enig geloof te bezitten in de geruïneerde façade.

De entertainer, een klein, fel homootje, staat op de rand van het zwembad. Het groepje voor hem in het bad probeert de oefening vol te houden terwijl hij met zijn schelle stem van tien naar nul telt. Ik probeer hem zo veel mogelijk te vermijden vanwege de kwijnende blikken die hij me toewerpt. Hij telt in het Frans, Duits en Engels, achter hem loeit de gettoblaster. Zijn zwembroekje is heel klein en strak.

Ze is in de thermen. Ze hangt achterover in een fauteuil, een witte, vaak gewassen badjas om haar lichaam. Haar voeten liggen op een krukje, tussen haar tenen steken watjes. Ze wappert met haar handen.

– Laat je nou 's masseren, zegt ze. Het is heerlijk, heel ontspannen. Het zou je goeddoen. Ga even zitten, ik word zenuwachtig als je zo staat te wiebelen. Wil je thee? Dinges, hoe heet-ie, brengt het wel even. Vraag je even of hij komt?

Ik steek mijn hoofd om de hoek van de relaxkamer en vraag de receptioniste of er iemand kan komen. Even later zeilt een man binnen, een en al charme – egaal, glanzend bruin als een geolied meubelstuk.

– Thé de menthe voor Frau Martha, subito. En dit, wie is dit?

Hij knipoogt.

– Uw broer? Iemand anders?

– Mijn zoon, zei ze.

– Incroyable!

Hoeveel valse verbazing past er in een gezicht. Hij maakt zich uit de voeten op zijn witte klompjes.

– Een grappenmaker, zegt mijn moeder tegen de leegte die hij achterlaat. En een enorme flirt.

En even later

– Maar ik zie er toch nog best goed uit, vind je niet?

– De kanker zit niet op je gezicht, nee.

Ik zie haar zucht maar hoor hem niet.

– Ik wilde je vragen of je mee naar Nederland gaat, zegt ze. In elk geval de eerste periode. Als je tijd hebt.

– Stervensbegeleiding.

– Ik ben helemaal niet van plan om nu al dood te gaan!

– Misschien word je wel ziek. Dat ligt voor de hand als je niks laat doen.

– Maar Ludwig, misschien was ik er allang niet meer geweest als ik erin had laten snijden. Je leest zo vaak over vrouwen die de borst laten weghalen en dan doodgaan omdat het zich heeft uitgezaaid naar hun lymfeklieren of hersenen.

– Er zullen er ook genoeg zijn bij wie dat niet gebeurt.

Er komen twee in het wit gestoken meisjes binnen. De een gaat aan haar voeteneind zitten, de ander zet zich naast haar; ze voltooien de behandeling. Visioen van ziekenhuizen, de ernst van doktoren. Jij hebt alleen maar dat ene, onherhaalbare leven – zij zien er tientallen langskomen zoals jij. Je begrijpt niet dat dat kan, dat zij aan jouw leven niet hetzelfde belang toekennen als jij; het gevoel dat iemand je diep beledigd heeft.

Mijn moeder kijkt naar mij. Ik heb nog geen antwoord gegeven op haar vraag.

– Natuurlijk ga ik mee, zeg ik. Wat dacht je dan.

Haar badkamervloer was bezaaid met pillen. Gele pillen, rode, groene. Pillen die waren weggerold, weggesprongen, tussen haar vingers doorgeglipt. Zo behandelde zij zich: volgens eigen plan en naar eigen inzicht. Boven zee opende zich een gele parachute, een kleine kernontploffing aan de horizon.

– Guten Tag! kwaakte de homo in de microfoon.

Het was vier uur, de cursus buikdansen begon. Een oude vrouw deed mee; vanaf een ligstoel werd ze gadegeslagen door haar jonge Arabische minnaar. Aan de ontbijttafel verscheen de vrouw elke morgen in een gebatikte jurk, haar witte haren nog nat, haar gezicht van waterverf zonder uitdrukking. Afrika! Het continent van de hoop voor eenzame vrouwen uit het noorden. Gedrenkt in honing trekken ze, zodra ze voet aan wal zetten, een zwerm uitgehongerde vliegen aan.

's Avonds gingen we naar een show in de Coquillezaal, waar het concept *schelp* was doorgevoerd tot in het zenuwslopende. Een man danste met vijf kruiken op zijn hoofd. Zes. Zeven. Het publiek klapte mee op de maat van de muziek. Op de rand van het podium zaten blanke kinderen. Ook kon de man zeven kruiken op de punt van een stok laten balanceren, waarbij die stok op zijn ondertanden rustte. Er waren dikke buikdanseressen, het vlees bewoog zich onafhankelijk langs het lichaam.

– Dáár blijft al dat eten! fluisterde mijn moeder, die zich elke dag weer verbaasde over de voedselophopingen in het restaurant.

Hier werden legers gevoed, de toevoer was constant en overvloedig.

De wind was gaan liggen maar ik hield de deuren gesloten, geërgerd door het stompzinnige ruisen van de zee. Het strand was nu volledig verwoest – de wanhoop en de vreugde na de apocalyps.

Ik begreep mijn gevoelens niet; zelfs nu, nu de dood zich over haar uitbreidde vanuit de borst waaruit ik het leven had ingedronken, stonden de sterren in het teken van steriele, onmachtige haat. Ik had gemeend een zekere autonomie verworven te hebben, maar nu we weer samen waren bleek de zucht naar vergelding niet verdwenen. Die was alleen maar neergeslagen; droesem, gemakkelijk losgewoeld. De helderheid had bestaan bij de gratie van de afstand die we tot elkaar bewaard hadden sinds de scheiding in Praag. Wel wist ik nu mijn weerzin beter te beheersen, de bitterheid en de onberekenbare gevoelens met de smaak van nederlaag bleven veelal achter de haag van mijn tanden en de sluier van mijn ogen.

De enige herinneringen aan een zeker geluk, die weken op Djerba, hebben met voedsel te maken – met het regelmatige, vele, afleidende eten waaraan we ons te goed deden.

In Nederland vestigden we ons op enige afstand van elkaar. Ze huurde een vakantiehuis ten oosten van de stad Groningen, buiten het dorp Meeden. Ik betrok een gemeubileerde etage in het centrum van de provinciehoofdstad en begon aan mijn leven als Nederlander. Een klein, onopvallend bestaan dat zich afspeelde op ongeveer een vierkante kilometer: het loopje van mijn etage aan de markt naar het casino (waar ik door bemiddeling van een agent werk gevonden had), de wandeling langs de Diepenring, de routes naar de grand cafés en broodjeszaken waar ik mijn dag begon.

Al die tijd leek het erop dat ze helemaal geen haast maakte met doodgaan, die moeder van mij. Op mijn aandringen liet ze zich kort na aankomst in het ziekenhuis onderzoeken. Er werd een mammografie en een echografie van de borst en de oksel gemaakt, ik zat in een wachtkamer en las tijdschriften en tabloids in de taal die ik vroeger behoorlijk beheerste, maar die nu door de tijd weer deels was uitgewist. Ik verstond alles maar sprak haar nu als een dode taal; mensen luisterden geamuseerd naar de misvormde tweeklanken, klemtonen, de gebrekkige woordenschat; al die misverstanden. Wanneer ze overgingen op het Engels om het me gemakkelijker te maken, weigerde ik dat met de trots van een ambitieuze immigrant, en voort ging het met de reeks missers van een dronkenman in een schiettent.

Mijn moeder kwam uit de behandelkamer, ik haalde thee uit de automaat. Ze was teleurgesteld omdat er juist vandaag veel vocht uit de wond was gekomen. Dit nam ze haar borst kwalijk, want het was alweer een tijdje rustig geweest, *dicht* zoals ze het noemde, en juist nu, nu er andere ogen naar gekeken hadden, was de borst ongehoorzaam geweest. Uit het gesprek met de oncologisch chirurg bleek dat er nog geen tumor in het onderliggende klierweefsel zat, het was moeilijk te onderzoeken geweest. Of er lymfeklieruitzaaiingen waren, viel nog niet vast te stellen.

– Mag ik vragen wat u van plan bent? vroeg de chirurg, een levendige vrouw met een onderbeugel en haar haar in een staart.

Mijn moeder vertelde over het behandelplan dat ze voor zichzelf had opgesteld, de voedingssupplementen, de zoutbehandeling, het jodium dat ze er elke morgen op smeerde (*dat bijt flink, hoor!*), en ten slotte over het bezoek dat ze zou brengen aan de man die als een zegenende priester in ons leven gekomen was: dokter Richard H. Kloos, een Nederlander die praktijk hield in Keulen. Ik keek strak naar de vrouw tegenover ons. De uitbundigheid van mijn moeder hield verband met de gunstige uitslag van zo-even, het uitstel van executie dat gevierd werd als triomf.

Zo verlieten we het ziekenhuis, met handenvol nieuw leven en de toezegging van mijn moeder dat ze zich periodiek zou laten controleren. Ik bracht haar naar het station, vanwaar de bus vertrok. De dag stond in een gelijkmatig, melkachtig winterlicht, de zon was bleek als een maan.

– Dit was de stad waar ik naar verlangde als meisje, zei ze. Soms gingen we hier winkelen, de straten waren de langste en breedste ter wereld. Hier kon je alles krijgen wat er bestond.

In de stationsrestauratie dronken we warme chocolademelk, ze nam er een stuk appeltaart bij, ook met slagroom. Ik wist dat de kans dat ze zich aan de reguliere geneeskunde zou onderwerpen vandaag kleiner was geworden dan ooit.

– Mag ik de suiker?

Ze schoof de suikerpot over tafel naar me toe.

– Wil je slagroom van mij, ik heb zoveel!

– Een beetje graag.

Ik hief mijn kopje.

– Op de pijnloze dood.

– Hè, Ludwig.

Daarna zwaaide ik haar uit bij de bussen met een hartstocht alsof we door een zee gescheiden zouden worden.

We zagen elkaar weer toen ik haar ophaalde in Meeden. We gingen naar Keulen. In de lage kamer hing een kooitje met een oranje kanarie erin. Het beestje hupte zenuwachtig heen en weer, onder de kooi knarste het van zangzaad en schelpenzand.

– Ik heb maar een kanarie gekocht, zei ze, maar hij doet nog geen bek open. Dat getsjilp doen ze buiten ook. Als het zo blijft breng ik 'm terug. Ik wilde iets om tegenaan te praten, maar dit is niks.

Die geur van vakantiehuisjes, van ongeluchte kasten, het vocht in de dekens. Ik rook het door de nevel van wierook en gedoofde kaarsen heen, de geur van een verlaten plaats, die niet door menselijke energie werd verwarmd en onderhouden. We moesten de volgende morgen vroeg in Keulen zijn, zodat we er vanavond al zouden overnachten. Ik tilde haar koffer in de huurauto, zwaar alsof ze weken van huis ging, en wachtte nog geruime tijd tot ze klaar was om te gaan. Ze rook als een serail toen ze ten slotte naast me kwam zitten en met een zweem van ongeduld zei

– Kom, laten we gaan.

Toen de snelweg zich voor ons opende, zei ik

– Zou je in het vervolg misschien minder eau de cologne op kunnen doen? Ik word een beetje licht in m'n hoofd.

– Dan doe je maar een raampje open. Kom zeg.

Daarna zwegen we tot voorbij Zwolle. Toen vroeg ze

– Heb je dat meisje uit Los Angeles nog wel eens gezien? Waar je toen zo dol op was.

Ik schudde mijn hoofd.

– Ik droom wel van haar. Elke eerste nacht in een ander land, gek genoeg. Daar kun je de klok op gelijkzetten. Soms ook tussendoor, maar altijd die eerste nacht nadat ik een grens ben overgestoken, in een nieuw bed lig, onder een vreemde hemel.

– Gek, ja.

– Ik denk dat ik de enige ter wereld ben die dat heeft. Ik heb er nog nooit iets over gelezen of gehoord. Het Ungersyndroom.

– Er zal vast wel iemand anders zijn die het ook heeft.

– Dat zal wel ja. Maar ik heb de term hierbij gemunt.

– Heb je daarna nog wel eens een meisje gehad? Voor langere tijd bedoel ik.

– Nee.

– Je bent nu dertig.

– Bijna.

Pas bij de maaltijd, 's avonds laat in Keulen, kwam ze erop terug.

– Waarom heb je eigenlijk geen vriendinnetjes?

Omdat jij nog leeft, dacht ik, maar ik zei iets anders.

– Misschien omdat ik eigenlijk al niemand meer nodig heb, zoals je ooit zei.

– Zei ik dat? Dat je dat nog weet.

Ik speurde haar gezicht af op dubbele bodems, maar ze leek het echt vergeten, de kwade spreuk, de schaduw in mijn rug.

– Ik kan niet geloven dat je echt bent vergeten dat je dat hebt gezegd.

– 't Is toch echt zo. Wat zei ik, dat je eigenlijk niemand anders nodig hebt? Dat is toch ook zo? Je kunt van een ander niet verlangen dat hij je gebreken opvult. Mensen moeten uit vrijheid bij elkaar zijn en niet uit afhankelijkheid.

– Het had een andere betekenis, toen.

– Maar het is dus niet dat je op jongens valt, dat je geen vriendinnetjes hebt? Dat had toch gekund? Dat komt vaker voor bij jongens die erg op hun moeder zijn gericht, wanneer er geen vaderfiguur in de buurt is.

– Ach Jezus.

– Ik wil zo graag nog oma worden.

Ik schudde mijn hoofd, een verdoofde bokser. De hap

schnitzel verborg een knooppunt van zenen. Vanuit mijn mond moffelde ik het vlees in het servet.

– Lekker? vroeg ze.

– Hmmhmm. Mag ik het zout?

Zo begon de dag.

Zij: Dat vind ik een mooie gedachte, dat we niet zelf ademen, maar geademd worden.

Ik: Beademd?

Zij: Geademd. Dat we geademd worden.

Ik: Door wie precies?

Zij: Moet dat nou aan het ontbijt?

Niet veel later stonden we voor de *Privatpraxis* van PD Dr. Med. Richard H. Kloos, *Arzt für Allgemeinmedizin und Naturheilkunde*, tevens laatste drager van de vlinderdas. Om de zoveel tijd namen hevige trillingen bezit van zijn lichaam. De kopjes rinkelden, het water schommelde in de kan. Ik begreep dat de vlinderdas en de sidderingen hem geloofwaardigheid verleenden, zoals de ziener vaak blind is en de sjamaan mank of verlamd. Hiermee heeft de god hen geslagen om diepe waarheid te kunnen spreken. Ik hoorde mijn moeder zeggen *...eerst mijn lichaam zelf de kans geven... grondig ontgiften... zoveel oude pijn...* En hij: *Alles heeft met alles te maken, ieder mens maakt de hele dag kankercellen aan, de hele dag. Rudolf Steiner heeft in 1912 al gezegd... Ja, ook van de maretak kende hij de werking. Die is zo goed voor de mens, de maretak, een geschenk. Ik heb zelf kanker gehad, toen heb ik de kracht van de maretak ontdekt, ik heb mijn leven te danken aan de maretak! Ik wil iets terugdoen voor de maretak!*

En weer daverde de storm van spierkrampen over tafel. Hierna schikte hij zijn geblondeerde lokjes en veegde over zijn snorretje alsof het van zijn plaats was geraakt. Mijn moeder knikte tevreden. Ze was met een gelijke, ze hoefde zich niet te verdedigen. Dr. Richard H. Kloos hoefde niet eens zijn best te doen om haar over te halen tot de behandeling die vijftigduizend euro zou kosten. Ik probeerde wanhopig te volgen wat hij bedoelde toen hij overging tot een college Natural Killer Cells, dendritische cellen die in hun eentje vijfduizend kankercellen konden doden. De legers van de kanker en de antikanker marcheerden over tafel. De door hem ontwikkelde behandeling kwam neer op een *eigen bloedtherapie* die binnen Europa alleen in Duitsland, Oostenrijk en Zwitserland was toegestaan. Ik begreep dat haar bloed zou worden afgenomen, waaruit de monocyten, *de baby-witte bloedlichaampjes*, zouden worden geïsoleerd. In zeven dagen werden daar volgens Richard Kloos fitte dendritische cellen van gemaakt, die haar zouden worden ingespoten. Ze moest zes keer terugkomen voor een herhaling van de behandeling, eens per maand.

– Twee tot vier uur na de behandeling krijg je een soort griep. Er is dan zoveel activiteit in je immuunsysteem dat dat koortsachtige symptomen oplevert. Ik adviseer je om dan niet te reizen, maar bijvoorbeeld een hotel te nemen om daar uit te zieken.

Toen hij de kamer werd uit geroepen, zei mijn moeder tevreden

– Een echte wetenschapper.

Hij leidde ons door de kliniek. We zagen langwerpige dozen waar de patiënten in verdwenen tijdens hun behandeling. Daarbinnen werd de temperatuur opgevoerd tot een maximum van tweeënveertig graden, omdat het eiwit in kankercellen volgens Kloos bij die temperatuur begon te stollen, terwijl het dat in gewone, gezonde cellen pas deed bij vierenveertig graden. We keken in een kamer waar een vrouw op een waterbed lag.

– Ze bouwt een elektronenveld op, zei Kloos.

In de deuropening, knipogend naar mijn moeder, hoorde ik hem zeggen

– ...dat zei Rudolf Steiner ook al, hè.

Terug op zijn kamer wachtten we beleefd het einde van zijn bevingen af, die halverwege een zin begonnen waren. Toen hernam hij het woord.

– Wat ik niet tegen iedereen kan zeggen, maar tegen jullie wel, is dat het ook zwart kan, als de verzekering het niet dekt.

We verlieten Keulen en volgden het complex van snelwegen. Op de kaart ziet dat deel van Europa eruit als het web van aderen op het been van een oud mens. Naast me klonk een stem die in het bitterzoet van zelfmedelijden was gedoopt.

– Ik werd er gisteravond een beetje verdrietig van, toen je me je arm niet wilde geven.

Ik zweeg. Ze zei

– Ik dacht, er komt een dag dat je erom smeekt, op je blote knieën, dat je me nog een arm zou kunnen geven.

Boven de velden kolkte het wolkendek, sluiers van regen hingen uit de hemel neer.

– Zelfs in de dood manipuleer je me nog, zei ik.

Er volgden zes rampzalige reizen naar Keulen. Naast de evidente kwellingen van oorlog, marteling en gebrek, bestaat de kwelling van familie. Op de hoge Keulse kades, boven de rivier die zich diep en breed door haar bedding slingerde, dacht ik met hinderlijke regelmaat aan de woorden die Randy Newman schreef met de Rijn in gedachten. *I'm looking at the river. But I'm thinking of the sea.* De eerste twee keer bleef ik bij haar tijdens de behandeling in de doos, dat attribuut uit het theater der illusionisten, waartoe ook Richard H. Kloos behoorde. Alleen haar hoofd stak eruit, het steunde op een handdoek. Ik zat op een stoel naast haar en keek toe hoe ze langzaam op temperatuur werd gebracht. Haar hoofd werd roder en roder. Het zweet gutste in stralen van haar af. Soms verlieten de scepsis en de kou in mijn ziel me voor de onberedeneerde hoop dat deze lijdensweg naar genezing zou leiden, dat het kon, Kloos had immers gezegd dat vijftien procent van de vrouwen volledig genas door zijn behandeling. Zestig procent vertoonde een partial response en vijfentwintig procent overleed alsnog. Honderd procent van de mensen die hier kwamen, probeerde zich in die vijftien procent te wringen. Iedereen deed zijn best. Geloof was de belangrijkste voorwaarde. Wie niet geloofde, had de kans op genezing opgegeven en was verloren. Dus geloofden ze, de vrouwen die ik mager en uitgeput door de gangen zag strompelen in pluizige ochtendjassen, ze geloofden in de toverkracht van dendritische cellen en de magische hand van dokter Richard H. Kloos, de bemiddelaar tussen leven en dood. Ze geloofden tegen de klippen op voor een plaatsje bij de Gelukkige Vijftien. Soms nam ik haar gezicht af met een doek, die ik al na twee keer moest verversen, zo overvloedig stroomde het vocht.

Eens huilde ze geluidloos, tranen vermengden zich met zweet. Ik legde heel even mijn hand op haar voorhoofd, het doorweekte haar, en zei dat het goed kwam. Dunne, domme troost. Formule zonder hart. Door haar uitputting heen zag ik voor het eerst sporen van angst in haar ogen, als bij een paard dat in de modder zinkt, de angst van het zoogdier voor het leven zonder zichzelf, terwijl hij in de uiterste duisternis verdwijnt. Opeens betekenden deze kwellingen niet meer de weg naar genezing, maar het voorportaal van het onzegbare leed dat wachtte; tranen drupten in de handdoek. Ik bracht het rietje naar haar mond, ze zoog water uit het bekertje.

De derde keer zei ze dat ze er liever een verpleegster bij had.

– Het kan nu wel zonder jou, zei ze. Ik weet een beetje wat me te wachten staat. Ik heb er liever iemand bij die het met z'n volle aandacht doet. Ik moest je de hele tijd vragen of je m'n gezicht wilde droogmaken. Je keek zo koud. Je gaf me een beetje een vies gevoel.

Kort na de behandeling in de kliniek van dr. Kloos stierf de vrouw met wie mijn moeder een lotgenotenvriendschap had gesloten. Haar borst was afgezet, de kanker was na een paar jaar teruggekomen, ze leefde in het perspectief van een kleine kans. Mijn moeder ging naar haar begrafenis. Toen ze daarvan terugkwam zei ze dat ze gecremeerd wilde worden. Ze herhaalde nog maar eens dat ze *niet van plan was vlug dood te gaan, maar toch...* Het liefst wilde ze worden verbrand op een houten stellage langs de oevers van de Ganges, maar die logistieke krachttoer wilde ze me niet aandoen.

Ze wachtte op het wonder. Dr. Kloos had haar weliswaar niet genezen, ze vond toch dat ze bij de zestig procent hoorde, de groep die partial response vertoonde. Er waren nieuwe wonderdoeners die ze *artsen* en *wetenschappers* noemde, een van de genezers woonde in het bos in Drenthe. Hij zei

– Marthe, het is twee voor twaalf, je moet nú aan je eigenliefde gaan werken, je zelfwaardering, het is nog niet te laat.

Ik vroeg haar wat zijn belofte was.

– Zegt hij dat de kanker weggaat door rust te nemen, te mediteren, van jezelf te houden?

– Je kúnt jezelf programmeren op celniveau, dat is alles wat hij zegt. Hij gaat naar de oorzaak van de ziekte, in plaats van alles maar weg te snijden.

– En daarmee geneest hij mensen?

– Hij is juist heel bescheiden. Hij zegt dat het kán, niet dat het altijd gebeurt. Je hebt zoveel zelf in de hand.

Het was opvallend dat de genezers die zeiden niet volmaakt te zijn, het meest geloofwaardig leken. Juist door niet perfect te zijn, door een ruime marge van falen aan te brengen, bestond de mogelijkheid van genezing.

Een oudere vrouw met een kanarie in een vakantiehuis. Soms, op straat of in een restaurant, herinnerde het gefluister en het draaien van hoofden aan het leven dat hieraan was voorafgegaan. Nu was ze terug waar haar leven begonnen was, Bourtange was niet ver weg. Ze had een lange reis gemaakt, aan het eind daarvan was ze naar huis gekomen, ze hoefde alleen het vroegere Bourtanger Moor maar over te steken om er te komen. Tante Edith, oom Gerard, er was niet meer over hen gesproken, we wisten niet of ze er nog woonden, of ze nog leefden. De scheiding was resoluut en onherroepelijk geweest. De kring had zich voor haar gesloten. Door in Meeden te gaan wonen, zocht ze weer toenadering, zo onnadrukkelijk mogelijk. Ze zou het ontkennen als je ernaar vroeg.

Naar de oncologisch chirurg ging ze niet terug.

– Waarom zou ik dat doen, zei ze, het gaat toch goed zo.

– Je hebt het beloofd.

– Het moet zinvol zijn. Ik zie het nut er niet van in.

Steeds verder weg raakte ze, steeds onbereikbaarder voor het gezond verstand – ze schiep haar eigen bezweringen en vond haar troost bij gebedsgenezers en antroposofen, de magiërs. Ze beleden met de mond dat ze haar niet bij de reguliere geneeskunde vandaan wilden houden, maar bevestigden haar in elke keuze die daarop neerkwam. Ze vreesden de wet, hun occulte boodschap vond ondergrondse uitwegen, de hagenpreken der natuurgenezers; ze gleden als palingen door nat gras. Dat ze te kwader trouw zouden zijn geloofde ik niet. Dat zou beter te verdragen zijn geweest, een criminele bedoeling, de ander schade berokkenen om er zelf beter van te worden. Die bedoeling zou ik begrepen hebben, zulke mensen zijn er genoeg. De gotspe was dat ze werkelijk geloofden dat hun handoplegging, hun zelfgebrouwen medicijn, hun adviezen tot geestelijke transformatie tot genezing van de kanker zouden leiden. Brutale aanspraken, gehuld in een mantel van valse bescheidenheid en een nederig gestameld *wie ben ik dat ik dit mag doen*. De zieke mens, dat verzwakte, haperende organisme, opeens beroofd van de gezondheid dat het altijd zo luchthartig genoten heeft, is niet bij machte de gaten te dichten die geslagen zijn, waardoor ongefundeerde boodschappen van hoop en troost binnendringen.

Mijn machteloosheid was volkomen. Ik vond geen barsten in mijn moeders afwijzing van doktoren, operaties, bestraling, chemo- en hormoonkuren. Haar opvattingen waren zo hard als een kerkbank. Ze werkte actief aan een wereldbeeld waarin artsen en ziekenhuisdirecties slechts marionetten waren van de farmaceutische industrie. In het huis in Meeden vond ik tijdschriften en boeken die de paranoia voedden. In het zicht van een reële doodsoorzaak schiep ze zich een vijand van formaat.

– Het gaat me niet om die borst, zei ze. Ik kan heel goed leven met één borst, maar ik moet luisteren naar wat dit me vertelt. Die kans wil ik me niet ontzeggen.

Zo principieel als ze was in het afwijzen van de medische stand, zo opportunistisch stond ze tegenover de alternatieve genezers. Een vrouw in Noordwijk aan Zee had haar doorgemeten met een biotensor en concludeerde dat ze geen kanker had. Het waren virussen waarvan haar lichaam was vergeven. De therapie richtte zich toen enige tijd op het bestrijden van virussen. Dit liep parallel met de hoge doses vitamines en mineralen die ze dagelijks innam op advies van een arts die de principes van de orthomoleculaire geneeskunde aanhing – een pseudowetenschappelijke richting die voorschreef dat de veronderstelde tekorten bij de patiënt met zware overdoseringen voedingssupplementen moesten worden aangevuld. Op zijn aanraden liet ze het amalgaam uit haar kiezen vervangen door witte vullingen, hetgeen de *toxische belasting* verminderde. Bij de maaltijden slikte ze handenvol pillen uit een platte plastic doos met twaalf compartimenten. Voor het ontbijt werkte ze walgend een papje van bittere amandelen naar binnen.

En de kanker? Die bleef waar-ie was, alle inspanningen ten spijt. Ze ontkende het uitblijven van resultaat.

– Anders was ik er misschien al niet meer geweest, zei ze.

Ik smeet met deuren en reed met slippende banden het pad af.

Ik droomde dat ze dood was. Het sneed me doormidden.

Ze was niet bang voor de dood, zei ze. Ze geloofde in de eeuwigheid van energie, het sterven was slechts een overgaan van het ene stadium naar het andere. Dat was in onze gesprekken haar eufemisme voor de onwrikbare realiteit van de dood, het *overgaan*. Ik keek naar haar en ik luisterde, en wist dat mijn verwarring over dit vreemde wezen nooit zou ophouden. Ik probeerde te achterhalen wat de achtergrond was van haar radicale methode, waarom ze een medische ingreep met een goede prognose negeerde. Ik wilde de psychologie van die onverdraaglijke irrationaliteit, van dat ongerijmde begrijpen, maar kon er eigenlijk niet naar vragen omdat we niet dezelfde taal spraken. Ik moest mijn oren scheef opzetten en mijn hersenen kantelen om een fractie te kunnen begrijpen van haar denkbeelden.

Ik vond aanwijzingen in de taal. *Ik heb het behoorlijk onder controle*, zei ze soms. Dit gaf een richting aan. Ik spon een kleine theorie rond het woord *controle*, en het verlies daarvan. Ten eerste moest ik daarvoor het effect van een draaideur op een mens begrijpen, het atrium daarachter, de liften en de gangen, het bureau vol paperassen, de arts met een pieper en pennen in de borstzak. Je begint te krimpen zodra je door die draaideur binnenkomt, je staat onmachtig tegenover de omvang en de efficiëntie van de machine. Je wordt binnenstebuiten gekeerd, men leest de boodschap van je organen en deelt je die mee in een taal die je nog niet kende maar die je je razendsnel eigen maakt. Met plakkers op je lijf en zuchtende machines rondom werk je naar een conclusie toe, een diagnose, een prognose. De strohalm, de zijden draad, je wist niet van welk reusachtig belang die zouden zijn op een dag. In de draaideur laat je veel achter van wie je bent, onder het schrale tl-licht en de systeemplafonds verschrompel je tot het formaat van je defect, en valt er uiteindelijk mee samen. Je verliest de zeggenschap die je nooit werkelijk bezeten hebt; niemand voert de regie over zijn cellen. Narcose is wel het uiterste controleverlies. Vreemde handen woelen tussen je organen rond, scharen knippen, messen snijden, klemmen houden je lichaam open en drains zuigen de sappen op. Je bent er niet bij, je kon evengoed iemand anders zijn, het gaat niet om jou, al die begrippen waaraan je je individualiteit verbonden had bestaan niet meer.

Geen geschiedenis, alleen maar actualiteit.

Zo stelde ik me haar woordeloze angst voor.

We gingen pas weer naar het ziekenhuis toen ze dacht *iets te voelen* in haar borst.

– Het kan ook gewoon een ontsteking zijn, suste ze.

Laat het verdomme maar een tumor zijn, schoot het door mijn hoofd, laat die klootzakken ongelijk hebben.

Maar triomf bracht de uitslag niet.

– We zien nu duidelijk een tumor, zei de chirurg.

Er zijn geen andere geluiden. Alleen die stem, dat zinnetje. Dezelfde vrouw als de vorige keer.

– Of er uitzaaiingen zijn valt nog niet met zekerheid vast te stellen. Ik vind niet dat het er goed uitziet, zoals u zegt. Het infiltratief mammacarcinoom, het gezwel, ontstaan vanuit de melkgang, is naar binnen uitgebreid. En de tepel is door het onderliggende gezwel als het ware ingetrokken. Verdwenen. Dat had u gezien?

– Dat had ik gezien, ja, zei mijn moeder.

– Er is sprake van ulceraties op de borst. Die zullen we direct moeten aanpakken, de gaten in de huid worden steeds groter als u nu niets doet.

– O, maar ik weet helemaal niet of ik dat wel wil.

Alles aan dokter Rooyaards viel stil. Alleen haar ogen niet, daarin verhevigde zich een uitdrukking.

– Daar moet ik echt eerst over nadenken, vervolgde mijn moeder. Ik wil niet, nu ik al zover gekomen ben... nee.

Ze had zich alweer hernomen; de schrik, de schok, vliegensvlug ingekapseld – ze had de controle weer in handen.

– Ik heb de indruk, zei Rooyaards, maar corrigeert u me als ik ernaast zit, dat u denkt dat ik deze dingen zeg omdat ik op de een of andere manier tegen u ben. Maar zo is het niet, mevrouw Unger, gelooft u mij. Ik zie een kwaadaardigheid in uw borst, en rood, tumoreus weefsel. Het hoeft nog niet te laat te zijn. U moet die kans grijpen. Doet u dat niet, dan heeft u echt een gerede kans op genezing laten liggen. Dat zou zo jammer zijn, mevrouw Unger, zo jammer. U bent het zichzelf verplicht, u wilt toch wel genezen?

Een ogenblik was ik verliefd op haar. Ze was prachtig in haar pleidooi – gebaren van ingehouden, machteloze boosheid, een sterke energie die werd ingedamd en in de taal teruggebracht tot proporties van redelijkheid. Een krachttoer, schitterend om te zien. Even dacht ik dat het kon lukken, dat Marthe Unger zich naar deze kant van het hek liet lokken. Toen viel de bijl.

– Nee, zei ze. Ik moet trouw blijven aan mezelf. Ik moet...

Daar bleef het bij. In dat luchtledige bleef het oordeel hangen, de keuze voor hoe ze dood zou gaan.

En ik wilde haar dood, o ja. Het had lang genoeg geduurd. Applaus, doek en hup, naar huis. Zingend zou ik haar verbranden. Haar verdiende loon. Haar ontrouw, het egoïsme. De grillen, het onverantwoordelijke en de roekeloosheid; de angsten die ze, naast het leven, in me had wakker gekust. Voor deze dingen bestond maar één passende maatregel.

Omdat je niet weet hoe het is, daarom kun je deze dingen denken. Niks weet je ervan.

Ik rook het wanneer ik binnenkwam, de geur van rotting. Haar lichaam was al aan het bederf begonnen terwijl daarbinnen, in die huid, nog iemand leefde die hardnekkig volhield dat *spontane remissies nogal eens voorkomen*. Ze stopte in geuroliën gedrenkte doekjes in haar bh voor de tepeluitvloed, maar de geur kwam erdoorheen, dwars door haar kleren en het doodskleed van Chanel No. 5. In de kamer dreef wierook als mist. Wist ze dat het einde gekomen was? Dat de netten werden opgehaald? Ik smeekte haar niet langer te wachten met een operatie.

– Maar dan zou ik het alleen voor jou doen, Ludwig. Zou je dat dan willen, dat ik mezelf ontrouw was omdat jij wilt dat ik in me laat snijden?

Zou je ophouden kwaad te zijn als de dag en het uur vaststonden? Misschien dat je de wapens neerlegde zodra er niets meer op het spel stond. Wanneer de tijd van leven nog onbepaald was, leefde je in een zorgeloze eeuwigheid, het kan morgen eindigen of helemaal nooit, wie zal het zeggen. In die vrije ruimte heb je alle gelegenheid om je oorlogen uit te vechten, je belangen te verdedigen, onbekommerd schade te maken.

Tot het niet meer gaat.

Het waren niet wij die daar nog waren, in de kamer waren alleen nog mijn wanhoop, haar ontkenning. Vaker nog voelde ik niets. Dan zat ik naar haar te kijken met de koude ogen van een vis en wist niet of haar dood me vreugde zou brengen of verdriet.

De ramen stonden nu altijd open. De kanarie zong nog altijd niet. De stank was onverdraaglijk. De gedachte om haar de rug toe te keren is bij me opgekomen, vaak bij me opgekomen, maar ik wist dat ik de kracht miste voor zulke radicaliteit. Waarom een leven lang loyaal zijn en er vlak voor het einde tussenuit knijpen?

– Misschien moet je nog een beetje eau de cologne op doen, zei ik. Je stinkt.

– Overdrijf toch niet altijd zo.

– Het ruikt hier naar derde wereld. De steeg achter een restaurant.

– Als je weer zo begint, ga dan maar weg.

Je ziet alleen maar de huidige verschijningsvorm, jij en zij vandaag. Ver weg, onzichtbaar nu, zijn de dingen die gebeurden; zij, jouw jonge moeder, afwezig sigaretrokend in Trianon, jij met je neus op de taartjesvitrine, of hoe ze je haar borstelt, heel lang en langzaam, waarbij je opgerold als een kat in haar schoot ligt – maar deze dingen spelen geen rol meer in het wrede, acute *nu* waarin je op elkaars ziel inbeukt.

Toen ze ten slotte, omdat het echt niet meer ging, haar borst liet opereren – die borst, door zoveel ogen gezien, door tallozen begeerd, nu verkankerd en kwalijk riekend –, deed ze dat onder protest, alsof ze gedwongen werd. Ze kon de nederlaag, het falen niet toegeven. Ze voelde zich bedrogen. Het wonder was uitgebleven. Haar geloof en standvastig vertrouwen waren niet beloond. De kosmos, de krachten, haar was geen helpende hand toegestoken. Ze was verongelijkt en boos, ze zei met dikke stem

– Het is heel moeilijk om in vertrouwen te blijven nu. Heel moeilijk.

Haar tranen heetten eenzaamheid, eenzaamheid, eenzaamheid. In een wit, van ziekenhuiswege verstrekt hemd met knopen ging ze de nacht in.

De conusexcisie, waarbij de tepel alsmede het onderliggende aangedane klierweefsel waren weggehaald, vroeg om nabestraling, maar die weigerde ze pertinent.

– Uw moeder kan geluk hebben, zei dokter Rooyaards tegen mij. Er is geen garantie, maar het kan.

Hoe ze op een wonder rekende en nu nog slechts mocht hopen op geluk. Na twee dagen mocht ze naar huis, door de draaideur naar buiten, haar leven terugvinden, kijken of het nog paste. In de auto vroeg ik hoe ze zich voelde.

– O goed hoor.

Thuis ging ze in bed liggen, ze vroeg of ik haar bril en sjaal wilde brengen. Toen ik de kamer weer binnen kwam, was ze in diepe slaap. De kadaverlucht was verdwenen. Ik floot zacht voor de kanarie in plaats van andersom, en verschoonde zijn kooi. Daarna gaf ik hem schoon water en voer. Bij de kleine Attent-supermarkt in het dorp deed ik boodschappen. Vanwege mijn hotelleven had ik nooit goed leren koken, maar ik wist toch een pasta met ansjovis en tomaat te fiksen.

– Sorry schat, maar ik heb niet zo'n honger, zei ze na een paar muizenhapjes.

Ze sliep opnieuw. Het was prettig om voor haar te zorgen, haar verzwakking schiep voorwaarden voor een zekere harmonie. Ik keek naar haar in de deuropening met gedachten over haar leven, hoe ze de kapitalist van de begeerte was geweest, tot tweemaal toe, maar nu, in dit sterven, uit de nok van de circustent naar de aarde was gevallen, tot in dit bed.

Op het nachtkastje brandde een waxinelichtje onder een koperen kommetje met aromatische olie. Draperieën aan de muren, oosterse kleden op het bed. Haar slaapkamer was een tijdmachine, ze bracht me terug naar de delen van mijn biografie waar gordijnen voor hingen.

Ze opende haar ogen. Haar ziekenhuisstem

– Ik moet zeker weer even ingeslapen zijn.

De huid van haar gezicht was vol dunne lijntjes, alsof ze door een spinnenweb gelopen was.

– Wil je thee?

– Graag. Lekker. En een paracetamol alsjeblieft.

– Heb je pijn? We hebben alleen ibuprofen.

– Hoofdpijn, een beetje. Ibuprofen is goed.

De prettigste herinneringen hebben te maken met een gebrek aan tijd, met dagen die geteld zijn. Die weken na de operatie, de wachttijd op Kings Ness. De gewijde, witte stemming in huis. Eindigheid is de voorwaarde.

Op tafel lag een plastic mapje met de ponskaart van patiënt M. Unger, en de afsprakenkaart. De datum kroop dichterbij, je kon zijn ademhaling horen. Opnieuw dat bureau waaraan we naast elkaar zaten, en dokter Rooyaards daarachter. Haar bril lag op tafel. Het kwam erop neer dat de scan had uitgewezen dat er uitzaaiingen in de hersenen zaten. Mijn moeder knikte. Bleef dat doen, een hondje op de hoedenplank. De stem aan de overkant

– Ik wou dat het anders was.

De stilstand van dat moment, een bevroren paleiszaal, blauw als het hart van een gletsjer; de koning heeft ijspegels in zijn baard, de wijn staat schuin en staalhard in de roemers, treurig wacht de koningin het voorjaar af.

– We moeten allemaal een keer gaan, zei mijn moeder.

Ik stond op opnemen, *play-rec.*, later zou ik het allemaal nog eens afspelen, als ik er weer was. *Hoe lang nog?* was een vraag, want *niks meer aan te doen* was nu zeker. Aarzeling aan de overkant, *van zoveel factoren afhankelijk, bijvoorbeeld...* Mijn moeder was onmiddellijk zeer beslist over therapievormen die levensverlenging konden bieden. *O nee, niet nu opeens... nee, absoluut niet.*

Ik kwam op een woord waarvan ik niet wist dat ik het kende: uitbehandeld.

Het was de laatste keer dat we door de draaideur naar buiten gingen. De dooi tegemoet.

Volgde het leven dat voorspeld was. De hoofdpijn. De duivelse hoofdpijn. En, na enkele weken, het braken. Elke morgen het hartverscheurend braken. Per dag was er minder van haar over, het leek of er 's nachts van haar gegeten werd. Er waren gesprekken met de huisarts, de voorbereidingen. Het ondenkbare. Hij kleedde zich als een Engelsman, reed een Landrover. Dantuma, geen voornaam. Het liefst had hij zich alleen in leestekens uitgedrukt. Hooguit drie maanden, zei hij tegen mij.

– Het zou mij verbazen als het langer duurt.

Als hij haar al herkende, liet hij daar niks van merken.

Op een morgen reed ik naar Bourtange. Ik had het adres uit het telefoonboek, ik wist waar ik naar zocht. Langzaam reed ik langs het kanaal. Mijn herinneringen speelden zich weliswaar af in een ander seizoen dan dit, maar die jongen op die step was ik. De boerderij, de moedeloze baksteen. Ik stapte uit als in een film, en ook de gebeurtenissen die volgden had ik min of meer al zo bedacht. Een hond slaat aan, na een tijdje gaat een lage staldeur open. Een man komt tevoorschijn. Blauwe KLM-overall, leren klompen aan. Het zou hem moeten zijn maar ik herken hem niet.

– Oom Gerard? zeg ik.

Beweging in mijn ooghoek, een gezicht achter de vitrage voor het keukenraam. Dat herken ik wel.

– Ik ben het, zeg ik. Ludwig, de zoon van Marthe.

315

– Ludwig. Jonge jonge. Ludwig. Wat maken we nou toch weer mee.

– Oom Gerard.

We schudden elkaar de hand. Hij, de reus, is even groot als ik.

– Gerard?

De vrouw steekt haar hoofd om de deur. Mijn tante Edith.

– 't Is de jongen van Marthe, zegt hij.

We zitten aan de keukentafel. Alleen de mensen zijn hier ouder geworden, het eikenhouten meubilair en het dikke tafelkleed hebben geen leeftijd. Zijn de kinderen van zwarte schapen automatisch ook zwarte schapen? Ik drink dunne koffie uit een beker die herinnert aan de kroning van koningin Beatrix. Ons leven in halve zinnen; de verblijfplaatsen, niet de bezigheden.

– Tsjongejonge, zegt oom Gerard soms.

Mijn tante zwijgt en houdt haar handen gevouwen op tafel alsof ze bidt. Ze boeren nog altijd, *maar een stuk minder als vroeger*. Ze hebben wat land verpacht, het was niet meer bij te benen allemaal. Natuurmonumenten heeft een grote hap gekocht, die nu verwildert.

– Zulke goeie landbouwgrond...

In een stilte zeg ik

– Maar waarvoor ik hier ben...

De diagnose, de prognose, een paar bijzonderheden uit het dossier. Ze weten niet wat te zeggen.

– In Meeden nog wel. Zo kort bij, zegt oom Gerard hoofdschuddend.

– Wat verwacht je nou dat we doen, zegt zijn vrouw. Na al die tijd...

– Dat begrijp ik, zeg ik. Maar ik dacht dat jullie het misschien zouden willen weten. En nu – er is nog een beetje tijd.

Oom Gerard liep met me mee naar de auto.

– Ze is geschrokken, zei hij.

Een man die gewend is zijn vrouw uit te leggen.

– Ze heeft wat tijd nodig. Morgen bellen we je op.

Dat gebeurde. Ze wilden haar zien, zei mijn oom door de telefoon.

Nu moest ik het mijn moeder vertellen. Ze zat op de bank, een tijdschrift naast zich, een foulard om zich heen. Ze had het almaar koud. Het was april, buiten brak het leven uit.

– Die mensen, zei ze. Wat moeten die nu hier.

En die middag, vanuit het niets

– Laat ze maar komen. Als ze daar nou zin in hebben.

In haar hals was een kloppende ader te zien, als van een hagedis. De verwarming stond op drieëntwintig graden. Ze at weinig, en steeds minder. Over wat vooraf was gegaan spraken we niet, het leek niet te hebben bestaan. We leefden in het nu-pijn, nu-moe, nu-braken, nu-weer-moe, nu-hoofdpijn, nu-slapen. *We* omdat onmacht ook lijden is, een derivaat.

's Avonds was de bank van mij. Ik werd in dezelfde positie wakker als waarin ik was ingeslapen. Haar geschuifel wekte me. Ze hield de wc-pot omklemd, het leek of haar lichaam zich met alle geweld van zijn organen wilde ontdoen. Ik kokhalsde mee. Ze kon nauwelijks meer lezen door de hoge hersendruk. Zo ging dat, je stond erbij en keek ernaar. De verwoesting. Zo zag een einde eruit. Het was wreed en walgelijk. En nergens iemand om bij te reclameren. In hoeveel huizen, achter hoeveel deuren gebeurde dit?

– Eet nou wat, zei ik.

– Het staat me tegen.

– Zolang jij meer eet dan de kanker blijven we hem voor.

Ze deed haar best. Een paar happen om mijnentwille. Ik haalde appelmoes in huis, waterijsjes vond ze lekker. Yoghurt en vanillevla waren haar vaak al te zwaar. Ik at de vla en zocht in de keukenlades naar een flessenlikker, die er niet was. Onder haar huid kwam het bouwpakket tevoorschijn, de pezen, aderen, botten. Langzaam schoof de oude, zieke vrouw door het huis. De warmte had haar al verlaten. Met de warmte was de kleur verdwenen. Steeds verder werd ze afgepeld.

– Zonder hoofdpijn zou het nog wel te doen zijn, zei ze. De hoofdpijn is het ergst.

– Je kunt het nog altijd laten bestralen. De pijn zal erdoor afnemen.

Ze glimlachte flauwtjes, schudde haar hoofd. Echo's van het oude gevecht.

– Daar zijn ze, zei ik op een zaterdagochtend.

Een Opel Astra, blinkend in de zon. Ik opende de deur, knisperend voorjaar wrong zich langs me heen het huisje in. Oom Gerard droeg de bloemen. Mijn moeder had zich ervoor aangekleed. (Weerbaarheid.) Ze stond op en kwam naar de deur. Ze schrokken van haar, hoe zou het ook niet. De laatste keer dat hij haar zag, was langs het kanaal waarin ze gezwommen had; ik wist dat hij aan haar lichaam terugdacht.

Een ontmoeting als deze, een gebeurtenis waaruit je je terugtrekt, achterwaarts je huisje in, mij zie je wel weer als het voorbij is. Maar dat gaat helemaal niet! Je bent de intermediair, de man in het midden, redderen moet je, koffiezetten, groene thee, je hebt glacékoeken gekocht want die kreeg je bij hen ook. Ze zitten rond de tafel, het onderwerp ligt tussen hen in. Conversatie alsof iemand op glas trapt.

– Wat nu? herhaalt mijn moeder de woorden van haar zuster. Nu ga ik dood.

De oude vetes mobiliseren nieuwe kracht in haar.

– Ik heb er alles aan gedaan. Het heeft niet zo mogen zijn.

– Vooral alternatief toch, vertelde Ludwig.

– Alternatief is eigenlijk helemaal niet het goede woord. Het zou de standaard moeten zijn, en dat andere het alternatief.

Mijn oom en tante zwijgen om niet te hoeven zeggen dat ze nu wel doodgaat aan een kanker die goed te behandelen was geweest, want dat hebben ze van mij.

– Als jij vindt dat je het goed hebt gedaan, dan is dat zo.

(Tante Edith tekent de Vrede van Versailles.) Dan praten ze over vroeger. De boerderij van vader. Tante Wichie leeft nog, achtentachtig is ze, ze overleeft hem al bijna tien jaar. Een buitenstaander zou denken naar twee families te kijken die elkaar geschiedflarden seinen vanachter glas. Oom Gerard houdt vooral zijn mond. Ik ook. Het gaat om die twee. Of ze van plan is hier te blijven, vraagt tante Edith. Mijn moeder kijkt naar mij en glimlacht.

– Dat ligt eraan, zegt ze.

Dan gaan ze weer weg. De fruitbomen aan de overkant bloeien. Merels jagen elkaar luid schetterend na onder de berberis. De mensen zijn doodmoe.

De pijn die ze vertelde was niet de pijn die ze voelde.

– Zolang 't gaat gaat 't, zei de huisarts.

We hadden het over mijn zorg voor haar. Terminale zorg, zei Dantuma, is een heel ander verhaal.

Oom Gerard belde, of ik kon komen, ze wilden me spreken. Ik kreeg een sprits bij de koffie. Tante Edith begon.

– We hebben nagedacht, zei ze, Gerard en ik...

Hij knikte.

– ...en dat moet ik je eerst zeggen, we vinden het hartstikke goed wat jij daar allemaal doet in je eentje, petje af hoor. Maar we denken dat het beter is als ze hier komt. Voor de tijd van leven die ze nog heeft. Dan sta jij d'r niet alleen voor. Het zal nog heel moeilijk worden. Dat kan niemand alleen.

– Dantuma kan misschien een plek regelen in een hospice, zei ik. Bovendien weet ik niet of ze wel wil. Ze is – en hierbij schoot ik in de lach – niet de makkelijkste.

– Marthe zal inzien dat het voor haar en voor jou het beste is, zei oom Gerard. Ze mag dit niet alleen op jouw schouders leggen.

– Maar waar blijf ik dan? vroeg ik. Ik wil niet elke dag vanuit de stad hiernaartoe...

– Plek zat hier, zei oom Gerard.

Met die boodschap ging ik terug naar Meeden. In de kamer was ze niet. Ik stak mijn hoofd om de slaapkamerdeur. Ze lag op bed.

– Zo blij, hijgde ze, dat je er bent.

Tranen liepen over haar wangen. Het nachtkastje lag omver, het vlammetje onder de olie was in de val gedoofd. Een epileptisch insult. Het eerste. Ze kon niet meer alleen gelaten worden, zelfs niet voor een vlugge boodschap, het risico van een nieuw insult was te groot. Het kostte me weinig overredingskracht om haar ertoe over te halen naar Bourtange te verhuizen. Misschien had ze alleen maar gewacht tot de vraag zou komen.

Ze lag in het logeerkamertje, waar het behang met blauwe bloemetjes nog hetzelfde was als vroeger. Ik zat op de rand van het bed over haar heen gebogen zoals zij eens over mij, toen ze afscheid nam voor de lange reis. De eerste dagen kwam ze nog beneden, daarna niet meer. Ze miste de kracht om uit bed te komen. Er hing een urinelucht in de kamer, Dantuma bracht een katheter in en gaf haar morfine. De beukende pijn in haar kop verhinderde de zegen van een diepe, ononderbroken slaap.

De populieren langs het kanaal stonden in uitgelaten jong groen. Tot aan de sluis wandelde ik, het was niet ver, niet de homerische reis van mijn herinnering. Als zij er niet meer was, had ik niemand meer. Alleen een vader in het oerwoud. Geen gemeenschappelijk gedeeld verleden meer, niet één *weet je nog*. *De laatste der Mohikanen* meets *Alleen op de wereld*, alleen huil je nu om jezelf en niet om een dode indiaan of een jongetje van acht dat door Frankrijk trekt. Niks voor mij, dat huilen, ik denk altijd dat er iemand meekijkt. Ik huil altijd met z'n tweeën.

Vanmorgen dacht ze dat we op Kings Ness waren, ze was bezorgd en verdrietig omdat we alles zouden verliezen. Nu, in haar terminale onrust, grijpen die dingen haar sterker aan dan toen. Ze kreunt zacht van pijn, als een hondje. Haar pillen krijgt ze nauwelijks nog binnen. Tante

Edith voert haar met engelengeduld kleine slokjes water. Ik ben blij dat we hier gekomen zijn, dat haar doodsbed staat waar eens haar wieg stond. Soms zijn oom Gerard en ik vrolijk – wij tweeën, tante Edith bezit die functie niet –, dan lachen we hard om grappen die niet eens zo leuk zijn. Een voorbode van de opluchting? In de voorkamer hangt de kanariekooi. Het dier zwijgt in alle talen.

Ze is zo bang soms, uit de diepten van haar innerlijk maken zich nu haar demonen los. Ik zit op een stoel naast het bed en zie hoe haar lichaam zich uit het leven terugtrekt, als eb. Elias Canetti schrijft: *De stervende neemt de wereld mee. Waarheen?*

Dantuma dient haar per spuit slaapmiddel toe, en een antipsychoticum tegen de verwardheid. Steeds dieper kruipt ze in zichzelf weg.

Soms komt ze als een zwemmer boven voor adem.

– Ludwig, zegt ze, mijn trouwe Ludwig.

En weg is ze weer, de diepte in waar niemand haar kan volgen.

Eens schrok ze wakker.

– Kom! Kom! zei ze gejaagd.

Ik boog me voorover, ze sloeg haar armen om mijn nek en trok me met onverwachte kracht naar zich toe. Haar mond was in mijn hals, de droge, gebarsten lippen, gulzig zuigend aan mijn vlees. De kus van een minnares, de laatste poging naar het leven terug te keren – met een schreeuw duwde ik haar van me af.

– Godverdomme!

Ik wreef mijn hals waar de vampierskus schroeide.

Tante Edith rende de trap op.

– Niks, zei ik, ik schrok alleen maar.

In bed lag zij te grijnzen, haar obsceen grote tanden bloot.

Dantuma verhoogde de doseringen Dormicum en Haldol. Boven haar jukbeenderen was het hol, haar slapen waren ingevallen tot kuilen. De tekening van haar schedel. Toen we donkere vlekken op haar armen zagen, werd de voorspelling preciezer. Haar tijdrekening was teruggebracht tot dagen, uren. Nog een keer stak ze haar hoofd boven water. Ze zag mij, rond haar mond verscheen de schaduw van een glimlach.

– Gaat het, liefje? fluisterde ze.

Door een prop van tranen zei ik

– Ja mama, het gaat.

Ze sloot haar ogen, fronste licht haar voorhoofd.

– Gek, mompelde ze zacht. Je hebt me nog nooit mama genoemd.

Het crematorium van Winschoten. De uitvaartleidster, tante Edith, oom Gerard en ik. Achterin zit een man die we niet kennen. Tante Wichie heeft een kaart voor me geschreven. Tante Edith geeft me die. Een regelmatig, dun handschrift, tachtig jaar geleden geleerd op een dorpsschooltje in de veenkoloniën. Ik steek de kaart in mijn binnenzak. Eerst de uitvaartleidster die ons vertelt waar we naar gaan luisteren. Ik weet dat al, ik heb het zelf uitgezocht. Moody Blues, *Nights in White Satin*, een verkorte versie. Dan *Bridge over Troubled Water* – liedjes die ze gezongen had in de straten van Los Angeles. Ik stap naar voren. Ik zal je mama noemen. De schaamte negeren. Ik zal de mensen vertellen hoe mooi je was, kamperfoelie, rozen. Geen zorgen, ik zal zuinig zijn met zoetsappigheid, ten slotte weerspiegelt je leven zich pijnlijk eerlijk in deze dag. Dit is je publiek: een man die wij niet kennen, je zuster en zwager met wie je gebrouilleerd was, en ik... nou ja, je weet het. Je was erbij, we hebben elkaar niet gespaard. Te zwaar? Een anekdote dan, de lichte toets. Over je ijdelheid. Dat je eens hoogst verontwaardigd vertelde dat iemand je vijfenveertig had geschat. *Maar dat ben je toch ook?* zei ik. Jij: *Maar dan hoeft hij dat nog niet te zeggen!*

Lachband please. Het gegrinnik van oom Gerard is echt te dun.

Van alle requiems die ik in mijn leven voor je heb bedacht, is dit laatste wel het stakkerigst. Zó onfilmisch, de echte dood klinkt helemaal niet naar een requiem, niks hoor je ervan terug. Een requiem is denken aan de dood, niet de dood zelf. Soms vertelde ik je de inhoud van mijn grafredes, een spel, bezwering. Zolang ik het je kon vertellen was alles zoals het hoorde. De keer dat ik per ongeluk voorspelde wat zich pas veel later zou voltrekken. Ik vertelde je wat ik zou zeggen als je zou overlijden na een lang ziekbed. Ik gebruikte het woord *sterk*. Je protesteerde. *Sterk? Dat kun je van iedereen wel zeggen die langdurig ziek is. Iets bijzonderder mag wel.* Ik verving het door *onverschrokken. Veel beter*, zei je. *Zeg dat maar.* Dit is je dag, mam, hier heb je je woord, jij onverschrokkene, je hebt het zelf gekozen.

Maar dat ik je in mijn jeugdige onbezonnenheid een *engel* noemde, neem ik terug. Dat was je niet. Of hooguit voor de helft. De andere helft bestond toch echt uit dierlijker materiaal.

Maar goed, het is nu aan mij hoe je herinnerd wordt, de vervalsing is al begonnen. Je valt me niet meer lastig met wie je bent. Zo kan ik beter van je houden. Vrede, moeder, vrede. De mooiste leugen wint, zo is het altijd geweest. Te veel waarheid is niet goed voor een mens. Het staat gelijk aan verlies. En nu ik niemand meer te verliezen heb, heb ik je het liefst als goed gezelschap in mijn herinnering. Als je je daarmee niet kunt verenigen, doe je maar een beetje meer je best. Pas je nu maar eens aan mij aan.

Ik ben nu iemand zonder jou. Die wetenschap...

Beter is het een stukje voor je te spelen. Ik heb Beethovens *Marcia Funebre Sulla Morte d'un Eroe* voor je uitgezocht. Ik zal het voor je spelen alsof ik in de Royal Festival Hall zit. En als jij dan ook een beetje door je oogharen kijkt, dan is het nog zo ook. Ik zwaai naar je. Steeds verder weg ben je, helemaal achter in die donkere zaal ben je nu, ik zie je nog maar nauwelijks. Dag mama. Dag.

Nadat we de kist hadden aangeraakt en dingen mompelden, verlieten we de zaal – de afhandeling voltrok zich achter onze rug. We stonden wat verpieterd bijeen in de ontvangstruimte. De onbekende man kwam ons met neergeslagen ogen condoleren.

– Bedankt, zei ik. Aardig dat u er was.

En aan zijn rug, toen hij al wegliep, vroeg ik

– Meneer, mag ik misschien vragen wie u bent?

Hij draaide zich om, zette een paar stappen terug in onze richting.

– Boender, zei hij.

De kaartenbak, vlug wat! Boender?! Boender!

– De muzikant! zei ik. U bent met mijn moeder naar Los Angeles...

Hij knikte.

– Lang geleden ja.

Het dialect van de streek. Tante Edith en oom Gerard stonden erbij en keken ernaar, naar deze ontmoeting, die me ontroerde om redenen die ik niet begreep.

– Gitarist toch? De Route 66?

– Ja, zei hij.

Boerenhanden die zich voor zichzelf schaamden. Donkere kloven op zijn vingers.

– En, speelt u nog?

– Och. Een beetje rocken in de stad. Cafeetjes. Niks bijzonders.

Ik wilde met hem praten over haar, over hoe ze was, die moeder van mij, toen ik er nog niet was, toen ze jong was, net geen meisje meer, maar voelde hoe de situatie me begon te ontglippen. Hij deed een stap terug, zei met zijn ogen op het tapijt

– Nou, sterkte d'r mee hè.

En verdween. De geest die haar begeleid had naar de

Stad der Engelen, afgedankt toen het licht zich op haar richtte. Ik wist opeens waarom hij me ontroerde: de kromme gedachte dat hij mijn vader had kunnen zijn.

MEDIOHOMBRE

Waarom is er verdomme geen vlucht naar El Real? De man van Aeroperlas heft zijn handen in onschuld: volgende week weer, als ik het goed begrijp. Meer dan een streep asfalt in het oerwoud is het niet, dat vliegveld van El Real, waar ik naartoe moet om hem te vinden. Aeroperlas onderhoudt een onregelmatige dienst met kleine propellervliegtuigen. Ik wil iets in elkaar trappen. Ik loop weg en ga weer terug naar het loket. Of er een andere manier is om in El Real te komen. Hij vraagt het een collega. Ik moet naar Yaviza, hoor ik. Van daaruit kan ik over de rivier naar El Real.

Ik ga terug naar het hotel in Panama-Stad. De gedachte hier een week te moeten blijven bedrukt me. Ik heb geen toeristische bedoelingen, en kan me er ook niet toe zetten die wel te hebben. Wat al die jaren rustig lag te wachten, heeft nu opeens grote haast.

Het is nog heel vroeg als ik de volgende morgen mijn bagage in de kofferbak van de taxi zet. De nieuwe busterminal, men heeft me verzekerd dat daar bussen naar Darién gaan, de oostelijke provincie die aan Colombia grenst. Tussen beide landen is geen weg, de pan-Amerikaanse snelweg wordt er onderbroken door rivieren, bergen en primair regenwoud. En alle verschrikkingen daarin. Metetí moet ik zeker met een bus kunnen bereiken.

Donker nog. Een kleine maan, lichte bewolking. Ik ben veel te vroeg, pas om negen uur gaat er een bus. Ik ontbijt in de terminal. Mister Chen bakt pannenkoekjes met honing en banaan voor me, hij zegt

– El Real lijkt op Macondo. Wat heb je er te zoeken? Het is daar wild. Ik ben er geboren maar al twintig jaar niet geweest. Niks voor mij.

Een zwarte vrouw schuift aan, zuchtend en blazend. Tassen overal, haar zware schoot is ermee bedekt.

– Ga je naar Darién? O mijn god! Weet je het wel zeker, de indianen eten mensen daar! Ik zal voor je bidden. Nu zou ik wel een cola lusten.

De bus stopt bij een benzinestation, mannen schudden hun auto om meer brandstof in de tank kwijt te kunnen. Gaandeweg de dag stopt het denken. Je bent een zak meel, een baal textiel, je wacht tot je weer wordt uitgeladen. Bomen verliezen grote bruine bladeren.

In Cañazas word ik uit de bus gehaald door de Policía Nacional, twee man sterk. In het kantoortje schrijven ze mijn paspoortgegevens over. Het bladeren door de pagina's, document scheef houden, stempels ontcijferen. Ik heb precies genoeg aan het Spaans dat ik ken.

– Waar ga je heen?

– Yaviza.

– Dat is verboden. Je kunt alleen naar Yaviza met toestemming van het ministerie.

– Dan ga ik naar Metetí.

– Dat is goed.

Vrachtwagens beladen met rode stammen voor de bewoonde wereld achter ons. Zware bomen, van hun bast ontdaan. Een verslagen leger, vernederd en op transport gesteld – een stofwolk in zijn kielzog.

Bij Agua Fria eindigde het asfalt. Men verliet de bus. Men verdween. De chauffeur wees naar een gereedstaande Toyota Hilux met mannen in de achterbak. De auto begon te rijden. Ik rende ernaartoe, roepend

– Yaviza? Yaviza?

– Yaviza, si! riepen de mannen.

Ze namen mijn koffer aan en sleurden me de bak in. Knikken, lachen, dat was op het nippertje, gringo. Voorin bindt de chauffeur een bandana rond zijn hoofd tegen het stof. We houden ons stevig vast, de auto schokt, duikt kuilen in en klimt er weer uit. Langs de weg lopen kinderen met katapulten. Hun vaders dragen geweren. Indianen met machetes, hun haren hard van het stof. Het eind van een dag. Ik vouw een T-shirt om mijn hoofd. De mannen kijken soms ernstig naar me, een vreemde in hun land. Niks van wat ze aan hun lijf dragen of bij zich hebben is nieuw. Aanpassen betekent hier: verkleuren, vaal worden, verslijten. Het gaat vanzelf, de hitte en het vocht vreten alles aan. Het is gebeurd voor je het weet.

Het dorp aan het einde van de weg. Yaviza. Het laatste stuk reden we onder het licht van de sterren. De maan liet zich nog niet zien. Er is één hotel, ik houd mijn koffer dicht tegen het ongedierte. Zo zal ik hier ook elke morgen mijn schoenen uitkloppen. (Wijsheid van televisie.)

Aan de overkant van de donkere rivier, de Chucunaque, verdiept het duister zich, een muur van plantaardig leven; daar ergens, *daarin*, is hij. Ik sta op de houten steiger boven de rivier, de aanlegplaats voor bij hoogwater. Nu staat het water laag, onder de steiger dobberen de piragua's. Ik hoor de indianen daar beneden mompelen. Gevoel dat het donker langzaam inademt, zwelt. Zijn stem van ontelbare insecten, helder zingend. Ze zitten in het donker te murmureren, de indianen, in hun lange kano's langs de oever. Kleingehouden stemmen, als vluchtelingen. Waarover praten ze? Onhoorbaar snelt de rivier voorbij, ze draagt de glans van onyx. Sterrenlicht breekt in de rimpelingen.

Onder een paar felle peertjes verzamelen zich tientallen mannen voor het hanengevecht. Een provisorische arena rond een cirkel van zand, met houten banken rondom. Het wachten is op de tweede haan. De andere is al in de ring, pikt in het zand, nerveus, opgefokt. Zijn tegenstander worden de sporen aangebonden. Het is een ongelijke strijd, de eerste haan is feller, agressief springt hij in de lucht en hakt op de tweede in. Die wordt afgeslacht. Na een paar aanvallen ligt hij bloedend op zijn zij, zijn kop opgericht, te kijken hoe het noodlot zich over hem voltrekt.

Er is een kano die me meeneemt naar El Real. Ik zit in het midden op een overdwarse plank, de kano is maar een el breed. Tito staat aan het roer, zijn vrouw en kind bij zich. Voorin zit een oude vrouw. Stroomafwaarts gaat het, de motor is nauwelijks nodig. Langs de oever werpt een man een visnet uit vanuit een kleine piragua. Het is heel vroeg, tussen de bomen deint nevel. Voor de boeg doemt een schemerige bergrug op boven het oerwoud. Hij begint zich voelbaar te maken. Hij was hier. De bomen hebben hem onthouden, de rivier diept haar herinneringen op. Aan de donkere oevers is af te lezen hoe hoog het water soms komt. De zon springt boven de bomen uit, wordt de hemel in gekatapulteerd. De oude vrouw bedekt haar hoofd met een handdoek waarop de kaart van Panama is afgebeeld, een reusachtige toekan bedekt Darién. De familie achter mij verdwijnt onder paraplu's. Een enkele hut met een dak van palmblad op de hoge oever. Rook stijgt boven de bomen uit. Op de rug van de slang gaan we de diepte in, want dat is hoe het is, we komen niet verder, we gaan steeds dieper. De indianen besteden geen aandacht aan me. Ik vul de leegte met gedachten. Ik bereid de leegte voor op zijn komst. In welke van zijn manifestaties kan ik hem verwachten? De vader? De godendwinger? Zullen we elkaar herkennen, snuffelend, tanden in de aanslag als roofdieren? Heeft hij me verwacht, zal hij me verwelkomen alsof niet hij maar ík verloren was?

Golfjes kabbelen tegen de boorden, mijn hand snijdt door het water als een kiel. De kano buigt af, staat een ogenblik dwars op de stroom en vaart dan een smalle zijarm van de rivier op. De stroom wordt vlug ondieper, de oude vrouw roept naar achteren waar we kunnen varen. Zo is El Real gestorven, de rivier slibde dicht, goederen en mensen bereikten de stad niet meer. Alleen in het regenseizoen, als het water hoog staat, is transport mogelijk. Een vlonder op een paar piragua's, het platform waarop een auto, een vrachtwagen of een generator kan worden vervoerd.

Steeds ondieper wordt de stroom. Op de modderige oever glanst een dunne laag algen, een soort groen dat ik nooit eerder zag. Met een stok peilt de oude vrouw de diepte, de kano schuurt over de bodem. Grote witte reigers vliegen krakend op. De vrouw spuwt in het roestbruine water. Uit de modder steken, dicht opeen, rechte stelen met één hartvormig blad erboven. De laaiende zon blaast ons haar vlammen in het gezicht, mijn hemd is doorweekt, het is of je brandende lucht inademt. Stronken, afgekloven en doods, versperren ons de doorgang. Het dampende woud aan weerszijden, een wirwar, een knoop. Prismatische libellen jagen elkaar na boven het slik. De vrouwen duwen nu de kano met lange stokken door de modder, Tito laat de motor vol gas draaien. Zo gaat het voort, meter voor meter door de drek die zijn rotte adem opboert. De jungle roept gruwel en betovering op, een broeikas vol ongeremde vermenigvuldiging. Ibissen stappen kalm door de modder. De jonge vrouw gaat nu te water om te duwen. Ik hanteer haar duwboom maar algauw moeten we allemaal van boord, met uitzondering van het kleine kind. Zij gaan op blote voeten, ik houd mijn sokken aan. Diep zink ik in de modder weg. De indianen vinden het grappig, ze lachen. Ik ben bang voor de harde dingen die ik onder mijn voeten voel. Guerrillero's die door de modder werden opgeslokt? Het gebeente van conquistadores? Zwijgend duwen we de kano stroomopwaarts, slaven van het koningskind. Er verschijnen hutten op palen langs de oever, de schaduwen van menselijke gestalten daarbinnen. De dunne rook van smeulend vuur. De voorbodes van El Real. We duwen de punt van de kano naar de oever, waar de bewoning zich verdicht. Vlak voor ik aan land ga trap ik met mijn rechtervoet op iets scherps, het dringt diep in mijn hak. Haastig stap ik op de wal, trek de sok uit en zie helderrood bloed opwellen uit de snede. Bij een ton spoelen de indianen de modder van zich af. Ik hink ernaartoe en was mijn voet schoon. Een lange, diepe wond, onder het kleurloze eelt zie ik het vlees. Ze brengen mijn koffer aan land, ik trek schone sokken aan. Tussen paalhutten en omheiningen voor de beesten strompel ik naar de stad.

Een paar verharde paden met huizen erlangs, hier en daar een winkeltje, een opengeklapt luik dat dient tegen de zon, met daarachter een uitstalling van pleepapier, insecticiden, groene zeep, snoep en conserven. 's Avonds gaat het luik op slot voor de opening. Men wijst me El Nazareno, een houten hotel in de hoofdstraat met kamers op de eerste verdieping. De sleutel moet ik ophalen bij een jongen in de winkel ernaast. Ik heb de kamer aan de straatkant. Voor het raam hangt een klein, rood vod.

Aan de rand van El Real vind ik een medische post van het Rode Kruis. Een verpleegster kijkt naar mijn voet en kan niets doen, het zal vanzelf moeten dichtgaan. Ik krijg een flesje jodium, gaasjes en pleisters mee. Ik ben terneer-

geslagen door de vertraging die dit oplevert, er k
alsnog geen sprake zijn van de tocht door het oer
ik moet maken. Zo hompel ik naar El Nazareno to

In de dagen die volgden, probeerde ik dingen aan de weet
te komen over Schultz, zijn mogelijke verblijfplaats. Ergens in de jungle rond El Real moest hij zijn, zover hadden
naspeuringen in Europa me gebracht. Daar ergens was hij
na de voltooiing van *Abgrund* (voltooiing – raar woord voor
iets wat juist verdwenen was) begonnen aan *Titan*; hij had
voldoende vitale haat weten te mobiliseren voor opnieuw
een verwoesting. Om er te komen had ik een gids nodig.
Uit het reishandboek had ik een naam opgediept, Edmond
Solano, de beste gids die er zou zijn. Maar toen ik bij de
rangers van de Agencia Ambiental vroeg naar Edmond Solano, vormde de man die me te woord stond een pistool
met duim en wijsvinger en hield dat tegen zijn slaap.

Ik lag op bed, verstrikt in de rotaties van de ventilator.
Het was donker, een machtig sjirpen vloeide vanuit het
omringende bos uit over El Real. Wat ik wist: vijfhonderd
jaar geleden bouwden conquistadores hier, langs de oever
van de Río Tuiro, een voorpost om rovers af te weren die
het hadden voorzien op het goud dat stroomopwaarts, in
Santa María, in bewaring werd gehouden. Nog dieper Darién in, in zuidelijke richting, lag de Cana-vallei, waar de
goudmijnen waren. In Santa María hoopte het goud zich
op tot er voldoende was om een armada uit te rusten om
het naar Panama-Stad te brengen.

Het bed boog door als een hangmat, een vliesdun grauw
laken bedekte me. De temperatuur was nauwelijks ge-
daald.

Voorbij de legerpost, een overkapping waaronder landerige soldaten op britsen lagen, was het kantoor van de Agencia Ambiental. Men weerde me af. Gezichten gingen op slot wanneer zijn naam viel. Richtingloos hinkte ik tussen de houten huizen. Ze stonden op blokken of betonnen palen, daaronder ritselden kippen tussen het vuil. In de schaduw van palmen en mangobomen oefenden mannen hun hanen voor het gevecht. Ze wierpen ze met een rappe handbeweging opzij om ze te leren vlug weer op te staan. Ze legden hun haan op zijn rug en keken hoe snel hij weer op de been was, tientallen keren achtereen. Daarna zetten ze het beest met een touwtje om zijn poot vast in de schaduw, een conservenblikje fris water ernaast. Ondoorgrondelijke ouden van dagen op de veranda's. Horren voor de ramen, ventilatoren sneden de dikke, warme lucht in plakken. Ik had de veter uit mijn schoen gehaald om de voet ruimte te geven. Het bloed klopte in mijn hak, ik liep op mijn voorvoet. Aangeschoten wild.

Na een paar dagen begonnen mijn handen te zwellen, ze werden dik en gevoelloos, ik vreesde een infectie. Op het heetst van de dag lag ik in mijn kamer, ik zou naar Panama-Stad moeten worden overgevlogen, ijlend. Mijn rechterhand geamputeerd, de linker werd ternauwernood behouden. De voet moest behandeld tegen gangreen. In de vochtplekken op het plafond zag ik misvormde baby's. Lusteloos gleden mijn ogen langs de details, een spijker in het hout, hoopjes houtmolm op de vloer. De balken waren hol gevreten, je zag er kamertjes in met ronde in- en uitgangen. Sommige balken waren niet meer dan een holte vol kruimig houtmolm, door de verf bijeengehouden. Als alle andere geluiden zouden stoppen, het vibrerende gezoem der insecten, het hanengekraai, zou alleen nog een aandachtig, onophoudelijk knagen te horen zijn. Op een

dag zouden die kamer, dat hotel, in hun geheel zijn opgegeten.

Ik droom over haar, mijn levende, verdrietige moeder,
ze zegt

– Je lijkt steeds minder op mij! Kijk nou toch...

– Nee! Nee! Ik lijk op je, kijk maar!

Alsof ik bloedend wakker word. Geen ontferming, god-
verlaten. Mijn handen staan op knappen, als Disney-ballonnen hangen ze aan de touwtjes van mijn armen. Ik mis
haar zoals ik haar vroeger gemist heb, op momenten dat ik
me erg bezeerde en heel mijn kinderziel een schreeuw van
verlatenheid, een schreeuw om mijn moeder werd, die er
niet was.

Ik begon voorbijgangers te vragen of ze van Schultz hadden gehoord. Een oude man knikte ernstig en ging voorbij. Een vrouw begon in rad Spaans te praten. Ik probeerde
haar tot kalmte te manen, ik had gemerkt dat ik een en
ander kon verstaan als mensen langzaam spraken.

– Ze zegt dat hij hier is geweest, hoorde ik een stem zeggen in kristalhelder Engels.

Alsof je na lang zoeken plotseling een zuivere radiozen-
der vindt.

– Je spreekt Engels! zei ik tegen de jongeman die zich
afstandelijk maar niet onwelwillend in de gebeurtenissen
had gemengd. Kun je haar vragen wat hij hier deed? Wanneer hij hier was? Komt hij hier vaker?

De vrouw had hem gezien, ze had verhalen gehoord, ze
begreep niet waarom de mannen van El Real niet naar buiten waren gerend met hun machetes om hem aan stukken
te hakken als een slang. *Señor* Schultz had zitten drinken
in de bar, hij had alles op stelten gezet hier, iedereen dronk
op zijn kosten. Ze hadden gevochten, de neus van Jorge

Valdez wees sindsdien altijd een andere kant op dan die welke hij op ging. Ze hadden de winkel van Pilar opengebroken voor meer drank.

– Wat kwam hij hier doen? vroeg ik aan de jongeman.

Hij tolkte geduldig. De vrouw wist niet wat Schultz was komen doen. Ze nam haar mand van de grond.

– Nog één vraag, zei ik gejaagd. Wanneer was hij hier? Komt hij hier vaker?

Twee of drie keer was hij hier geweest, de laatste keer alweer lang geleden. Ik was opgetogen, haar ogen hadden hem gezien, het bracht hem plotseling dichterbij dan hij ooit was geweest.

De jongeman heette Aldair Macmillan, hij was de eerste met wie ik sprak in lange tijd.

– Je bent naar El Real gekomen om die man te zoeken? vroeg hij.

– Die man. Ja. Het is niet zo gemakkelijk.

– Bijna niets is gemakkelijk hier.

– Zullen we in de schaduw gaan staan?

Onder een weelderig bebladerde mangoboom praatte ik met Aldair Macmillan, die tropische bosbouw studeerde in Punta Culebra en nu in El Real was om zijn moeder te bezoeken. Ik goot mijn opluchting als koel water over hem uit. Uit bijna niets bleek dat hij het naïef vond om op de bonnefooi naar El Real te komen om een man in het oerwoud te zoeken.

– Mijn probleem bestaat uit drie delen, zei ik. Ik spreek de taal nauwelijks. Ik weet niet waar hij precies is. En als ik dat al zou weten, zou ik niet weten hoe ik er moest komen. Deze dingen liggen als stenen op mijn pad, begrijp je?

Zijn rechteroog kneep zich een beetje toe, ik hoopte dat het geen scepsis was.

– Problemen, problemen, zei hij.

– Problemen, ja.

– Ik kan voor je rondvragen?

– Ja?

– Of er misschien iemand...

– Iemand?

– Die je kan helpen. Ik kan...

– O, heel graag!

Even later was hij verdwenen tussen de huizen. Ik was vergeten hem te vertellen waar hij me kon vinden.

De dag begon met duizend hanen. Ik druppelde jodium in de wond, die nu vlug dichtvroor. In de schaduw van een paraplu zweefde een mooi zwart meisje door de straten, met in haar hand een papier waarop je je kon inschrijven voor de loterij. De prijs was een horloge van het merk Geneva. Ik schreef me in omdat ik wilde dat dit een geluksdag was.

Direct achter de laatste huizen begon de wildernis. Uit het groen staken de stompe neuzen van een drietal Dodge-vrachtwagens, overwoekerd, de ramen beslagen met mos. Niet lang meer en ze zouden geheel door de ondergroei zijn opgeslokt. Ik kocht pleepapier, batterijen, een stuk zeep. De oude man kreunde bij het tellen van het wisselgeld. Pas laat in de middag kruisten de wegen van Aldair Macmillan en mij elkaar opnieuw. Ik at kip en rijst in een geïmproviseerd restaurantje, drie plastic tafels in de buitenlucht, onder een pergola van bloemen. Het was gelegen langs de bruine kreek, waar een Emberá-kindje zich kermend ontlastte. Op de oever lagen de donkere stronken waaruit piragua's waren gehakt. De paalwoningen waren met een of twee zijwanden afgeschoten van de buitenlucht, ik vroeg me af of indianen ook dingen zouden zeggen als *het is zo'n zootje bij de buren*. Opeens stond hij naast mijn tafel, Aldair Macmillan.

– Hoe heb je me gevonden? zei ik

– Ik zocht je niet.

Hij knikte naar de negerin in de zwartgeblakerde keuken, achter de lage deur.

– Dat is mijn moeder. Vind je het lekker?

– Het is heel goed. Je moeder kan goed koken.

Aldair knikte tevreden.

– Ik ben zonder vader opgegroeid, zei hij, maar de kookkunsten van mijn moeder brachten vele vaders naar deze tafel.

De achtergrond van onze conversatie werd ingenomen door een zwarte vrouw die graan stampte op de modderige oever. Dof dreunde de stamper in de uitgeholde boomstronk. Afrika, voortgezet in een stervende nederzetting in de Panamese jungle.

– Ik heb iemand gevonden die twee problemen voor je kan oplossen, zei Aldair. Er is een man, zijn naam is Ché Ibarra, hij weet waar de man is die je zoekt. Hij kent de weg door het woud. Helaas spreekt hij alleen Spaans en een paar regels Duits. Hij is communist. Hij luistert de hele dag naar Mozart. Hou je van Mozart?

– Soms ontroert hij me, soms vind ik hem een overschatte Alpencomponist.

– Dan is het extra jammer dat je niet met Ché Ibarra zult kunnen praten.

– Hij weet echt waar Schultz zit?

– Hij zegt dat hij materiaaltransporten heeft begeleid.

De vrouw op de oever schepte het graan in een houten kom, stak haar arm in de lucht en liet het graan terug de vijzel in stromen, zodat het kaf verwaaide. Ik legde een handvol dollars op tafel, en daar gingen we, op zoek naar de man die met toverspreuken op zijn lippen de knopen van het woud kon ontwarren.

Op de strooien daken scharrelden kippen. Zo meteen gingen de gaslampen aan en begonnen her en der kleine generatoren te ronken.

Wie Ché Ibarra zag, dacht zijn moordenaar gevonden te hebben. Maar in dat uiterlijk van schorem uit Mariachi-films zou de ziel van een dichter schuilen. Zijn lippen plooiden zich naar het libretto van *Le Nozze di Figaro*. Aldair Macmillan tolkte. Ibarra richtte zijn blik maar kort op mij, dode ogen in een hoekig gezicht, dat glansde van zout en vet. Hij had de snor van een Chinees, de haren dun en wijd uiteen. Achter zijn huis blonken vuurvliegjes in het struikgewas. Hij knikte op mijn vragen. Hij kende de weg. Hij had Schultz in levenden lijve gezien. Hij was daar. Een dag lopen als je voor zonsopgang vertrok, anders twee. Het leek hem niks te kunnen schelen of we zouden gaan of niet. Op de vraag wat het kostte als hij me zou brengen, haalde hij eerst zijn schouders op, en zei toen

– Doscientos dólares.

Het vooruitzicht met deze man alleen in het oerwoud te zijn, maakte me bang. Je zag jezelf als dode, slordig toegedekt met bladeren. Dat zo iemand van Mozart kon houden, leek een komisch misverstand.

– Tweehonderd is goed, zei ik. Wanneer kunnen we gaan?

Onverschilligheid, opnieuw. Ik liet weten graag overmorgen te zullen vertrekken, voor zonsopgang. Zijn handen lagen bewegingloos voor zich op tafel. Moest ik dingen meebrengen, voedsel, water? Ché Ibarra schudde het vermoeide hoofd, het zou niet nodig zijn.

Met bijna niks stond ik zesendertig uur later voor zijn deur. Een rugzak, een paar dingen daarin. Het huis was donker. Boven de bomen draalde een citroengele maan. Het roepen van gekko's, en de indruk dat het zoemen en sjirpen van insecten even voor zonsopgang het sterkst moest zijn. Je kon je verliezen in dat geluid, een elektrificerend weefsel. Toen ik de treden naar de veranda beklom, hoorde ik voetstappen op de weg. Ibarra had zijn huis al verlaten, hij had misschien nog benodigdheden voor de reis opgehaald. Hij droeg een halfvolle legerrugzak bij zich, weinig onderscheidde hem van een soldaat.

– Venga, vamos.

Hij verschafte me een eerste blik op het uitzicht dat ik die hele lange dag zou hebben, de legergroene achterkant van een man die geheel uit pezen en stompzinnige wilskracht leek te zijn opgetrokken. Geluksgevoel, ik was onderweg, het zou lukken. We doken het manshoge olifantsgras in. Aan de hemel verbleekten de laatste sterren, weer kantelden we een nieuwe dag tegemoet. De pijn in mijn voet was draaglijk, de huid was dichtgegroeid. Ik versnelde mijn pas, hij liep een eind voor mij uit. We staken een pad over met een dijk erlangs die voor irrigatie bestemd leek, en verdwenen in de blauwe omarming van het woud. Ibarra propte de dopjes van zijn walkman in zijn oren. Een enkele keer keek hij om. Tussen de bomen hadden de laatste schaduwen van de nacht zich verborgen, ze zouden vlug worden verdreven door bundels zonlicht die door de boomkruinen vielen. Ik realiseerde me nauwelijks meer dat ik onderweg was naar mijn vader. De inspanningen die het had gekost om daartoe te komen, hadden het doel naar de achtergrond gedrongen. Nu bracht elke stap me dichter bij hem, elke meter telde; hoe minder gedachten ik had, hoe beter het was, zo vergat ik de pijn in mijn voet die de kop opstak, de kortademigheid en het zweet dat door mijn hemd lekte – ik telde stappen, tot honderd en weer terug. Het fanatieke suizen van insecten was afgenomen, naarmate het warmer werd kwam er een laag, aanhoudend gebrom voor in de plaats. We kwamen bij een beek die ook in Engeland had kunnen stromen, zilveren water vloeide over een roodkoperen bodem, haar oversteken was een daad van heiligschennis; troebel het wijwater, moddervoeten op het goudbrokaat der paramenten.

We klommen over bemoste, vochtige boomwortels, over modderhellingen, stenen sprongen onder mijn zolen weg. Nog altijd hadden we geen rust genomen. Mijn mond was droog. Ibarra waarschuwde me niet op een slang te trappen, een koraalslang, grotendeels verborgen onder bladeren en humus. Mijn handen zwollen weer en jeukten. Ik probeerde hem bij te houden, terwijl hij doodleuk naar pianoconcerten of het requiem luisterde. *Dies irae*; barokke absurditeiten van dit werelddeel. Ik was niet bang meer dat hij me zou doden met een mes, ik was te moe om nog bang te zijn. We stopten bij een donkere poel tussen het geboomte, een plaats waar elfen en magiërs levenslopen schreven in de zwarte spiegel van het wateroppervlak. Ibarra reikte me een fles water aan. Hij deed de dopjes weer in zijn oren en staarde voor zich uit. Later kreeg ik een banaan. Toen een stuk brood en een blikje vis. Ik doopte het brood in de overgebleven olie. Ibarra stond op. Hij leek niet van plan het afval mee te nemen. Ik, brave Europeaan, stak het in mijn rugzak.

Het bos manifesteerde zich als een samenhang, een organisme gespecialiseerd in korte, uitzinnige bloei en haastig sterven. Tussen de bomen laaiden kleine openbaringen op, vogels als helrode vlammen. Ik schrok van de vlezige vleugels van een vlinder die in mijn gezicht flapten. Ik sloeg ernaar. Er waren dieren – insecten? – die klonken als een vliegtuig dat overkwam, er waren er die het geluid maakten van een motorzaag, een stervend lam, knikkers die tegen elkaar ketsten. Zo klonk dat woud in het van hitte suizelende middaguur. Mijn gedachten kregen het aanzien van hallucinaties. Uit de hemel vielen bloemen, voor mij uit ging een man die, zo wist ik opeens zeker, bij de FARC gediend had, een gedroste guerrillero – zo lichtvoetig en doelgericht bewoog hij zich tussen de bomen. Een nieuwe verdieping kreeg mijn angst: wat als hij me naar een legerkamp bracht waar ik in gijzeling zou worden genomen? Opereerde de FARC zo diep in Panama? Hoe laat was het? Was dit de dag dat ik hem zou ontmoeten, de man aan wie ik geen herinnering had dan het ruisen van zijn broekspijpen? En wat was dat voor een dag?

Ibarra wachtte me op bij een kleine waterval. Op zijn knieën dronk hij uit de stroom en gebaarde mij hetzelfde te doen. Toen ging hij op de stenen zitten en maakte de veters van zijn soldatenschoeisel los. Hij kleedde zich uit en dook in de poel onder de waterval. Hij zwom als een hondje. Mijn sok was rood van het bloed. De zool was doorweekt. Vanaf de stenen op de oever gleed ik in het water. Vissenmondjes knabbelden aan mijn vlees. Ik dook onder en gleed langs de gladde stenen op de bodem. Toen ik weer bovenkwam waren we niet langer met z'n tweeën. Een man keek naar ons. Vlekkerig T-shirt en een soldatenbroek, een machete in zijn riem. Ze praatten met elkaar, Ibarra en hij. Ibarra stond naakt op de oever, hard als de stronken op de oever van de kreek in El Real, en leek zich niet in het minst ongemakkelijk te voelen. Ze keken soms naar mij. Terwijl Ibarra zich aankleedde, schudde de ander een sigaret uit een beduimeld pakje. Ik klom op de oever en rook een vleug zwavel. Er was een onaangenaam soort wachten over de gebeurtenissen gekomen.

– Hombre, zei de onbekende man tegen mij.

Hij schudde zijn hoofd en zei dingen die ik niet verstond.

Er ging een hek dicht, begreep ik. Ik ademde diep in en uit om een aanval van paniek af te weren. Ik verstond het woord *prohibido*. Een hindernis, meer niet. Een hindernis.

– No, stamelde ik. No es imposible.

Zijn kin kwam omhoog.

– Vamos a señor Schultz, zei ik.

De dunne dapperheid van die woorden, uitgesproken tegen twee mannen die alleen maar hoefden weg te lopen om mij een zekere dood tegemoet te laten gaan. Ik begon te praten in het Engels. Dat ik verdomme niet helemaal naar Darién was gekomen om me te laten terugwijzen door de eerste de beste woudloper. Dat ik zijn zoon was, dat hij me verwachtte, dat hij zijn leven lang al op mij wachtte, ja meneer! Op mij, zijn zoon, de *hijo* van *señor Schultz*, is gewacht, en nu gaat u – mijn hand slingerde bliksems in zijn richting – mij niet vertellen dat ik hier aan het eind van de weg gekomen ben, o nee, u gaat ons doorgang verlenen, sterker, u gaat ons ernaartoe brengen, mij, *hijo de señor Schultz*, en Vrijdag hier.

Zijn hoofd bewoog licht, twijfelend, hij vroeg

– Usted es el hijo de señor Schultz?

Ik wees op mijn borst.

– Hijo.

Ik wees naar het land achter zijn rug.

– Padre.

Hij zoog aan zijn sigaret, kneep toen het gloeiende kegeltje fijn tussen duim en wijsvinger. Het was niet te zien of hij heel veel tegelijk dacht, of heel langzaam nadacht over één klein dingetje, dat hem als een sliertje vlees tussen de kiezen stak. De sigarettenrook hing tussen ons in. Toen die vervlogen was bewoog de man, hij trok met zijn schouders en zei iets tegen Ibarra, maar op het rotsachtige van diens gelaatsuitdrukking viel elke mededeling stuk. We kwamen in beweging. Eerst de onbekende man, toen Ibarra, toen ik. Zo liepen we door het bos als de mieren aan onze voeten, die smalle wegen uitsleten en met snippers helgroen blad op hun rug naar hun republieken terugkeerden. Een glimmend blauwe vlinder vloog voor mij uit, in de kronen van de bomen doofden de sintels van de dag. Doffe pijn zette zich tussen mijn slapen vast, elke afzonderlijke voetstap resoneerde in mijn hoofd.

Toen we op een lichte plek tussen de bomen af gingen, rekende ik nergens meer op. Een open plaats, kolommen van rook klommen tussen de bomen naar de hemel. We stapten uit de schaduwen, het laatste daglicht tegemoet – ik haalde diep adem. Tussen een handvol hutten lagen honden, mensen zag ik niet. We liepen tussen de armzalige strooien bouwsels door. Er hing wasgoed buiten. De nederzetting ademde het slordige leven van tijdelijke, geïmproviseerde plaatsen. Het terrein was geschoond van geboomte, olifantsgras schoot tussen de gerooide stammen op. Dit was een voorpost, nog verder brachten ze me. Omhoog ging het nu, opnieuw verdwenen we tussen de bomen, over een slingerend pad van voetstappen in de vochtige grond. Het schemerde, ik hoorde harde, mechanische geluiden. Het lied van steen op staal, de inspanning van zware motoren. Toen stonden we aan de rand van een tafereel dat in mijn dromen zou terugkeren – een afgeschraapt, gepijnigd landschap, een krater, een werk van systematische haat. Een eenzame, steile berg, de wand waarop wij uitkeken aangevreten door een boosaardig soort erosie. Een shovel zwoegde over het geschonden oppervlak van de aarde, een vlakte van vermalen gesteente. Een vrachtwagen spreidde de restanten van een berg in het horizontale uit. In olievaten brandden vuren, walmend, flakkerend. Daarboven, aan de rand van die steengroeve stonden wij. We daalden over een kronkelpad langs de rotswand in de diepte af. Ik was murw, ik koesterde geen verwachtingen meer. Hij kon daar zijn, of niet, welk resultaat had ik hiervan verlangd?

We liepen naar een centrale barak. De shovel kwam tot stilstand, verstrikt in webben van schaduw, alleen het ene, gele oog van de vrachtwagen tastte nog over het terrein. Ibarra en ik wachtten buiten de barak, de werkers kwamen af op het schamele dat daarbinnen brandde. Een paar mannen kwamen naar buiten, vuile kerels, rafelig en bestoft als mijnwerkers. Ze keken naar me als om mijn gelijkenis met hem vast te stellen. Ze overlegden, ze aarzelden wat te doen. Een van hen moest me naar Schultz brengen, geen van hen voelde daar iets voor. De uitkomst was dat een oude indiaan het moest doen. Hij was verweerd als een grafsteen. Zijn openhangend hemd toonde zijn haarloze borst, de rimpelige, ronde buik daaronder. Hij was mijn escorte op de laatste etappe van de reis. Hij liep weg zonder om te kijken, de mannen duwden me zijn richting uit. We staken het dode land over, er was een helling die we bestegen, ik zag de contouren van een gebouwtje in het donker. Roodachtig licht daarbinnen. Struikelend volgde ik de indiaan. Mijn hart sprong door mijn keel naar buiten, een steen rolde van de helling. Op enige afstand van de hut bleef de indiaan stokstijf staan. Met zijn dunne, eenzame stem riep hij

– Señor Schultz, discúlpame!

Het leek of alle stromen van mijn leven bedoeld waren om op dit moment uit te komen, hier, onder het woud boven op de helling, tot bij het rode schemerlicht dat door de ramen en de kieren rond de deur van platgeslagen blikken scheen; hiertoe had alles bestaan. *Señor Schultz, discúlpame...* het Sesam-open-u dat een vader zou onthullen, de sluiers zouden wijken. Gestommel, toen de deur die zacht krijsend in haar hengsels openging. Een man tuurde in het donker en zei

– Qué hay? Qué quiere?

De indiaan deed een stap terug en verdween haastig. De man stapte naar voren, mompelend, onzeker door de gestalte in het donker.

– Mister Schultz... zei ik.

– Wie is daar? Wie ben jij?

Ik brak uit de verstarring door een stap te doen, te zeggen

– Ik ben gekomen om u te spreken.

We stonden tegenover elkaar nu. Het begon me te dagen dat hij misschien nachtblind was, of gewoon zo kippig als wat, want hij leek nog altijd niets dan schaduwen te zien.

– Zullen we naar binnen gaan? vroeg ik.

Hij ging achterwaarts de deur door, ik bukte en volgde hem. Ik stond nu in een lage, armelijke ruimte, de hut van een aangespoelde. Een man, even groot als ik, zijn baard doorschoten met grauwe vegen. Hij zweeg en keek. Mijn stem was vlak en helder toen ik zei

– Ik ben Ludwig Unger.

En, als om zijn geheugen op te frissen

– Ik ben uw zoon.

De stilte galmde tussen mijn oren. De man wreef over zijn baard en liet daarna zijn hand in zijn hals rusten. Hij liep naar de tafel en nam erachter plaats. De leuning kraakte, zijn ogen gleden langs het plafond, de petroleumlamp boven tafel. Ik meende dat ik hem binnensmonds geluid hoorde maken, een gedachte die niet voorbij zijn lippen kwam. Er vond daarbinnen, in hem, een ordening plaats, het rangschikken van dingen die op een willekeurige avond uit de hemel op zijn hoofd waren gevallen.

– Je lijkt op haar, zei hij toen.

Opnieuw daalde hij in zichzelf af, op zoek naar woorden, iets om te zeggen.

– Je was altijd al een kind van je moeder.

Zijn onderkomen was dat van een cynische filosoof, een hond.

– Ben je je tong verloren, jongen? Ga zitten.

Er was nog een andere stoel in de ruimte, bij het bed, vol kleren en papieren. Naast de matras stond een stompje kaars in een conservenblik, en een bijna opgebrande groene spiraal tegen insecten. We zaten nu tegenover elkaar, Bodo Schultz en Ludwig Unger, een mensenleven gescheiden van elkaar, míjn leven, en juist nu hing mijn tong als verlamd in mijn mond. Hij was zoveel ouder dan in mijn voorstellingen. Vader, ben jij het? Hij schonk twee glazen vol uit een fles zonder etiket.

– Misschien maakt dat je wat spraakzamer.

Ai, de brand van mijn ingewanden! Hij monsterde me, turend, alsof zijn ogen inderdaad niet goed waren.

– Hoe is het met je moeder?

Ik blies lucht uit mijn neusgaten.

– Niet goed, zei ik. Ze is dood.

– Dood, echode hij.

– Kanker.

Hij knikte als een schildpad.

– Marthe dood. Wanneer?

– In mei vorig jaar.

– Mei. Wat is het nu?

– Januari.

– Heeft ze geleden?

– Ze heeft geleden.

– Zonder gaat niet.

– Misschien niet.

Hij dronk. Druppels bleven achter in zijn baard.

– Kloterig, zei hij.

En later

– Hoe ben je hier gekomen?

– Een man heeft me gebracht. Hij wist de weg.

– Het is moeilijk om niet gevonden te worden in deze wereld.

Ik had geen ander repertoire tot mijn beschikking dan dat van de oervragen. Ze brandden als fosfor in mijn ziel.

– Waarom ben je weggegaan? Uit Alexandrië, bedoel ik. Zonder... iets.

Een lach, smalend, beledigend.

– Heb je die hele reis gemaakt om mij over de moraal van het huwelijk te onderhouden, jongen? Ben je daarvoor dat hele eind gekomen? Dan mag ik hier nog wel een stel van jouw soort verwachten, denk je niet?

Ik zoog adem in.

– Ik ken je leven niet. Ik heb alleen maar een paar vragen. Dan ga ik weer weg.

– Je had ook kunnen bellen.

Hij knikte naar de satelliettelefoon op de plank achter zich.

– Ik had je nummer niet, sorry.

Als hij lachte zag je de zwarte gaten in zijn gebit.

– Je bent gekomen omdat je iets wilt weten, zei hij. Wil je weten wat je kon verwachten of wil je weten wat je je nu nog niet kunt voorstellen? Het punt waar niets overblijft. Daar voorbij. De mensen voorbij. Alles voorbij. Waar kosmische eenzaamheid je beloning is. De allerhoogste kennis. Geen uitzichten meer, alleen maar afgronden.

– Ik wil alleen maar weten welke reden goed genoeg was om je vrouw en kind alleen te laten.

Hij schonk in. Zijn hand beefde.

– Siddharta Gautama kijkt naar zijn slapende vrouw

en kind. Rahula, zo heet het kind. Boei, keten. Gautama sluipt het huis uit en komt niet terug. Hij wordt asceet in de wildernis. Sommigen worden Boeddha. Anderen anti-Boeddha.

– Boei.

– Je moeder werd zwanger. Tientallen, honderden hadden hun zaad in haar gestort, van mij werd ze zwanger.

– Jullie waren getrouwd.

– Geen kinderen, had ik gezegd. Niet. Het ongelukje van vrouwen, pfah!

– Ik was ongewenst...

– Geen zielige liedjes hier. Niet zeiken. Ze naaide me d'r in. Nooit de honger van een baarmoeder onderschatten, les één. Het vrouwtjesdier is onverzadigbaar. Ze slaat een tap in je vlees, je krachten vloeien uit je weg. Jouw moeder? Ik wilde een vrouw, ik kreeg een huishouden. Ze kuste alsof ze het leven uit me wilde zuigen. Ze kuste niet, ze zoog.

O, weerzinwekkende flits – haar lippen in mijn hals, de kus des doods.

– Bespaar me de intimiteiten, zei ik.

Zijn smalende lach.

– Smaakt het antwoord je nu al niet? Je bent net binnen. Komt dat hele eind voor iets wat-ie niet wil weten? Prometheus met zijn uitgewaaide lucifer! Hahaha!

Een zwarte, exploderende ster in het midden van mijn borst. Hij sloeg zijn glas op tafel. Hij zei

– *Liefde* noemde ze het, en speelde fluit op mijn gebeente. En jij, jij was van je moeder. Ze heeft je zelfs haar naam gegeven, hoor ik. Prijs de dag dat ik wegging, nu had je haar voor je alleen, dat willen jongetjes toch? Mama voor zich alleen? Zonder gestoord te worden in je vieze fantasietjes? Als je met je piemeltje speelt?

Ik boog over tafel, mijn handen tot vuisten gebald.

– Je gaat te ver.

Mijn adem werd afgesneden.

– Je hebt geen recht...

Hij schudde zijn hoofd.

– Je zou wat meer van mij moeten hebben. Dit is niks zo. Gedram. Ga alsjeblieft weg.

Ik kwam overeind, hield me vast aan het tafelblad en sloot kort mijn ogen. Ik haalde diep adem.

– Eén ding nog, zei ik. Je stuurde me een kaart. Ik was net vijftien. Je schreef dat ik van je moest houden. Waarom?

– Ik schreef dat?

– *Hou van mij*, op een kaart uit Colombia.

Hij plooide zijn voorhoofd en lippen in ongeloof.

– Weet ik niks van, zei hij. Dat moet iemand anders zijn geweest.

De expanderende ster vulde mijn borst, mijn lichaam. Euforisch zingend het leven uit hem trappen, langzaam en methodisch.

– Je bent de eerste niet, zei hij. Jezelf definiëren door mij te verslaan! Daarom ben je gekomen.

O delirium! O duivelse tumor in mijn hoofd!

Hij maakte een paar boksbewegingen.

– Whoe! Whoe! Whoe! Gekomen om je oude vadertje in de pan te hakken! Kun je wel, lummel.

Ik schudde mijn hoofd.

– Kijk naar jezelf. Afzichtelijk. Ik hoef jou niet meer te verslaan. Dat heb je zelf allang gedaan.

– Whoea! Vol op m'n neus. Drink op, jongen. Praat tegen me. Er gaan hier maanden voorbij zonder dat je iemand één verstandig, precies geplaatst woord hoort zeggen. 't Is hier alles gebruiksgoed, elke steen, elke veter, elk woord. Die indianen versta ik niet en wat ik wel versta bevalt me niet. Ik heb liever negers. Die zijn sterker, beter, maar nauwelijks te krijgen. Niks voor negers, het binnenland. Die blijven aan de kust. Geef hem eens ongelijk, de neger, dat hij in vrijheid zijn visje wil bakken en promiscue wil zijn. Hier rotten we allemaal weg. Alles. Een spijsverteringskanaal. Ongeletterde insecten vreten je boeken op, malen zowel *Der Wille zur Macht* als elke handleiding tot hetzelfde poeder. Je horloge zowel als de vrachtwagen verkruimelt door dezelfde corrosie. Het is heel interessant. In deze wereld, als dood voor de wereld, kun je actief werken aan je niet-bestaan. Je bent er eigenlijk al niet meer, je kijkt verbaasd naar wat nog overeind staat, wat nog door de laatste flinters woede en wil op de been gehouden wordt. De idealist en de godgelover zien er schoonheid en betekenis in, in de natuur, maar die dingen zijn te overwinnen door de wil. De gerichte wil. Die vernietigt ze. Maar van de onverschilligheid verlies je het. Altijd. Zo hebben de goden zich geharnast, achter de onverschilligheid. Steen voor steen blaas ik die tronen onder hun kont vandaan. Wat hebben ze ons een angst ingeboezemd met hun afgronden! De goden in de hoogte, wat hebben ze gelachen. Maar wat slecht waren ze voorbereid op de gedaante van een horizontale afgrond, de afgrond die zich uitstrekt als een geeuw! Een mens vreest zijn leven lang de diepte, maar hij zal sterven in de vlakte. Begrijp je, jongen, dat is mijn betekenis, dat is de betekenis van elke vernietiging. Alleen de vernietiging heeft een permanent karakter.

Hoe lang heb ik naar die krakende zender geluisterd? De heilige ernst van zijn woorden had ik daarbuiten gehoord, in de schreeuw van steen. Ik dronk en luisterde en ging onder in de man die mijn vader was.

Later verlieten we de hut, we gingen de zoemende nacht in, onder die allemansvriend van een maan. In de diepte doofden de vuren. Schommelend ging hij me voor, de helling af, naar de plaats waar nog licht scheen. We gingen de treden op naar een halfopen barak, waar een pokdalige negerin aguardiente schonk aan de laatst overgebleven werkers. Ze vielen stil toen hij uit het donker op de ruwhouten vloer stapte.

– Hola, campesinos! bulderde hij.

Ze knikten. De vrouw schonk twee glazen in. De mannen zaten aan houten schragen vol glazen en flessen. De generator achter het gebouwtje hield geen maat met de vallenato uit de luidsprekers. Op de provisorische toonbank, onder een felle lamp, stond een kom met brokken vlees in rode saus. Soms zwiepte de vrouw er met een vliegenmepper overheen.

– Maria, donde están las chicas? vroeg Schultz.

De vrouw haalde haar schouders op, en riep een van de mannen iets toe. Sloffend verwijderde hij zich uit het licht. Later kwamen ze, de vrouwen voor de legers. Getekende gezichten, hun donkere ogen dik van de slaap. Schultz' favoriete was een creoolse met dunne kuiten en kleine, kogelronde borsten. Hij ontblootte zijn ruïneuze gebit.

– Deze heb ik met mes en vork leren eten.

Ze zat bij hem op schoot en noemde hem *papita*. Onder haar petticoat zag je haar onderbroek. De andere twee richtten hun aandacht op mij, maar toen de conversatie al na een paar woorden stierf, lieten ze me met rust. De mannen haalden geruster adem nu er vrouwen waren. Schultz greep zijn meid bij haar nekvel. Ze spartelde als een fel katje. Ik wilde op mijn hoede zijn voor gevaar, maar de brand in mijn ingewanden maakte me zorgeloos. Ik stampte op de planken, op de maat van de muziek.

– Dit zijn wel de domste klootzakken ter wereld! riep Schultz van achter het meisje. Ze weten nergens een zak van, maar geef ze een fles en je hoeft ze niks te vertellen.

Wanneer hij lachte, vielen de gesprekken stil.

– Zodra er indianenbloed in zit, is het verkloot. Niks meer mee te beginnen. Lusteloze slaven. Om niets herinnerd. Spoorloze, tragische volken. Maria!

Ze schonk hem bij, de kapitein van dit verdoemde schip.

– Neem Conchita! riep hij. Een kutje als van een baby. Je houdt toch wel van kutjes, jongen? Je bent toch geen flikker? Hahaha! Tengo un hijo maricón!

De vrouwen gierden, de mannen blikkerden ongemakkelijk met hun gebitten en vermeden mijn blik.

– Heeft je moeder een flikker van je gemaakt, jongen? Ben je gekomen om me dat te vertellen? Papaatje, ik ben een bruinwerker? Een aardje naar z'n vaartje, die jongen, misschien lijkt-ie toch meer op mij dan ik dacht. Ik naaide dat moedertje van je ook van achteren. Daar kreeg ze een beetje expressie van, een beetje kleur op dat bleke smoeltje!

Ik schoot uit als een stiletto, een, twee, drie keer sloeg ik met mijn vuisten in zijn gezicht, rechts, links, rechts, hij viel met meid en al achterover. Hij lag op de planken te lachen, het bloed liep uit zijn mond. Het meisje krabbelde op en schoot ervandoor. Niemand deed iets, niemand durfde iets te doen, ijzige rust nam bezit van mij. Hij probeerde zich omhoog te werken langs een tafelpoot.

– Je slaat hard voor een flikker.

Mijn voet schoot uit tussen zijn ribben. Hij kronkelde als een paling op een gloeiend rooster.

– Kleine gore smeerlap! hijgde hij. Zeg die slet dat ze terugkomt. Zeg dat ze terugkomt verdomme!

Liggend op de planken keek hij naar me op, de stervende haan in Yaviza schoot door mijn hoofd. De mannen hielden hun blik afgewend, niemand keek naar ons, een gevallen keizer is gevaarlijker dan een keizer te paard. Ik ging terug naar mijn plaats. Kermend manoeuvreerde hij zich in zittende positie. Maria bracht hem een nieuw glas en schonk mij bij. Ik veegde mijn vuist schoon aan mijn broek. Krom, met een hand tegen de zijkant van zijn borst gedrukt zat hij daar, en spuwde bloedfluimen op de planken. Het meisje knielde voor hem neer, hij sloeg haar hand weg toen ze over zijn gezicht streek. Ik trok mijn stoel bij, ik bracht mijn gezicht dicht bij het zijne.

– Ik heb altijd op je gewacht, zei ik. Overal heb ik je gezocht, overal dacht ik je te zien. Is dat hem, zou hij er zo uitzien? Nee, zo loopt hij niet. Hij moet veel langer zijn. Bruine ogen, geen blauwe. Als je zoiets groots ontbreekt als een vader, ben je altijd aan het knippen en plakken, waar je ook bent. Je gelooft in wonderen. Waarom zou ik hem niet hier, niet vandaag kunnen tegenkomen? Je verzint bezigheden die hem hier gebracht kunnen hebben. Het verhaal klopt altijd, alleen komt hij nooit tevoorschijn, dat is het enige wat er mis is met die verhaaltjes, dat hij het verdomt tevoorschijn te komen.

Nog verder terug, de jaren dat je je afvraagt: denkt hij aan mij zoals ik aan hem? Ben ik in zijn gedachten? Als ik goed luister, kan ik dan zijn gefluister horen? Kunnen we elkaar langs magische weg bereiken, de weg van dromen, de weg van de telepathie? Maar ik heb je altijd alleen als schim gedroomd, als de zwijgende geesten van Dickens. Nooit met een gezicht, nooit. Dit, wist ik bij het wakker worden, waren weer de geesten van Onmacht en Frustratie. Dat is de ontbrekende helft. Dat is wat je naliet. Niks dan treurnis en ellende. En dit, dit hier, is daar alleen maar een uitvergroting van. Je verspreidt die nihilistische rotzooi als een pest. Je gelooft alleen in wat gebroken is. In wat verwoest is. Alleen het allerzwartste wordt vertrouwd. Mengelmoes van morele kleurenblindheid en aangrijpend simplisme. Mediohombre, zo heb ik je genoemd. Wat past die naam je goed!

– Daar drinken we op! riep hij. Mediohombre!

– Halve man...

– Mediohombre!

Zijn hand was onder de rok van het meisje verdwenen. Ze duwde de hand weg maar hij kroop telkens weer tussen haar benen. Hij was sterk, hij was in staat te *verdragen*. Dat was het enige waarom ik hem bewonderde, de bewondering die met angst verknoopt is, dat hij zijn leven uithield, niets en niemand ontzag, en niet omzag. En uit de maalstroom van de nacht dook ik nog een doorzichtige gedachte op – dat ik uiteindelijk, als ik teruggekeerd zou zijn uit deze wildernis, geen verlangens meer zou hebben waar hij een rol in speelde. Niet één verwachting zou deze nacht overleven. Waar alle gevoel is vermorzeld, opent zich een weldadige ruimte voor de afschuwelijke, verrukkelijke genade van onverschilligheid, die gedaante van de goden.

Ik schrok wakker van beweging naast me. We lagen in de hoek van een hut, door de dunne matras voelde ik de aangestampte aarde. Ze draaide zich op haar andere zij. Op haar bruine rug stond een tatoeage van een geboeide vuist, strijdvaardig gebald. De hitte drukte me in de matras. Ik worstelde me uit dat nest van vlooien en venerische ziekten en schoot in mijn kleren. Dertig dollar liet ik achter op de plaats waar ik gelegen had. Met losse veters en openhangend hemd verliet ik de hut en ging op zoek naar water. Bij de barak zag ik Ché Ibarra, hij stond in de schaduw van een zijmuur. Het schrapen van de metalen grijpers kraste in mijn oren. De berg keek bloedend op ons neer. Vergeef mijn vader, hij weet niet wat hij doet.

– Una hora más, zei ik tegen Ibarra.

In de barak dronk ik drie kroezen koel water uit een ton. Zo voelt het geluk van de rivier. Ik ging het pad naar zijn huis omhoog. Hij zat op een stoel, in een vale onderbroek waarvan de pijpen te wijd waren voor zijn benen. Het was niet te zeggen waar de pisvlek ophield. De huid rond zijn ogen was zwart en gezwollen, ik had hem goed geraakt. Hij hield een hand op zijn zij.

– Ik denk dat ik er een paar gebroken heb, zei hij.

Zijn witte onderbenen waren bezaaid met zweren. Het oerwoud was bezig hem op te vreten. Van de grote man uit de verhalen was nog maar weinig over. De creoolse maakte koffie op een vuurtje buiten. Ze zat gehurkt en wachtte tot het deksel van de gebutste ketel begon te klepperen. Ik pakte mijn tas en zette hem op tafel.

– Dit moest ik je brengen, zei ik.

Uit de tas kwam de plastic doos die ik al de hele voettocht met me meedroeg. Ik zette die voor hem neer en ritste de tas dicht.

– Wat is het, vroeg hij.

– Voor jou.

Zijn rode ogen schoten heen en weer tussen mij en de bovenmaatse broodtrommel. Met bevende handen nam hij de elastieken rond de doos weg, haalde het deksel eraf en keek wat erin zat.

– Wat is dat?

– Wat denk je.

– As?

– As.

– Niet haar as...?

– Haar as.

Hij trok zijn hand terug alsof er een adder in de doos zat.

– Godschristus...

– Het was haar laatste wens.

– Typisch Marthe, fluisterde hij... typisch...

– Ze heeft nooit begrepen waarom je bent weggegaan, zei ik.

Hij kromp verder ineen.

– Ze heeft altijd van je gehouden.

En met die woorden hing ik mijn rugzak om, zei *Nou, dag*, en trok niet één, maar vele deuren achter me dicht.

Zo ongeveer vertelde ik het Linny Wallace. Sommige dingen liet ik weg, andere verzachtte ik, maar langs deze lijnen wikkelde de vertelling zich af. In het restaurant werden de tafels gedekt voor het ontbijt. Een man liep met een stofzuiger achter zich aan door de hal. We voelden ons een tankstation dat vierentwintig uur open was; zelfs onze kleren, onze haren waren *moe*. We gingen de trap op, voor haar kamerdeur was er het moment van aarzeling, toen nam ze mijn hand en zei

– Kom.

We kleedden ons uit, elk aan een kant van het bed. We sloegen onze ogen neer voor elkaars naaktheid. Ik lag gebogen, met mijn rug naar haar toe. De lichte geur van zeep toen haar lichaam aansloot. Ze sloeg haar armen om me heen. Toen begon het trillen. Het kwam in steeds grotere golven. Ik lag te schudden als een parkinsonlijder, te klappertanden, opgegraven uit een lawine, ontdooid, het leek nooit te zullen ophouden.

– Shh, shh, stil maar, fluisterde de vrouw die me vasthield.

Geleidelijk nam het beven af, haar zachte, kalmerende handen aaiden over mijn bovenarm en borst, ze streek de trillingen uit me weg. Zo vielen we in slaap, in het grijze ochtendlicht dat tussen de gordijnen lekte.

De begraafplaats rond de St. George was al jaren vol, maar Warren kreeg een plaats in het familiegraf van de Feldmans, een stenen grafmonument, met ijzeren deuren afgesloten. De buitenmuur en de toren van de anglicaanse kerk waren opgetrokken uit de ronde vuurstenen die de zee aan land bracht, het was een grote kerk, het grootste gebouw van Alburgh, als een kloek spreidde ze het dons van de eeuwigheid over de laatste gelovigen uit. De boogvensters bevatten doorzichtig glas, het innerlijk van de kerk was licht en helder. Ik was de eerste gast. Ik droeg een donkergrijs pak met zwarte das. Ik werd begroet door de priester, Lindsay Temple, die leek te twijfelen of ze zich mij herinnerde. Ik hing half uit mijn lichaam van vermoeidheid. We spraken het programma door, tussen gebed en Bijbellezing zou ik achter de piano plaatsnemen en de *Marcia Funebre Sulla Morte d'un Eroe* spelen. Ze schreef het precies op.

– Van Beethoven dus.

– Ludwig van Beethoven, ja.

Op verzoek van Catherine nam ook de pastoor van haar kerk deel aan de dienst. Mijn hoofd was een schaal gevuld met mousserende wijn. Catherine knikte naar me en nam plaats op de bank voor mij. Ze werd geflankeerd door twee dochters, donker als schaduwen. In de rij aan de overkant van het gangpad zat Joanna, ingeklemd tussen drie titanen en een titanide. De vraag: wie heeft het meeste recht op de dode? Wie eigent zich zijn nagedachtenis toe? Geruis, geschuifel, de kerk liep vol. Ik zag Terry Mud, met een das om alsof hij zich verhangen had. Ik zou hem vragen of ik niet een tijdje in zijn stacaravan kon wonen.

In het roosvenster achter het altaar weenden heiligen tranen van gekleurd glas. Pijlen doorboorden een martelaar. Men zat, de deuren gingen dicht. Lindsay Temple nam het woord. Wederopstanding, eeuwig leven. Wie wij vandaag naar zijn graf brachten. Zijn leven in vogelvlucht, een knikje naar zijn tweede, een knikje naar zijn eerste vrouw – een strikt protocol. Het gegrinnik door de rijen toen zijn zeewering werd gememoreerd. Ik droomde met mijn ogen open. Hoe ik eens, lang geleden, mijn slapende lichaam had verlaten en pijlsnel naar de wolken steeg, hoger, voorbij de sferen rond de aarde, als licht andere hemellichamen tegemoet, een reis zonder terugkeer, tot opeens haar stem klonk, mijn moeder die mij riep, *Lud-wig!* Met een schok tuimelde ik terug mijn lichaam in, rechtop in bed, geschrokken riep ik *Ja?*, maar niets dan stilte en donker omringden mij.

– Ik vraag Ludwig Unger naar voren te komen, een goede vriend van de familie, hij zal voor u spelen...

Ik droom de dodenmars zonder fouten. Bevroren vlinders vouwen hun vleugels uit – tot tranen gesmolten regenen ze op de mensen neer. Voor Warren, voor Marthe, iets beters heb ik niet.

Meer Bijbellezing, de woorden en formules als te kleine deksels voor het formaat van het ontbreken. Catherine draait zich naar me om en glimlacht zo dat mijn hart breekt. *The Lord's Prayer*, we staan op, ik houd me vast aan de bank voor me.

Tussen de verzakte graven, de Keltische kruisen, stenen waarin scheepjes zijn uitgehakt, vormen de mensen een haag, rijen dik, niet iedereen kan zien hoe de kist in de crypte verdwijnt. Men wrijft over mijn armen, klopt op mijn rug, *mooi gespeeld, mooi gespeeld.* De dragers keren uit de duisternis terug, Catherine en haar dochters zijn achtergebleven. De kou bijt in mijn gezicht, de aflandige wind ritselt tussen de graven en de kale, glanzende takken. Vrouwen snuffen. Catherine doet er een eeuwigheid over, na nu is er nog slechts droom en herinnering. De laatste aanraking, huid op hout. Gekrompen, wasbleek keert ze uit het dodenrijk terug. Nu verdwijnen Joanna en haar kinderen in het graf. Wanneer zij terug zijn, deelt een stem het vervolg van de gebeurtenissen mee. De menigte valt uiteen, straks is er whiskey en muziek, *Catherine en de kinderen stellen uw komst zeer op prijs.*

Voordat ik zou drinken op de doden, voordat ik zou stampen op de maat van de muziek en in luide gesprekken verzeild zou raken, stond me nog iets te doen. Ik ging terug naar The Whaler. In mijn kamer opende ik de kastdeuren en haalde mijn koffer tevoorschijn. Ik nam er de plastic tas met de urn uit. Daarmee verliet ik de kamer.

Bij de Readers' Room ging ik de boulevard op. De zee lag kalm te glinsteren in de diepte. Ik liep langs de pier en de winterstalling van de strandhuisjes naar het begin van Kings Ness. Warren Feldmans heuvel, het rijk van koning Knut. Zand en stenen knarsten onder mijn leren zolen. Ik boog niet mee met de weg maar stak rechtdoor, door het hoge gras naar de woekering van doornstruiken in de verte, boven op het klif. Daar had eens een huis gestaan. Daar bracht ik haar naartoe, en ik dacht terug aan die andere asbestemming, die kunststof doos vol as uit de keuken van Aldair Macmillans moeder, die me verbaasd had toegestaan dat ik de as uit haar oven schepte. Een ingeving, misschien om het restant van zijn geweten te belasten, hem te dwingen *zich te herinneren.*

Een paar gele bloemetjes in de gaspeldoorn, blinkend als medailles op een uniform. Op de wind werd van ver een stem aangedragen, iemand die heel hard *Mol-ly!* riep. Ik liep dicht langs de rand, daarbeneden waren de resten van Warrens zeewering te zien. Na hem de zondvloed. Ik moest Catherine eens vragen hoe hij die dingen precies had aangepakt, later, als de rust een beetje was teruggekeerd.

Hier was het, hier staken de leidingen uit het klif die water en gas naar ons huis hadden gebracht. Nergens hadden wij meer thuisgehoord dan hier. Ik nam de urn uit de tas en zette haar in het gras. Aan de horizon lag een bleekblauwe veeg licht. De hemel was open, hoe ver je kon kijken wist je nooit. Op deze plaats zou ik een bankje laten neerzetten. *Voor Marthe Unger. Voor Warren Feldman. Zij hadden het hier lief.* Zoiets. Ik verbrak het zegel, het deksel zat stevig vast. Ik draaide het eraf en liep zo dicht mogelijk naar de rand. Het strand was leeg. Mensen, hun dagen zijn als het gras, zij bloeien als bloemen in het open veld, dan waait de wind, en zijn ze verdwenen, en niemand weet waar ze hebben gestaan.

Ik keerde de urn om boven de afgrond. Een deel viel recht naar beneden, een ander deel werd opgenomen door de wind – daar waai je, moeder, daar waai je.

Ik stapte terug. Met de urn in mijn hand keek ik uit over het water. Dit was dan de plaats van ons afscheid geworden, aan de rand van de wereld, bij de blikkerende zee. Niets was ongedaan gebleven, er was niets wat ik verlangde. Ik was alleen. En alles begon.